Relançamento

Deus estava
com ele

Elisa Masselli

Revisão
Katya Laís Ferreira Patella

Capa
Cler Mazalli
Zap design & publicidade

Diagramação
Just Layout

3ª Edição
Julho de 2008
10.000 exemplares

Publicação e distribuição
MENSAGEM DE LUZ EDITORA

Av. Pres. Costa e Silva, 609 - Sala 309
Boqueirão - Praia Grande - SP - CEP: 11701-000
Telefones: (13) 3592-2794 - 3592-3704
Site: www.mensagemdeluz.com.br
E-mail: info@mensagemdeluz.com.br

Sumário

O Divórcio

Walther entrou em casa acompanhado por Steven, seu amigo de infância e padrinho de casamento. Tirou a gravata e o paletó, jogou-os sobre um sofá, dirigiu-se até ao bar, preparou dois drinques. Estava nervoso; começou a falar alto:

— Steven! Pode me explicar? Como minha vida mudou dessa maneira? Por mais que tente, não consigo acreditar que o meu casamento tenha terminado de um modo tão deprimente.

Steven, pegando o copo que Walther lhe oferecia, disse:

— Confesso que também estou admirado. Jamais imaginei que isso fosse acontecer. Vocês representavam o casal perfeito. Fui testemunha do início de tudo e sempre acreditei que eram felizes.

— Você se lembra de como conheci a Ellen?

— Claro que me lembro! Foi na festa de aniversário do Brian. Aquela em que você não queria ir e tive que convencê-lo.

— Foi... você teve quase que me obrigar. Eu nem imaginava que encontraria alguém. Principalmente uma mulher.

— Encontrou e ficou muito feliz.

— Fiquei mesmo. Você não viu quando ela chegou. Como sempre, estava rodeado por moças. Não sei o que tinha ou tem para atraí-las.

Steven, com olhar maroto; disse:

— Charme, meu amigo. Charme...

Walther começou a rir e disse:

— Você é mesmo um palhaço.

— Talvez seja porque sempre estive e estou de bem com a vida.

— Não sei como consegue ser assim. Parece que nada o atinge, que nunca teve problemas!

— Depende do que você julgue que seja um problema. Algumas vezes, tive que tomar decisões, mas tenho uma teoria. "Se existe um problema, com certeza existe também uma solução." Isso é científico!

— Problemas que envolvem números não me assustam, já os da vida, quase sempre tenho dificuldade para resolvê-los.

— Pois eu com números é que tenho muita dificuldade, mas continue falando de Ellen.

5

— Naquela festa, eu estava entediado, pois você sabe que não gosto de festas, principalmente as de aniversário, mas você me fez ver que precisava ir, pois o Brian era nosso amigo. Assim que ela chegou, não consegui mais desviar os meus olhos. Foi paixão a primeira vista. Ela estava linda.

— A Ellen é realmente muito bonita. Eu logo percebi que você estava fascinado, não acreditei quando o vi caminhando na direção dela.

— Lembro-me que uma música suave começou a tocar. Aproximei-me e, timidamente, perguntei:

— Quer dançar?

— Ela me olhou por alguns segundos, sorriu, abriu os braços, saímos dançando. Daquele dia em diante, começamos a nos encontrar cada vez mais assiduamente. Em menos de seis meses, estávamos casados. Nunca pensei que todo aquele amor fosse um dia terminar, e de maneira tão repentina...

— Tem razão, todos ficamos surpresos. Primeiro, com o casamento, pois você dizia que nunca se casaria. Era o último da turma que ainda estava solteiro. Depois, com a separação. Nunca poderíamos imaginar que isso fosse acontecer. Não com vocês...

Walther voltou ao bar e encheu outro copo. Não conseguia controlar o ódio que sentia naquele momento, continuou falando:

— Como, diante do juiz, ela disse tudo aquilo? Como de repente um amor igual ao nosso se transformou em algo tão pequeno? Não consigo entender. Será que ela tinha razão em suas queixas?

— Do que ela se queixava?

— De várias coisas, que na época eu achava sem importância. Mas agora estou pensando. Talvez ela tivesse motivos para as queixas.

— Por que está dizendo isso?

— Para manter o cargo que ocupo na empresa, tenho que trabalhar muito. Por isso, eu trabalhava até altas horas da noite. Chegava em casa normalmente cansado. Trabalhava até nos fins de semana. Ela é jovem e bonita, queria sair para dançar, ir ao teatro ou simplesmente a um cinema. Eu sempre me recusava a sair de casa. Com o tempo, me distanciei ainda mais, não queria que lhe faltasse nada. Queria que ela tivesse todo o dinheiro que precisasse para fazer compras ou o que quisesse. Reconheço hoje que me tornei uma companhia insuportável. Por muitas vezes reclamou. Estou me lembrando agora de uma noite em que eu estava aqui nesta sala, lendo alguns documentos. Na manhã seguinte, eu teria que fazer uma apresentação. Ela se aproximou e me beijou. Eu afastei o rosto. Ela, chorando, disse:

— *Você não se preocupa comigo! Estou cansada de ficar em casa sem ter o que fazer! Quero trabalhar, ter o meu próprio dinheiro!*

— *Como não me preocupo? Como não tem o que fazer? A casa é grande! Tem muito trabalho aqui! Não precisa ter seu próprio dinheiro! Tem todo o que necessita, nunca lhe faltou nada! Para isso trabalho tanto!*

— *Sei que trabalha e que não quer que me falte nada, mas não me dá o principal, a sua companhia, o seu carinho! Estou sempre muito só, preciso fazer algo para me distrair!*

— *Procure, então, algo para fazer, vá às compras, ao cabeleireiro. Faça o que quiser, mas por favor me deixe em paz. Quando chego em casa preciso ter tranqüilidade. Já tenho muito com o que me preocupar durante o dia todo! Os problemas na empresa são muitos. Sabe que tenho que trazer algum trabalho para fazer em casa! Meu salário é alto! Preciso trabalhar muito para merecê-lo! Não suporto suas queixas fúteis! Deveria se queixar se eu, ao invés de trabalhar, ficasse pelos bares, bebendo, ou saísse com amigos! Aí sim teria motivo de sobra para reclamar! Mas tudo o que faço é pensando em você, no seu bem-estar! No nosso futuro!*

— *Quando ouço você falar dessa maneira, chego a pensar que não teremos futuro!*

— *Que está dizendo?*

— *Nada... não estou dizendo nada...*

Steven, que até o momento ouvia em silêncio o desabafo do amigo, perguntou:

— Nunca parou para pensar que talvez ela tivesse razão?

— Não. Eu a considerava mimada fútil, e ingrata, já que eu trabalhava tanto só para lhe dar conforto. Achava que ela não tinha motivo para reclamar.

— Será que era só para isso mesmo?

Walther arregalou os olhos:

— Por que está perguntando isso?

— Conheço você muito bem. Crescemos juntos. Você nunca foi de falar muito, mas na escola sempre se fazia notar sendo o primeiro da classe. Por isso acredito que sempre esteve pensando em você mesmo. Em mostrar na empresa que era o melhor.

— Você está me ofendendo, Steven!

— Ora, Walther, entre amigos não há ofensas. Não estou ofendendo você, estamos apenas conversando, estou sendo sincero. Não queria mesmo mostrar o seu trabalho perante seu superior?

Walther ficou calado, pensando. Após alguns segundos, respondeu:

— Talvez você tenha razão, Steven. Em toda a minha vida, sempre fiz tudo da melhor maneira possível.

— Isso não é defeito, e sim uma qualidade. Desde que não seja exagerada.

— Será que a Ellen também sentia isso Steven? Sempre que tínhamos essas brigas, ela ia para o quarto, chorando. Algumas vezes, eu ia até ela, pedia desculpas e prometia que mudaria, mas não adiantava. Após alguns dias, eu me deixava novamente envolver pelo trabalho e voltava a ser como antes. Não sei quando ou como ela se envolveu com outra pessoa. Um dia, sem que eu esperasse, ela disse:

— *Quero o divórcio!*

— *Levei um grande susto:*

— *Como? Quer o divórcio? Está louca?*

— *Não, não estou louca, quero o divórcio porque encontrei alguém que me ama, respeita e que me faz muito feliz.*

— *Está dizendo que tem outra pessoa? Está dizendo que esteve me traindo?*

— *Ela estava tranqüila Steven e falava com firmeza:*

— *Isso mesmo. Conheci esse rapaz, nos apaixonamos e para não continuar traindo você, quero o divórcio!*

— *Fiquei desnorteado, jamais pensei que um dia aquilo poderia acontecer: Como muita raiva; perguntei:*

— *Quem é ele? É rico? Pode lhe dar mais conforto do que eu?*

— *Não, ele não é rico, mas me ama e me dá toda a atenção que você nunca deu.*

— *Se ele não tem dinheiro e você não trabalha, irão viver do quê? Não está pensando que vou lhe dar uma pensão para sustentar um vagabundo qualquer! Está?*

— *Por que sempre tem que colocar o dinheiro na frente de tudo? Da maneira como iremos viver, não é da sua conta. Só quero o divórcio. Sabe que tenho meus direitos, mas não vou querer nada. O resto é problema meu.*

— Naquela mesma noite, ela saiu de casa Steven. Daí em diante, só conversamos através dos advogados. Você sabe que esta casa eu comprei antes do casamento. Ela não quis levar nada do que tinha aqui. Nem sequer quis a pensão, mesmo sabendo que tinha direito. Disse que não achava justo, pois eu havia comprado tudo. Só queria mesmo a sua liberdade. O divórcio foi rápido.

— Nos pegou a todos de surpresa.

— Agora, fico pensando: será que realmente valeu a pena eu ter trabalhado tanto? Será que realmente eu a amava? Hoje, ao vê-la, me pareceu uma estranha. Mas, enfim, agora está tudo terminado. Estou perdido, sem saber o que fazer com a minha vida.

— Ainda a ama?

— Acredito que não. No princípio, eu a amava, mas, aos poucos, todo aquele amor foi esfriando. Logo se tornou rotina. Eu chegava, tomava banho, jantava, assistia à televisão ou ficava verificando alguns documentos.

— Uma vida normal, igual a muitas.

— Também achava que era normal. Pensava que estava fazendo o melhor para o nosso futuro.

— Você achava que sim, Walther, mas ela pensava diferente. Não estava preocupada com o futuro, queria viver o presente.

— Deve ter sido isso mesmo. Ainda bem que não tivemos filhos, pois se isso tivesse acontecido, hoje a situação seria bem pior...

— Nisso você tem razão. Uma criança agora só iria complicar. Mas, enfim, está feito. Tem agora que recomeçar a sua vida. Outro amor surgirá. Talvez da próxima vez não cometa os mesmos erros.

— Não sei se poderei amar novamente ou me entregar da mesma maneira. Estou me sentindo um derrotado.

— Que é isso amigo? É ainda muito jovem! Além do mais, tem

ainda outra vantagem.

— Que vantagem?

— Está só com vinte e nove anos. É bonito, tem uma boa situação financeira, está solteiro, poderá ter a mulher que quiser e sem culpa.

— Você me conhece muito bem, sabe que tenho dificuldade para me aproximar das pessoas, principalmente das mulheres. Não sei o que vai acontecer. A atitude da Ellen faz-me lembrar da minha mãe.

— Sua mãe? Por quê?

— Ela também me pareceu sempre muito triste. Por muitas vezes quis conversar com ela, saber qual era o motivo daquela tristeza. Por que de vez em quando ela chorava? Nunca obtive resultado. Será que, como a Ellen, também se sentia muito só? Embora tenha sido uma ótima mãe, sempre a achei um pouco estranha. Nunca quis falar muito sobre a família ou amigos que deixou no Brasil, sempre que perguntava, ela respondia:

— *Não tenho família alguma ali. Quando meus pais morreram, eu era ainda muito jovem. Conheci seu pai, nos apaixonamos, você nasceu, nos casamos e viemos para cá.*

O telefone tocou. Walther atendeu:

— Alô, oi mamãe, como está?

— Estou bem, meu filho, só telefonei para saber, como foi lá no fórum?

— Foi tudo muito frio e rápido, mamãe. Eu e ela parecíamos dois inimigos. Mal nos olhamos. O amigo dela estava lá, mas por incrível que pareça não senti nada.

— Foi melhor assim. Agora, tem que recomeçar a sua vida. Filho, preciso que venha até aqui. Não estou bem, por isso, antes de morrer preciso lhe contar algumas coisas...

— Morrer? Que é isso? Ainda vai viver muito!

— Não adianta querer me enganar ou se enganar. Sabe tanto quanto eu que a minha doença não tem cura e que a qualquer momento vou para junto de Deus, prestar minhas contas.

— Que contas teria para prestar, mamãe? É uma mulher perfeita! Maravilhosa!

— Não sou maravilhosa nem perfeita. Filho, o assunto é realmente muito sério.

— Está bem, vou tomar um banho, trocar de roupa e irei até aí. O Steven está aqui. Posso levá-lo também?

— Sabe o quanto gosto do Steven, mas o que tenho para conversar é muito sério. Gostaria que viesse sozinho.

— Está bem. Logo estarei aí. Vou comer aquela comida que só a senhora sabe fazer.

— Venha, meu filho. Estarei esperando.

Walther colocou o telefone no gancho. Sentiu um aperto no coração, sabia que ela estava dizendo a verdade. Todo o tratamento indicado pelo médico estava sendo feito, mas ele sabia que não estava dando resultado. Sabia também, que realmente nada mais poderia fazer. Triste, disse:

— Steven, sabe que mamãe não está bem. Ela quer que eu vá até lá. Disse que tem um assunto muito sério para conversar comigo. Por isso, pediu que eu fosse só. Você entende?

Steven levantou do sofá, respondendo:

— Claro que entendo. Sabe o quanto gosto de sua mãe. Tenho alguma dificuldade para entender o que ela fala, mas sempre consegui me comunicar.

— Você sempre foi muito esperto. Aprendeu até algumas palavras em português.

— Não foi difícil. Eu era criança e criança aprende fácil. Vá falar com sua mãe, não se preocupe comigo, mesmo porque, também não poderia ir. Sabe que tenho uma linda mulher me esperando para o jantar. Não quero cometer os mesmos erros, que você cometeu... — disse com ar zombeteiro.

Walther, rindo, atirou uma almofada sobre ele. Steven o abraçou, dizendo:

— Meu amigo, fique calmo. Pense só em sua mãe, que agora está precisando muito do seu carinho.

— Estou pensando e sentindo muito por não poder fazer mais nada para ajudá-la.

— Sabe que, se precisar, basta telefonar, virei em seguida.

— Sei disso. Você é um grande amigo.

— O melhor de todos!

Walther o acompanhou até a porta.

Assim que Steven saiu, ele foi se preparar para sair. Sabia que a mãe tinha pouco tempo de vida, por isso ficava o mais que podia ao seu lado. Trocou de roupa, foi para a casa dela. Quando chegou, ela já o estava esperando. Abriu a porta, sorridente:

— Ainda bem que chegou. Estava morrendo de saudades!

— Dona Geni... Dona Geni... quem a ouve falar assim, vai pensar que nunca venho visitar a senhora. Estive aqui no domingo e hoje ainda é quarta-feira!

— Sei disso, você é um filho adorável. Vamos jantar, depois temos muito para conversar!

— Sempre conversamos muito, mamãe!

— Mas hoje o assunto será diferente...

— Que assunto poderia ser esse? Estou ficando curioso!

— Primeiro, vamos jantar e falar só de coisas boas.

Entraram, a mesa já estava posta. Sentaram, Marita estava ao lado, esperando a ordem para servir. Walther; perguntou:

— Tudo bem Marita?

Ela numa mistura de português com espanhol, respondeu:

— Está tudo bem, sua mãe estava ansiosa por sua chegada.

— Cheguei e estou com muita fome. O jantar está pronto?

— Sim, fiz tudo o que o você gosta!

Mãe e filho sentaram. Comeram, conversando sobre amenidades. Após o jantar, foram para a sala de estar. Walther estava preocupado com o ar de fraqueza dela, mas o médico já lhe havia dito que seria daquela forma. A única coisa que deveria fazer, era dar a ela toda a atenção merecida. Ela segurou suas mãos, olhando bem em seus olhos, disse:

— Sempre lhe disse que no Brasil não existia ninguém da minha família, que todos estavam mortos, mas existe alguém que está lá. Se um dia quiser, poderá procurá-lo. É meu irmão, seu nome é Paulo.

Walther, surpreso, perguntou:

— Que está dizendo? Tem um irmão no Brasil? Por que nunca me falou dele?

— Tenho sim, na realidade não é meu irmão, mas é como se fosse. É um grande amigo. Nunca lhe falei a respeito dele, porque não havia necessidade. Quando se é jovem, pensamos que nunca iremos envelhecer, muito menos morrer. Durante todos esses anos, me correspondi com ele, sem que seu pai soubesse.

— Por que meu pai não poderia saber?

— Foi uma promessa que fiz. Eu o amava muito. Quando decidi acompanhá-lo, prometi que romperia todos os laços que me prendiam ao Brasil, incluindo o Paulo. Como o amava, aceitei. Mais tarde, por muitas vezes me arrependi, pois sentia muita falta do Brasil. No fundo, sempre guardei a esperança de um dia voltar. Por isso fiz questão que você aprendesse falar, ler e escrever em português. O Brasil é a sua terra, foi o lugar em que nasceu. Se um dia precisar, ou quiser conhecer o seu país, basta procurar o Paulo. Ele o receberá de braços abertos.

Walther estranhou aquela confissão. Por que, antes, ela nunca lhe falara nada a respeito daquele tal Paulo?

Ela levantou, foi até seu quarto, trouxe uma pequena caixa e entregou para Walther, que curioso abriu. Dentro dela, havia vários cartões de Natal. Notou que, todos os anos, Paulo mandava um cartão para sua mãe. Leu alguns, mas todos só continham aquelas palavras que já vêm impressas. No final, ele escrevia de próprio punho.

Desejo sincero do Paulo.

Todos eram iguais. Após devolvê-los à caixa, perguntou:

— Por que nunca me falou sobre ele, mamãe?

— Porque não era importante, nunca pensei que morreria tão cedo. Seu pai nunca soube destes cartões.

Walther não entendeu o porque de tudo aquilo, mas não discutiu. Ela devia ter os seus motivos. A sua única preocupação naquele momento era com a sua saúde. Ela estava muito fraca, sua voz saía baixa e dificultosa. Não quis perguntar nada, percebeu que ela não queria continuar com aquela conversa. Quis lhe devolver a caixa, mas ela não a aceitou, dizendo:

— Leve com você, talvez um dia vá precisar dela. Preciso lhe fazer mais um pedido. Eu e você sabemos que tenho pouco tempo de vida. Por mais que tentássemos, não conseguimos combater o câncer que me atacou, por isso quero que, quando eu falecer, escreva para este endereço que está aqui, é o endereço do Paulo, comunique o meu falecimento.

— Que é isso, mamãe? Não vai morrer!

— Vou, e você sabe! É importante que comunique ao Paulo! Prometa que fará isso!

Ele estranhou aquelas palavras, mas não argumentou. Pegou a caixa, beijou a mãe, dizendo:

— Eu farei, claro que farei, só que a senhora não vai morrer! Vai continuar o seu tratamento e logo ficará bem!

Despediu-se dela e de Marita que acompanhava toda a conversa. Marita era boliviana, estava já há muito tempo com eles. Era mais uma dama de companhia. Pela proximidade dos idiomas, as duas se entendiam. Ela já tinha uma certa idade, por isso não fazia o serviço pesado da casa, este era feito por uma empregada negra.

Durante todo o caminho de volta, Walther foi pensando em tudo o que a mãe havia lhe contado:

Que história estranha foi aquela? Não entendi nada.

Ao entrar em casa, já na sala, foi até o bar e preparou um drinque. Sentou em um sofá. De onde estava, via um quadro na parede, era a Ellen vestida de noiva. Ficou olhando e pensando:

Ela é realmente linda. Tem um lindo sorriso, mas hoje tenho certeza de que não era a mulher da minha vida. Preciso trocar os móveis da casa e tirar esse quadro da parede. Tudo aqui foi escolhido por ela. Não posso negar que tem bom gosto, a casa está muito bonita. Estou lembrando, agora, de como ela ficava feliz a cada objeto comprado. Por que será que o nosso casamento não deu certo? Será que a culpa foi minha por não ter dado a atenção que ela queria? Ou será que foi dela por não entender que eu só queria o nosso melhor? Não sei...não sei...

Levantou, foi até a parede, retirou o quadro e o colocou sobre a mesa. Definitivamente tinha que esquecer. Sabia que o casamento estava desfeito e que não haveria volta. Era uma página virada. Foi até o quarto. Deitou sobre a cama, continuou pensando:

O Steven tem razão. Sou jovem, tenho uma vida toda pela frente. Talvez eu encontre a mulher certa, aquela que vai entender o meu modo de viver. O Steven, ah... o Steven. Como pode ser da maneira que é? Como aceita tudo sem reclamar? Está sempre bem, faz piada de tudo. Quem o houve falar e não conhece sua vida, vai achar que não tem problema algum. Ele é um bom amigo. Não sei o que teria feito, se não o tivesse como amigo. Durante todo o tempo do divórcio esteve sempre ao meu lado. Aliás, esteve ao meu lado a vida toda. Levantou, foi até ao banheiro. Olhou-se no espelho. Não estava bem, sentia um vazio que não sabia explicar. *Que é isso que estou sentindo? Por que esta sensação de impotência? Por que este desânimo? Não sei o que vai acontecer. Ainda mais agora, sabendo que vou perder também a minha mãe. Não tenho mais ninguém no mundo. Estou só, completamente só...*

Agora, já preparado para dormir, deitou novamente e se acomodou na cama, fechou os olhos. Mas sua cabeça fervilhava.

Embora estivesse com muitas perguntas, estava também com sono. O dia havia sido desgastante. Após alguns segundos, adormeceu.

Conhecendo Paulo

Senhores passageiros, dentro de alguns minutos estaremos pousando no Aeroporto Internacional do Rio de Janeiro. Queiram por favor colocar suas poltronas na posição vertical, apertem os cintos e respeitem os avisos de não fumar. Assim que desembarcarmos, permaneçam com seus documentos nas mãos para que possam ser apresentados às autoridades locais. Não esqueçam sua bagagem de mão.

Enquanto o comandante do avião dizia essas palavras, Walther estava distraído, olhando pela janela, via muito verde e os cortes das plantações das fazendas. Do alto parecia que haviam sido desenhadas. Suas formas eram como figuras geométricas perfeitas. Estava encantado com a beleza que do alto podia ver. Tirou seus passaportes do bolso do paletó. Um com a capa verde, brasileiro, outro com a capa azul, americano. Guardou o americano de volta ao bolso. Abriu o brasileiro, lá constava um nome. Walther Soares Brown, de nacionalidade brasileira. Ficou olhando para sua fotografia, pensando:

Nasci aqui neste país, mas não conheço nada ou quase nada a seu respeito e muito menos me considero brasileiro. Sei de algumas coisas que mamãe me contava, nada além disso. Sei, também, que é um país do terceiro mundo. Não imagino o que poderei encontrar, mas enquanto estiver aqui, terei que me comportar como um nativo da terra, o que na realidade, sou, embora tenha duas cidadanias: brasileiro por nascimento e americano por filiação.

Esteve pensando nisso o tempo todo, desde que recebera aquela carta de Paulo.

Prezado Walther

Sei que não me conhece. Não sei, se sua mãe lhe contou algo a meu respeito. Recebi a sua carta comunicando-me que ela havia falecido. Como eu estou muito doente, gostaria que viesse me visitar, assim também poderá conhecer este país, que, além de maravilhoso, é seu. Tenho uma longa história para lhe contar e isso precisa ser feito antes da minha morte. Por favor, atenda ao meu pedido.

Alguém que muito te estima

Paulo

Walther havia recebido aquela carta há alguns dias. Estava com sua vida caminhando sem muita emoção. Muito triste, pois além do divórcio, sua mãe havia falecido. Estava sentindo-se só. Quando terminou de ler, começou a pensar:

Estranho receber um convite como este. Não conheço esse meu tio Paulo. Só tomei conhecimento dele, pouco tempo antes da morte de minha mãe. Quando ela morreu, cumpri o que havia prometido, enviei uma carta para ele, contando o acontecido. Não pensei que me respondesse, muito menos que me fizesse esse convite. A princípio, fiquei sem saber se aceitaria. Não sabia se poderia deixar a empresa e tirar alguns dias de folga, mas bem que estava precisando. Fora as perdas que tive, tudo vai bem em minha vida. Exerço já há muito tempo um cargo expressivo na empresa. Estou muito bem no lado profissional, entretanto no meu lado sentimental, nunca tive muito sucesso. Quando casei com a Ellen, pensei que seria para sempre, mas não durou muito. Na realidade, nunca encontrei aquela mulher que me faria feliz, que seria a minha companheira até o fim da vida. Tive vários relacionamentos, um deles durou seis meses, mas como os outros, também terminou. Estou agora com vinte e nove anos. Sinto necessidade de ter filhos, mas me recuso, pois tenho medo de não poder acompanhar seu crescimento, caso o casamento termine, como já aconteceu...

Olhou novamente pela janela do avião. Agora já podia ver com clareza as casas, ruas e carros se movimentando. Eram muito pequenos, mais pareciam brinquedos de criança. A cidade vista do alto parecia ser grande. Ficou olhando e pensando:

Estou agora voltando para esta terra que me serviu de berço, mas pela qual nada sinto e nada conheço. O pouco que sei era o que minha mãe me contava:

— Como você sabe, seu pai é americano, foi trabalhar em um hotel no Brasil. O hotel pertencia a sua família. Foi como gerente para poder supervisionar tudo. Eu era muito jovem, nasci no Ceará. Meus pais morreram quando eu era ainda muito pequena. Não tinha família, fui

criada por uma senhora que era amiga de minha mãe. Quando eu ia completar dezesseis anos, ela também morreu. Fiquei sozinha no mundo e como outras pessoas, para fugir da seca, fui morar em Goiás. Eu, como todos, cheguei ali sem lugar fixo para ficar. Uma de minhas amigas, estava indo em busca de um primo de seu pai, que havia se mudado alguns anos antes. Viajamos de caminhão, que era chamado de pau de arara. Ficamos algum tempo morando na casa desse primo. Minha amiga, através do primo, logo encontrou emprego em um hotel, como arrumadeira. Para uma moça como eu, sem instrução, era muito difícil encontrar trabalho, mas através dessa amiga, comecei a trabalhar também no hotel, como arrumadeira. Um dia, minha amiga; disse:

— Você não precisa se preocupar, vou lhe ensinar todo o trabalho, em poucos dias será a melhor arrumadeira que já existiu!

— Eu estava um pouco assustada. Muito humilde, não abria a boca para dizer nada, pois tinha medo de falar errado. Realmente, logo aprendi o serviço. Cuidava dos quartos com todo o carinho. Qualquer cliente se sentiria bem dentro deles. Quando entrei no primeiro quarto, fiquei encantada com o que estava vendo. Nunca em minha vida havia visto tanta beleza. Sempre morei em casa simples. Nossa casa, além de pequena, não tinha nada de luxuoso. Um quarto daquele tamanho e com cortinas era algo maravilhoso. Aprendi a arrumar as camas, dando aos lençóis uma dobra, que os deixava muito bonitos. Em uma manhã, minha superiora me chamou e disse:

— Precisa verificar o quarto principal para ver se está tudo em ordem. Um americano vai chegar e ficará aqui por algum tempo. Ele vem observar se está tudo em ordem. Não sei, mas parece que é filho do dono.

— Pela primeira vez, fui até o quarto principal para ver se estava em ordem. Assim que abri a porta, fiquei encantada. Aquilo parecia um céu. Havia achado os outros quartos bonitos, mas aquele que estava vendo, era muito mais. Entrei devagar, parecia que a minha presença ali atrapalhava o ambiente. Olhei e arrumei tudo. Coloquei flores e fiquei imaginando como seria o americano que ia chegar.

Walther sorriu ao lembrar-se do rosto de sua mãe, quando ela contava essa história. Em sua mente, surgiu a imagem dela. Continuou pensando:

Ela era tão bonita... não precisava ter morrido tão cedo... como eu a amava e como era amado por ela... lembro-me do dia em que já doente ela me disse:

— Sei que estou muito doente, e que não viverei muito, meu filho. Você não conseguiu formar uma família. Talvez seja porque ela não esteja aqui. Gostaria muito que fosse conhecer o Brasil. É um país maravilhoso. Lá não temos neve, maremoto, terremotos ou furacões. Lá existe muito verde, o sol brilha e é quente durante o ano todo, até mesmo no inverno.

Walther lembrava das palavras da mãe, sempre que a ouvia falar sobre isso, dizia:

— Mamãe, sei que nasci no Brasil, mas não me sinto brasileiro, sou americano, vivo aqui desde que me conheço por gente, mas prometo, assim que houver uma oportunidade, irei até lá para conhecer toda essa maravilha!

— Vá, meu filho, sei que não vai se arrepender.

Para agradá-la, eu dizia que faria isso, mas, na realidade, nunca senti vontade de vir para o Brasil. Não existe nada que me identifique com esta terra ou este povo. Sou americano e pretendo continuar sendo. Ficarei aqui o menor tempo possível, para isso já comprei a passagem de volta.

Enquanto pensava, olhava pela janela. Via ao longe o Cristo Redentor e o Pão de Açúcar. Ele já havia visto várias fotos em jornais. Uma cantora brasileira, Carmem Miranda, estava fazendo muito sucesso nos Estados Unidos. Encantou-se com o mar visto do alto. Pensava:

Como a mamãe dizia, a natureza foi realmente pródiga com este país. O Rio de Janeiro visto aqui do alto é muito bonito mesmo!

Senhores passageiros acabamos de pousar, queiram por favor permanecer sentados até a parada total do avião. Agradecemos a sua companhia e esperamos tê-los a bordo novamente.

Novamente era o comandante falando. Walther permaneceu sentado, pensando em sua mãe:

Foi uma pena que ela tenha morrido tão cedo... como gostaria que estivesse aqui ao meu lado, voltando para a terra que tanto amava.

O avião finalmente parou. Todos os passageiros começaram a levantar e pegar as suas bagagens de mão. Walther fez o mesmo. Pegou a única maleta que trouxera, pois não pretendia ficar muito tempo, apenas alguns dias, visitar o tal tio Paulo, que era considerado como irmão por sua mãe, logo após voltaria. Havia muito trabalho para ser feito. Pedira alguns dias de férias na empresa, mas sabia que não poderia ficar muito tempo ausente.

Desceu do avião, seguiu os passageiros. Sabia falar, ler e escrever em português, pois sua mãe o havia ensinado, além do mais, embora ela tenha morado nos Estados Unidos por muito tempo, ela nunca quis aprender o Inglês, pois no íntimo, tinha a esperança de um dia voltar para o Brasil, sua terra.

Infelizmente, ela não conseguiu realizar o seu sonho. Morreu antes disso...

Walther não conhecia o seu tio, nem por fotografia. Estava ali, agora, por ter feito aquela promessa à sua mãe, antes que ela morresse. Estava ali só por obrigação, não que sentisse realmente algo pelo tio ou pelo Brasil.

Assim que chegou no saguão, viu muitas pessoas esperando por aqueles que chegavam. Era formado uma espécie de cordão. As pessoas que passavam eram recebidas por seus familiares com abraços e beijos.

Ele olhava para todos os lados, querendo reconhecer seu tio, mas por mais que tentasse, sabia que não o reconheceria. Pouco a pouco, os passageiros foram saindo e indo embora. Ele ficou ali parado, sem saber o que fazer. Possuía o endereço do tio, só lhe restava pegar um táxi que o levaria ao tal endereço.

Estava pensando em fazer isso, quando um homem vestido de preto se aproximou:

— O senhor é o senhor Walther?

— Sou sim, mas o senhor quem é ? Meu tio Paulo?

— Não! Meu nome é Isaías, sou motorista e amigo do seu tio. Ele pediu que eu o viesse apanhar aqui no aeroporto e o levasse até ele. Não conheço esta cidade, por isso demorei. Fiquei um pouco perdido. Mas onde está a sua bagagem?

— Não trouxe muita bagagem, apenas esta maleta com um pouco de roupa, não posso nem pretendo ficar muito tempo.

— Está bem, então, vamos embora?

— Vamos sim. Confesso que estou um pouco cansado. Saí de um frio enorme e agora encontro aqui este sol maravilhoso. Como dizia minha mãe, esta terra é realmente muito bonita!

— É sim! Ainda mais em dezembro, em pleno verão! Creio que por mais que sua mãe tenha lhe descrito o Brasil, não conseguiu lhe passar tudo. Isto aqui é mesmo uma maravilha! O senhor vai ver!

Walther, sorrindo, acompanhou Isaías até o estacionamento. Enquanto fazia isso, pensava:

Realmente, aqui é diferente. Deixei Nova York com frio e muita neve. Encontro aqui este sol e um calor maravilhoso.

Isaías parou em frente a um carro muito bonito. Pegou a maleta de Walther e colocou-a no porta malas. Abriu a porta de trás para que ele entrasse. Walther disse:

— Por favor, não, prefiro ir no banco da frente para apreciar a paisagem.

— O senhor é quem manda. A paisagem é bonita mesmo. Seu tio não mora aqui no Rio de Janeiro. Mora em São Paulo, mas agora está morando em uma região serrana, precisamente em Campos do Jordão. Teremos ainda uma longa viagem...

— Não tem importância, estou cansado, mas muito curioso. Nunca pensei que um dia viria até o Brasil, mas já que estou aqui, vou aproveitar o máximo! Quero ver tudo!

— Vai ficar encantado, posso até apostar.

Entraram no carro, Walther instalou-se no banco ao lado do motorista. Isaías teve algum problema para sair da cidade e chegar à estrada que os levaria até Campos do Jordão. Walther conseguiu ver rapidamente o mar, admirou a cidade, viu o Cristo Redentor e o Pão de Açúcar, só que agora de baixo para cima, se extasiou com tanta beleza. Notou os barracos que pareciam despencar dos morros e comentou com Isaías que não respondeu, deixando que ele admirasse tudo. Teriam muito tempo para comentar sobre aquilo que ele estava vendo. Finalmente, conseguiu chegar à estrada. Enquanto o carro corria, disse:

— Tenho certeza que o senhor vai gostar, aqui tudo é muito bonito e as pessoas são atenciosas, principalmente com estrangeiros.

— Não sou estrangeiro. Nasci aqui! Sou brasileiro!

— Por isso é que fala tão bem o português?

— Sim, mas devo confessar que embora seja brasileiro, não me sinto como tal. Cresci aprendendo uma língua e cultura diferente. Meus amigos são todos americanos. Não acredito que poderia viver para sempre em um país como este. Passar alguns dias, sim, mas viver, acredito ser impossível.

— Nada é impossível. Não sabemos nada sobre o nosso futuro...ele a Deus pertence...

— Deus? Vivo em um mundo, onde a tecnologia está muito desenvolvida. As pessoas estão mais preocupadas em estudar, ganhar muito dinheiro e usufruir de tudo o que ele pode comprar.

— Isso é muito bom, mas o senhor não pode deixar de pensar que existe algo mais do que o dinheiro... algo mais além desta vida, que é tão curta...

— Sabe que nunca pensei a esse respeito? Nunca tive tempo. Sempre estudei muito para conseguir um diploma e ter um bom emprego, assim ganhar muito dinheiro.

— Conseguiu o que queria?

— Consegui. Hoje, tenho tudo com o que sonhei. Tenho um bom emprego e ganho o suficiente para viver muito bem. Moro em uma boa casa, tenho um bom carro e posso viajar para onde quiser... isto é, quando me sobra tempo.

— O senhor tem mulher e filhos?

Walther ficou em silêncio antes de responder. Após alguns segundos, disse:

— Não... não tenho mulher e filhos, mas isso não me faz falta. Posso ter a mulher que desejar quando quiser. Só que ainda não encontrei aquela que me fizesse acreditar que poderia viver ao seu lado para sempre.

— Entendo, mas ela deve estar em algum lugar. Todos temos a metade de nossa laranja.

Walther sorriu, dizendo:

— Se ela existe, não a encontrei até hoje...

— Talvez ela esteja aqui no Brasil!

— Não acredito, minha mãe dizia que as mulheres brasileiras são tímidas, eu também sou, por isso vai ser quase impossível eu me aproximar de uma. Além do mais, vou ficar muito pouco tempo aqui, não terei oportunidade para me envolver com mulher alguma. Mas, diga uma coisa. Como é o meu tio? O senhor deve conhecê-lo muito bem.

— Sim o conheço, já estou com ele há muito tempo. É um homem solitário, viveu um grande drama e sofre muito por isso. Está muito bem de vida. Teve sorte quando trabalhou como garimpeiro em uma mina, encontrou várias pedras, entre elas, uma enorme que lhe deu também muito dinheiro. Com esse dinheiro, se transformou em comprador e vendedor de pedras preciosas. Com isso, ganhou muito mais dinheiro. Comprava pedras que eram encontradas por garimpeiros e as revendia por um preço bem maior que o pago. Já faz um bom tempo que parou com tudo. Está muito doente. Estou ao seu lado desde o início. Não o considero como meu patrão, mas sim como um amigo.

— Sendo assim, deve saber o que aconteceu. Minha mãe nunca falou sobre ele, dizia que não tinha pais ou irmãos. Tomei conhecimento desse tio há pouco tempo, para ser preciso, só um pouco antes da morte dela. Disse que, embora não fosse na realidade seu irmão, considerava o Paulo como único parente. Nunca entendi muito por que.

— Muito tempo se passou desde que tudo aconteceu, só que não posso lhe adiantar nada, mas tenho certeza de que ele o chamou exatamente para lhe contar tudo.

— Espero que sim. Durante toda a minha vida, desde que comecei a tomar conhecimento das coisas, isso sempre me incomodou muito. Via meus amigos acompanhados de primos, tios e avós. Eu não tinha ninguém. Quando perguntava à minha mãe, como era sua vida aqui no Brasil, se tinha parentes, ela ficava com o olhar distante e dizia não possuir ninguém, desconversava ou mudava de assunto.

— Talvez tivesse suas razões para agir assim. Acredita que ela era feliz?

— Não sei... sempre me pareceu muito bem. Tenho certeza de que me amava muito. Já com papai, embora o amasse também, parecia que havia alguma coisa, não sei se um segredo, mas alguma coisa havia. Enquanto criança, não percebi, só com o passar do tempo, fui notando que, muitas vezes, quando eu chegava, interrompiam o que estavam conversando ou mudavam de assunto.

Walther dizia aquilo com o pensamento longe, voltado para sua infância e adolescência. Isaías percebeu que, ele de repente, ficou distante. Não disse mais nada. Ele também voltava o seu pensamento para o passado, para tudo o que havia acontecido e ele assistido.

Esse moço terá grandes surpresas. Finalmente, chegou o dia em que as coisas serão colocadas em seus lugares. Deus ajude que aceite tudo sem revolta. Parece ser um bom rapaz...

O carro continuava correndo. Após várias horas, Isaías saiu daquela estrada, entrou em outra menor. Após algum tempo, parou o carro junto de uma estação de trem. Walther estranhou:

— Vamos tomar um trem?

— Sim, o carro ficará aqui até a nossa volta.

Walther pegou sua maleta, entraram no trem, que começou a se mover vagarosamente. Começaram a subir uma serra alta. Também muito colorida. Havia, em toda sua extensão, flores coloridas, com matizes diferentes. Enquanto o trem subia, Walther ia observando tudo e se encantando com aquela beleza natural, que se mostrava para ele. Olhou para Isaías, dizendo:

— Este lugar é realmente muito bonito! Não posso negar que a natureza aqui não poupou esforços para se mostrar. O clima, também deve ser muito bom!

— É sim. Aqui existem muitas clínicas para o tratamento da tuberculose. O senhor deve saber como ela está se alastrando por todo o mundo.

— Sim, é uma doença muito cruel, mas, com certeza será encontrada a sua cura. A Ciência esta evoluindo muito.

— Espero que a cura seja encontrada logo. Muitos amigos meus não resistiram...

— Será encontrada, com certeza.

Enquanto o trem subia, Walther ia notando que as poucas casas existentes na serra eram feitas de madeira, no estilo da cidade em que morava.

— Sabe, senhor Isaías, parece que ainda estou nos Estados Unidos. As construções aqui são tão parecidas com as de lá!

— Nesta cidade, o clima é frio, por isso existe esse tipo de construção. Perceba que em quase todas as casas existem chaminés. Todas elas possuem lareiras. No inverno, as pessoas ficam ao pé delas, tomando vinho quente.

Walther ouvia, mas não conseguia desviar o olhar de tudo o que estava vendo. Finalmente, o trem parou na estação, desceram, Isaías pegou um táxi e deu um endereço ao motorista. Após alguns minutos, o táxi parou em frente a uma casa muito grande. Isaías desceu, abriu a porta para que Walther descesse também:

— Chegamos. É aqui que seu tio está morando.

Walther estranhou o tamanho da casa. Era enorme.

— Por que ele mora em uma casa tão grande?

— Isto aqui não é uma casa, mas uma clínica. Seu tio está com tuberculose, em um estado muito avançado.

— Por que não me contou, em sua carta?

— Deve ter tido suas razões. Agora que chegamos, ele lhe contará tudo.

Walther ficou parado, olhando para aquela imensa casa. Isaías, disse:

— Vamos entrar? Ele está ansioso para encontrar o senhor.

Subiram alguns degraus, entraram em uma sala muito bem decorada. Havia um balcão, onde uma moça sorriu ao vê-los entrar:

— Ainda bem que estão aqui, ele está ligando a cada cinco minutos para ver se chegaram! Está realmente muito ansioso!

— Tudo bem, Irene? Viemos o mais rápido possível. Este é o senhor Walther. Também deve estar ansioso para conhecer o tio. Podemos ir até ao quarto?

— Claro que sim, mas, por favor, respeitem as regras. Ele não pode se emocionar, está muito fraco.

— Pode ficar tranqüila. Conheço todas as regras e não vou deixar que se emocione.

Ela sorriu, entraram por uma porta onde havia um corredor com várias portas. Isaías se dirigiu a uma delas, abriu e entrou. Walther o seguiu por todo o caminho. Assim que entraram no quarto, viu, sentado em uma cadeira de balanço, um senhor muito magro, mas com boa aparência, cabelos e bigodes brancos. Deveria ter mais ou menos cinqüenta anos. Ao vê-los entrar, o senhor levantou com dificuldades e foi ao encontro deles. De repente, parou, como se lembrasse de algo:

— Seja bem-vindo, Walther. Sinto muito, mas não posso abraçá-lo. Sabe que minha doença é contagiosa, mas estou muito feliz que tenha aceito meu convite. Deixe-me olhá-lo, vejo que se tornou um belo rapaz!

Walther apenas sorriu sem saber o que dizer. Ficou olhando para aquele homem ali na sua frente. Era um parente seu, mas ao mesmo tempo, um estranho. Para ele, tudo era estranho, o tio, o lugar e até o país. Disse:

— Estou feliz por ter aceitado o seu convite e por conhecer o senhor. Sinto muito por sua saúde, mas tenho certeza de que logo vai se recuperar.

— Não vou não, meu filho. Sei que em breve voltarei para o meu verdadeiro lar. Isso não me preocupa, pois este velho corpo já cumpriu a sua missão, só não poderia partir sem que você conhecesse toda a verdade e como os fatos aconteceram. Seu pai, como está?

— Meu pai faleceu há dois anos. Sofreu um derrame, teve todo atendimento médico necessário, mas em uma manhã, quando o enfermeiro entrou no quarto, percebeu que ele havia falecido. Feitos os exames, foi constado que ele sofrera um enfarte fulminante.

— Sinto muito, era um bom homem! Mas esse é o destino final de todos nós. Mais cedo ou mais tarde, todos retornaremos para junto do Pai...

— Também senti muito, mas ele já estava distante desta vida há muito tempo. Desde que sofreu o derrame. Estou curioso, que verdade é essa que preciso conhecer?

— Vai saber de tudo, mas não agora. Deve estar cansado da viagem, Isaías vai te levar até o hotel, já tem um quarto reservado em seu nome. Descanse hoje, visite a cidade, verá como ela é bonita, e amanhã bem cedo volte e aí lhe contarei tudo.

— Não posso simplesmente ir embora e esperar até amanhã. Preciso saber de tudo logo. Estou intrigado! Nunca imaginei que houvesse uma história em minha vida! Não sabia nem que tinha um parente aqui no

Brasil! O senhor vem agora pedir que eu espere até amanhã?

— Isso mesmo. A história que tenho para lhe contar é muito longa. Você tem que estar bem para poder ouvi-la até o fim. Sei que está cansado da viagem. Por isso, faça o que eu disse. Vá, descanse e volte amanhã bem cedo. Teremos o dia todo para conversar.

Walther percebeu que não adiantava argumentar. Seu tio estava disposto a adiar aquela conversa. Muito a contra-gosto, se despediu e acompanhou Isaías rumo ao hotel.

Assim que saiu, os olhos de Paulo se encheram de lágrimas. Falou em voz baixa:

— Marta querida, finalmente, vou poder reparar todo o mal que fiz a você e a esse rapaz. Só assim poderei morrer em paz. Sei que, neste momento, esse é também o seu desejo. Espero que com esse meu ato possa ser perdoado, se é que tenho o direito a esse perdão...

Fechou os olhos e sentiu uma suave brisa o envolvendo. Por um minuto, ficou ali sentado, sentindo aquele bem-estar. Em seguida, apertou uma campainha, em breve, um enfermeiro entrou no quarto:

— O senhor chamou? Está precisando de ajuda?

— Sim, quero deitar, por favor me ajude, estou muito cansado e sem forças para chegar até a cama.

— Não deveria ter ficado tanto tempo sentado. Sabe que tem que seguir o tratamento e que precisa repousar.

— Sei disso, mas não podia permitir que ele me encontrasse no fundo de uma cama. Amanhã, estarei livre para partir. Tudo será revelado...

— O senhor sabe que não pode fazer muito esforço, nem se cansar. Não pode falar muito.

— Não se preocupe, sei que o meu fim aqui nesta terra está próximo, estou preparado. Só preciso terminar tudo e partir. Vou encontrar meus entes queridos que foram na minha frente. Será como uma viagem. Sei que vou ter que prestar contas, mas isso não há como evitar... por isso, estou tentando, enquanto estou aqui, resgatar um dos muitos erros que pratiquei...

O enfermeiro ajeitou seu travesseiro, dizendo:

— Nunca vi alguém com tanta certeza de que existe algo mais além da morte e que não tenha medo dela!

Paulo, já acomodado na cama, sorriu, dizendo:

— Medo da morte? Por quê? Você acredita nas mesmas coisas que eu, sabe que ela é um alívio, uma amiga para um corpo cansado e doente como o meu. Quanto a existir algo além, deve existir. Deus não nos criaria para vivermos apenas alguns poucos anos. Deve ter outros planos para a humanidade. De qualquer maneira, se não existir nada, não tenho com o que me preocupar... não é mesmo?

O enfermeiro sorriu:

— O senhor sempre tem razão. Também acredito que haja o outro lado. Se houver alguém nos esperando, será muito bom, mas se não houver, não saberemos... não teremos para quem reclamar, não é mesmo?

— Isso mesmo!

Paulo fechou os olhos, estava realmente cansado. Sua doença surgira há um ano, quando foi constatada, já estava em um estado muito adiantado. Sabia que não havia mais nada para ser feito. Internou-se naquela clínica para esperar a morte chegar. Quando soube da morte da mãe de Walther, sentiu-se livre do juramento que havia feito. Poderia, agora, finalmente contar tudo. Faltavam poucas horas. Tudo seria esclarecido e ele poderia morrer em paz.

O enfermeiro percebeu que ele queria ficar só. Disse:

— Vou deixar o senhor sozinho, se precisar de alguma coisa, basta tocar a campainha, virei em seguida.

Sei disso... pode ir, fique tranqüilo, ainda não vou morrer... não antes de contar tudo o que tenho guardado dentro do meu coração, durante todos estes anos. Esperei muito por este dia.

O enfermeiro olhou, sorriu e saiu.

Enquanto isso. Walther chegava ao hotel acompanhado por Isaías. Pegou sua maleta que estava no porta-malas do carro, entrou. O hotel tinha uma bela aparência, segundo Isaías era o melhor da cidade. Já dentro do saguão, ele percebeu que realmente era luxuoso. Dirigiram-se até a recepção. Após algumas palavras de Isaías, o gerente deu a ele duas chaves. Isaías entregou uma para Walther e os dois subiram juntos para o terceiro andar, onde ficavam os quartos.

Assim que entrou, Walther jogou a maleta em cima de um sofá e atirou-se sobre cama.

Estou realmente cansado, praticamente já não durmo há dois dias, mas não perdôo meu tio por ter adiado a conversa que parecia ser tão importante.

Ficou ali deitado, tentando adivinhar o que de tão importante havia acontecido. Cansado de pensar a respeito, levantou, foi para o banheiro, tomou um banho. Saiu do banheiro, vestiu a roupa, desceu para encontrar Isaías. Almoçaram no restaurante do hotel. Após o almoço, voltou para o quarto, deitou, não resistiu, adormeceu.

Acordou, não sabia dizer por quanto tempo havia dormido. Olhou para o relógio, eram seis horas da tarde, só aí percebeu que estava com fome. Resolveu sair para comer alguma coisa. Quando estava saindo do quarto, a porta do quarto ao lado do seu se abriu. Era Isaías que ia justamente chamá-lo para o jantar. Ao ver Walther, disse:

— Estava indo para o seu quarto. Acredito que esteja na hora de comermos algo. Não está com fome?

— Estou sim, estava saindo justamente para isso. Aonde poderemos ir?

— No almoço, sabia que estava cansado, por isso almoçamos aqui no Hotel, mas agora, se quiser sair e ir a qualquer outro restaurante da cidade, é só falar.

— Não quero ir a lugar algum. Ainda estou muito cansado. A viagem foi muito cansativa. Além do mais, não estou com cabeça para passear. Se não se importar, prefiro comer aqui mesmo. Amanhã após conversar com meu tio, visitarei a cidade. Hoje é quinta-feira. Minha passagem de volta está marcada para a segunda-feira, terei muito tempo para visitar a cidade. Ela não me parece ser muito grande.

— Tem razão, posso lhe fazer uma confissão? Só o convidei por educação, mas também estou cansado. Já não sou mais um jovem. Amanhã, vou levar você a muitos lugares.

Dirigiram-se para o restaurante. Walther pegou o cardápio, fez o pedido, Isaías fez o mesmo. Enquanto esperavam pela comida, Walther disse:

— O senhor sabe o resto da história, que meu tio tem para me contar?

— Sei, fui companheiro dele quando trabalhávamos no garimpo. Vivi ao seu lado durante o drama todo.

— Drama? Drama? Então algo muito grave deve ter acontecido! Eu faço parte desse drama?

— Faz sim, mas não posso lhe adiantar nada, não tenho esse direito. Ele, só ele, quer lhe contar tudo e contará. Só posso lhe pedir que não faça um julgamento precipitado. Sei que talvez será difícil aceitar o que aconteceu. Lembre-se, porém, de que aquele era um outro tempo. Por enquanto, vamos comer e descansar, amanhã será outro dia.

— Dizendo isso, faz com que a minha curiosidade fique cada vez mais aguçada!

— Não era essa a minha intenção. Por hoje, vamos descansar, amanhã o sol vai raiar novamente, e com a ajuda de Deus, saberá de tudo. Amanhã, será um novo dia.

A história de Paulo

Walther percebeu que não conseguiria saber nada através de Isaías. Mas aquelas últimas palavras, fizeram com que ficasse ainda mais preocupado. Pensou:

Por que minha mãe teve que esconder de meu pai que se correspondia com Paulo? Será que existiu alguma coisa entre eles? Será que foram mais que amigos? Se assim foi, e eu? Que papel faço nessa história?

Estava atordoado. Lembrava agora de algumas cenas de sua infância:

Muitas vezes, vi minha mãe chorando pelos cantos. Lembro-me de uma vez em que eu tive pneumonia, estava com muita febre e ela, pensando que eu estivesse dormindo, disse, chorando:

— Meu Deus do céu. Não permita que o meu filho morra! Ele é tudo que tenho nesta vida. Não o castigue por causa do meu pecado.

O garçom trouxe a comida. Sua presença fez com que Walther voltasse dos seus pensamentos. Disse:

— Estou admirado com a quantidade de comida! Nunca vi tanta assim em outro restaurante qualquer!

Isaías apenas sorriu. Começaram a comer. Walther não se cansava de elogiar a comida. Após terminarem o jantar, foram para seus quartos.

Walther, deitado em sua cama, começou a relembrar a sua vida:

Que de tão importante pode ter acontecido? Fui uma criança normal, minha família era ou parecia normal como todas as outras. Pensando bem, mamãe sempre me pareceu muito calada, principalmente na frente de papai. Só agora estou pensando. Por que não tive irmãos? Sempre que perguntava isso, mamãe desviava o assunto ou dizia que só eu lhe bastava, que não queria ter outros filhos. Bem, não adianta querer adivinhar, vou tentar dormir. Amanhã saberei de tudo.

Acomodou-se melhor na cama e, aos poucos, sem perceber, adormeceu. Sonhou que estava em uma casa muito grande, corria pelos corredores procurando alguém. Via, ao longe, um vulto de mulher que lhe sorria e corria. Ele ia atrás, mas não conseguia alcançá-la. De um pulo, acordou. Sentou na cama, lembrou-se nitidamente do sonho e da mulher, mas não do seu rosto. Apenas sabia que ela fugia dele. Ficou intrigado com aquele sonho, mas logo o cansaço o dominou, ele tornou a deitar e dormiu novamente.

Paulo, em seu quarto, na clínica, também dormia. Em seu rosto havia uma expressão ríspida. Também sonhava. Só que seu sono não era tranqüilo. Sonhava que corria, corria, também tentava encontrar alguém. Acordou suando frio. Sentou-se na cama, em seu pensamento surgiu aquele rosto de mulher que chorava muito. Essa cena o acompanhava há muito tempo:

Amanhã vou contar tudo e me livrar desse pesadelo.

Aquela noite passou como todas as outras.

Walther abriu os olhos, olhou para o relógio. Não eram ainda seis horas. Um novo dia surgia. Levantou, foi até a janela, afastou a cortina, abriu a vidraça. Viu o sol que começava a nascer e o dia clarear. Viu ao longe a montanha verde e colorida por flores com matizes diferentes. De onde estava, vendo tudo aquilo, não se conteve. Falou em voz alta:

— Este país é realmente muito bonito! Aqui, vendo estas montanhas, parece que faço parte da natureza!

Foi para o banheiro, tomou um banho. Vestiu a primeira roupa que pegou na maleta. Voltou para a cama, precisava esperar Isaías vir chamá-lo, pois haviam combinado que tomariam café, antes de irem para a clínica. Ele estava ansioso, sabia que finalmente tomaria conhecimento daquela história que tanto o estava intrigando. Continuou deitado, tentando dormir novamente, mas foi em vão. Não percebeu quanto tempo passou, até ouvir uma batida à porta:

Levantou, abriu a porta. Era Isaías que, sorrindo; disse:

— Bom-dia! Dormiu bem?

— Bom-dia, dormi muito bem, mas estou ansioso para conversar com meu tio.

— Entendo, vamos primeiro tomar café, depois iremos. Ele também deve estar ansioso nos esperando.

Realmente, Paulo havia acordado, chamou o enfermeiro, pediu que o ajudasse a tomar um banho e lhe fizesse a barba. Após fazer isso, pediu que o sentasse na cadeira.

— O senhor não deve ficar muito tempo sentado. Sabe que está muito fraco, sabe, também, que hoje sentirá muita emoção. Não seria melhor ficar deitado? Ficaria mais confortável.

— Não se preocupe, estou e vou ficar bem. Esperei muito tempo por este dia. Enquanto estiver conversando com o Walther, quero olhar em seus olhos. Quero ver sua reação enquanto estiver ouvindo tudo que tenho para lhe contar. Se eu estiver deitado, isso será muito difícil.

— Está bem, mas ficarei atento aí fora, qualquer coisa basta chamar. Estou muito preocupado com o senhor.

— Você é um verdadeiro amigo. Não se preocupe, ficarei bem.

Sentado em sua cadeira, Paulo ficou com os olhos presos à porta. Esperava ansioso por Isaías e Walther. Pensava:

Assim que eles chegarem, vou tentar falar com a maior calma que conseguir, para isso preciso da ajuda espiritual. Senhor, permita que eu consiga contar tudo sem omitir fato algum.

A porta abriu, por ela entraram Walther e Isaías.

Paulo sorriu:

— Bom-dia, finalmente chegaram!

— Você está muito ansioso, não são ainda nem oito horas!

— Acordei muito cedo. Hoje é um dia importante e esperado. E você, Walther, como está? Dormiu bem?

— Estou bem, embora um pouco nervoso, mas mesmo assim dormi muito bem.

— Não precisa ficar nervoso, sente-se aqui na minha frente. Isaías, sente-se também. Quero que permaneça ao meu lado.

Os dois obedeceram, Walther puxou uma cadeira e sentou bem em frente a ele. Isaías fez o mesmo.

Por alguns segundos, Paulo ficou calado, olhando para o rosto de Walther. Finalmente, disse:

— Meu filho, o que vai ouvir hoje talvez transforme a sua vida. Preciso que me responda algo. O que sabe sobre a sua família aqui no Brasil?

— Não sei nada, minha mãe nunca quis falar a esse respeito. Só sei que nasceu no Ceará, aqui no Brasil, e que não tinha uma família. Só soube que ela tinha um amigo que considerava como irmão, o senhor, um pouco antes da sua morte.

Paulo voltou ao passado e, olhando, bem dentro dos olhos de

Walther, começou a falar:

— Meu pai e meu tio, irmão dele, herdaram de meu avô uma quantidade expressiva de terra no sertão do Piauí. Eles próprios foram nascidos e criados ali. Tanto meu pai quanto meu tio tinham muitos filhos. Para o sertanejo, ter muitos filhos era importante, pois teriam muitos braços para a lavoura. Eu tinha quatro primos e duas primas, três irmãos e quatro irmãs. Ao todo, éramos quatorze crianças. Morávamos todos juntos em uma mesma casa. Meu pai e meu tio, por estas coisas do destino, se casaram com duas irmãs. Eles as conheceram em uma festa, das muitas que havia na Vila. A casa em que morávamos, embora simples, era grande e aconchegante. Havia muitos quartos e janelas, que se abriam todas as manhãs para receber os raios do sol. Vivíamos em perfeita harmonia. As crianças eram todas mais ou menos da mesma idade. Nas terras, tínhamos plantação de feijão, milho, mandioca e muitas hortaliças. Tínhamos também algumas cabeças de gado que nos forneciam leite, manteiga e queijo. Sua mãe, aos quinze anos, tornou-se uma mocinha linda com seus cabelos negros e compridos.

— Minha mãe? Mas ela sempre disse que não tinha família! Que nasceu no Ceará!

— Tenha calma, logo entenderá tudo. Fomos todos crescendo juntos. Todos nos considerávamos como irmãos. À medida que íamos tomando corpo, já ajudávamos na lavoura ou do gado.

Paulo falava sem parar, só que agora seus olhos estavam distantes. Parecia que contava a história para si mesmo. De repente, voltou a olhar para Walther. Lembrou-se que ele estava ali. Continuou:

— Em uma manhã, estávamos colhendo mandioca que se transformaria em farinha, uma parte serviria para nosso alimento e o restante seria vendido na Vila. Sua mãe estava tentando tirar uma mandioca, mas a raiz era muito grande e estava bem enterrada. Por mais força que ela colocasse, não conseguia tirar, chamou um dos primos:

— *Venha me ajudar! Esta mandioca é muito grande e não estou conseguindo tirar.*

— O primo atendeu prontamente, e os dois começaram a tirar com as mãos a terra que estava envolvendo a mandioca. De repente, as mãos se tocaram, ambos sentiram como um arrepio passando por seus corpos.

Um olhou nos olhos do outro, não entendiam o que estava acontecendo, mas notaram que aquilo que sentiram era estranho. Ficaram se olhando por alguns minutos. Sua mãe levantou e saiu correndo em direção à casa. O primo, ainda em estado de espanto, a acompanhou com os olhos. Ela entrou em casa, correndo. Estava vermelha. Minha mãe, ao vê-la daquela maneira, perguntou:

— *O que aconteceu, menina?*

— Ela voltou a si, respondendo:

— *Não foi nada, só fiquei com vontade de voltar para casa, estou com dor de cabeça. Vou para o quarto me deitar um pouco, logo vou ficar bem.*

— *Deve ser o sol, está muito quente. Vá deitar, vou lhe fazer um chá e levarei em seguida.*

A prima foi para o quarto, sem dizer nada. Deitou e começou a relembrar o acontecido.

Que foi aquilo? Que significa tudo isso? Que vontade foi aquela que senti de me atirar nos braços dele e o beijar? Isso não pode ser! É meu primo! É como se fosse meu irmão...

— Ficou ali deitada, pensando na cena que havia vivido. O primo também não conseguia esquecer.

— *Isso não pode estar acontecendo! Ela é minha prima, nunca poderemos nos casar, nossos pais não permitirão. Temos praticamente o mesmo sangue! Mas o que senti não tem explicação. Eu a estou desejando, sinto que o meu corpo quer o dela! Meu Deus! O que vou fazer?*

— Ao meio-dia, todos voltaram para o almoço. Sua mãe continuava no quarto. Minha mãe lhe levara o chá que ela tomou, sem reclamar.

O primo entrou em casa e a procurou. Não a vendo perguntou para minha mãe:

— *Onde está a prima?*

— *Está no quarto, mas por que está perguntando? Aconteceu alguma coisa?*

— *Não! Nada! Ela saiu da lavoura correndo, fiquei preocupado.*

— *Ela disse que está com dor de cabeça. Já lhe dei um chá, deve estar melhor, vou ver se ela quer comer algo.*

— Sua mãe continuava deitada, não sabia o que fazer ou como encarar o primo. Sentia que não poderia mais olhar aqueles olhos:

Estou com medo de o encarar, não sei qual vai ser a minha reação, e a dele? Mas não posso ficar aqui, tenho que ir almoçar com os outros.

— Esperou mais um pouco, levantou, olhou para o espelho e pela primeira vez ficou com vontade de se arrumar, penteou os cabelos e os prendeu com uma fita. Foi para a sala onde todos já estavam sentados. Entrou, evitando olhar para o primo. Ele, ao contrário, a olhava com admiração. Ela almoçou junto com os outros, como se nada houvesse acontecido. À tarde, voltou para a lavoura, continuou evitando olhar para seu primo, mas não conseguia, seus olhos o procuravam. Ele também a evitava, mas assim, igual a ela, também não conseguia, era impossível. De vez em quando, os olhos se cruzavam. Imediatamente, eles os desviavam. Isso durou muito tempo. Os dois procuravam se distanciar, pois ambos sabiam que se chegassem perto, não conseguiriam suportar e um se atiraria nos braços do outro.

Paulo interrompeu o que estava contando. Parou, pois precisou tossir. Continuou em seguida:

— Por mais que tentassem, não conseguiram. Em uma tarde, quando ela voltava mais cedo da lavoura, encontrou seu primo que dirigia as vacas de volta para o curral, onde passariam a noite, após terem estado o dia todo pastando. Quando se encontraram, ficaram se olhando. Sem perceber, foram se aproximando e logo um estava nos braços do outro. Ali naquele mesmo lugar, tendo o gado como testemunha, se entregaram ao amor. O amor entre os dois foi mais forte. Por isso, sempre que podiam, davam uma escapada e se encontravam. Sabiam que o casamento nunca seria abençoado por seus pais, mas nada importava. Eles se amavam, e muito. Esses encontros duraram por mais ou menos três meses.

Paulo parou de falar. Pediu a Isaías que lhe desse um pouco de água. Assim que terminou de beber, continuou:

— Já estava sem chover há dois anos. A seca começou a assolar nossas terras. A lavoura foi secando. Estávamos começando a passar por dificuldades. A família era muito grande, o alimento começou a rarear. Sabíamos que precisávamos fazer algo para mudar aquela situação, ou melhor, para sobreviver. Meu irmão mais velho que eu dois anos, o Luiz, chegou da Vila com uma novidade:

— *Estive conversando com o Dinei. Ele disse que veio um homem lá de Goiás e que ele está procurando homens de qualquer idade para trabalhar em um garimpo. Estive pensando que nós, os mais velhos da família, poderíamos ir. Parece que há chance de se ganhar muito dinheiro.*

— Tanto minha mãe como minha tia levantaram e quase juntas disseram:

— *Está louco? Não queremos separar a nossa família! Sempre estivemos juntos e pretendemos que continue assim!*

— Meu irmão, sem perder a calma, disse:

— *Esperem um pouco, não vamos nos separar para sempre. Nós vamos na frente. Vamos arrumar uma casa e em breve todos irão. O que a gente não pode é continuar aqui sem saber se vamos ter o que comer amanhã!*

— Minha tia olhou para minha mãe. Falou:

— *Não sei, mas ao mesmo tempo em que não quero que a gente se separe, acho que ele tem razão...*

— *É isso que estou dizendo, mãe. A gente não sabe se vai chover, se vamos ter novamente a nossa lavoura bonita como antes. Já que surgiu essa chance, acho que devia tentar. Não sei o que os outros pensam, mas eu estou pronto para ir.*

— Todos se olharam, Walther. Os rapazes se entusiasmaram. Sua mãe olhou para o primo, que também a estava olhando. Ele não sabia o que fazer. Ela estava com medo, que ele aceitasse aquela idéia. Finalmente, após algumas discussões, resolveram que os rapazes mais velhos iriam na frente. Assim que conseguissem uma casa, o resto da família os seguiria, desde que não chovesse. Se a chuva voltasse, teriam que retornar.

A prima e o primo ficaram desesperados, não queriam se separar: Conseguiram conversar sem que os outros percebessem. Ele disse:

— *Tenho que ir, preciso seguir os outros. Não vou ter desculpa para não ir, mas não se preocupe, assim que conseguirmos a casa, todos irão. O que não podemos é ficar aqui, nos arriscando a morrer de fome. Se existe essa chance, a gente tem que tentar.*

— *Sei que você tem razão, mas tenho muito medo que me esqueça....*

— *Nunca vou esquecer você. Amo você! Tem que acreditar nisso! Vou trabalhar feito um louco para conseguir uma boa casa! Fique tranqüila, vai estar em meus pensamentos todos os minutos da minha vida.*

— Ela sabia que não havia outro meio, só lhe restou concordar. Em uma manhã, nós nos despedimos da família e partimos rumo à Vila. Lá, junto com outros rapazes, tomaríamos um caminhão que nos levaria até o garimpo. Fomos todos amontoados uns sobre os outros. A viagem foi demorada e sofrida, mas em cada coração, havia a esperança de dias melhores para todos. Após alguns dias de viagem, finalmente chegamos à pequena cidade. Ficamos um dia lá, tomamos banho, comemos alguma coisa e dormimos no próprio caminhão. No dia seguinte, partimos para o garimpo. Quando chegamos, ficamos espantados com a quantidade de homens, que estavam com pás e picaretas cortando a montanha. Fomos apresentados a um feitor que nos deu uma pá e uma picareta. Ensinou o trabalho e o lugar onde deveríamos começar. O trabalho era pesado. Durante o dia todo, íamos cortando a montanha. Quando era encontrada qualquer coisa que brilhasse, tínhamos que separar com as mãos e colocar em um saco. À tarde deveríamos lavar e passar na peneira aqueles torrões de terra, separar tudo o que poderia ser precioso. Esse material era entregue a um americano que pesava e pagava aos garimpeiros. À noite, dormíamos em barracas. Uma vez por semana, íamos até a Vila. Lá existia um pequeno hotel. Em uma casa lá perto, havia moças que estavam ali para servir sexualmente os garimpeiros. Com elas, eles gastavam quase todo o dinheiro que haviam recebido do americano, que, por sinal, também era o dono do hotel.

Enquanto Paulo falava, Walther pensava:

Essa história não tem nada a ver com aquela que mamãe contava...

Paulo, com os olhos perdidos no passado, continuava:

— A vida no garimpo não era fácil, o sol era sempre muito quente; o calor insuportável. Trabalhávamos muito, mas raras vezes encontrávamos algo que valesse algum dinheiro. Estávamos já há quatro meses no garimpo, mas até agora, não havíamos conseguido dinheiro suficiente para alugarmos uma casa e assim trazermos o resto da família, que estava no Piauí. Em um sábado, ao voltarmos para a Vila, recebemos uma carta que chegou durante a semana. A carta foi entregue a um dos meus primos, o único que sabia ler. Todos nós o rodeamos para ver o que ela dizia. Ele leu o remetente, viu que ela vinha de casa. Abriu rapidamente e todos acompanhávamos ansiosos por notícias. Ela havia sido escrita por uma de nossas vizinhas, pois, em casa, ninguém sabia ler ou escrever.

Queridos filhos e sobrinhos

Pedi pro seu José da barbearia deixar a mulher dele escrever esta carta pra dizer que graças ao nosso bom Deus, a chuva chegou. Ela veio forte e hoje o rio e o açude estão cheios. Já estamos plantando, mas precisamos de vocês pra ajudar a gente. Podem voltar, pois tudo vai voltar a ser como era antes. A gente vai poder viver bem de novo.

Seu pai e seu tio, que muito os ama

Josildo

— Não sei como explicar a alegria que sentimos. Nós nos abraçamos, dançamos e rimos. Durante todo o tempo, estivemos sempre trabalhando muito, mas a nossa maior preocupação era com aqueles que ficaram naquela terra seca e triste. Sabíamos, agora, que eles estavam bem novamente. Todos sentimos uma sensação de muita felicidade.

— Assim que terminou de ler a carta, e toda aquela nossa euforia passou, meu primo disse:

— *Não sei o que vocês vão fazer, mas eu estou arrumando as minhas coisas e vou voltar pra a nossa casa. Esse foi o trato que a gente fez com nossos pais. Cada um faz o que quiser.*

Todos seguiram o exemplo dele, e foram arrumar suas coisas, acertaram as contas com o americano. Alguns tinham dinheiro para receber, outros estavam devendo. Todo o dinheiro que havia foi dividido, as contas foram pagas, por isso estavam livres para voltar. Eu também participei com minha cota de dinheiro. Quando todos estavam prontos para ir eu disse:

— *Não vou com vocês. Pretendo ficar aqui, pois tenho certeza que vou encontrar uma pedra grande, que vai me dar todo o dinheiro que preciso pra mudar a nossa vida e a gente não vai ficar mais dependendo do sol e da chuva.*

Eles me olharam sem acreditar no que estavam ouvindo. Luiz, meu irmão, falou:

— *Você está bem certo dessa decisão?*

— *Estou. Vou ficar aqui e encontrar a pedra.*

— *Sabe muito bem que isso é quase impossível. Mesmo que encontre essa pedra, o americano não vai lhe pagar o valor certo. Lá em casa, todos juntos e agora com água, a gente pode viver com mais segurança.*

— *Até quando, Luiz? Que a gente vai fazer quando a seca voltar? Será que a gente vai ter outra chance de voltar pra cá?*

— Todos me olhavam, pois no fundo sabiam que eu estava com razão. Eles sabiam que dependiam da natureza, do sol e da chuva. Ninguém poderia ter certeza se no próximo ano choveria novamente ou não. Aquela região em que morávamos era assim. Todos sabiam. Mas resolveram partir e tentar novamente. Ao menos estariam ao lado da família. Abracei e fui abraçado por eles. Entenderam o meu pensamento e deixaram bem claro que eu poderia voltar a qualquer momento, pois me receberiam com muito carinho. Eu sabia disso. Amava aquela família. Eles foram embora. Eu, pela primeira vez, fiquei sozinho. Senti alguma insegurança, mas tinha a certeza de que encontraria aquela pedra enorme que nos daria a liberdade financeira, sabia que com ela poderia dar toda a felicidade que a minha família merecia. Entreguei-me ao trabalho com afinco. Usava toda a minha energia de jovem e ia loucamente cortando aquela montanha, pois eu sabia que em algum lugar aquela pedra estava esperando que eu a encontrasse. Isaías, você lembra desse tempo?

— Claro que sim, Paulo! Foi naquele tempo, que nos conhecemos. Com a partida dos seus, você ficou só. Depois de algum tempo, nós nos tornamos amigos. Preciso lhe confessar meu amigo. Sempre senti muito orgulho de sua amizade...

Paulo sorriu, sem nada dizer.

Walther ouvia tudo com muita atenção. Ficava cada vez mais intrigado, pois aquele homem falava de sua família com muito amor, carinho e saudade. Ao contrário de sua mãe, que dizia não ter família

Paulo recomeçou a falar, mas uma tosse muito intensa o atacou.

Ele levou o lenço à boca, e uma mancha vermelha apareceu. Isaías se assustou, apertou a campainha e em poucos minutos o enfermeiro entrou, dizendo:

— Avisei ao senhor que não podia falar e ficar muito tempo sentado. Veja no que resultou sua teimosia. Agora, vai voltar para a cama, vou lhe aplicar uma injeção. Por hoje, não vai falar mais nada, vai ficar quieto. Suas visitas entenderão.

Walther se frustrou, pois estava interessado no resto da história. Não entendia o motivo pelo qual sua mãe havia lhe ocultado tudo aquilo, mas teve que concordar com o enfermeiro. Seu tio realmente estava tendo uma crise e merecia cuidados.

Atendendo a um sinal do enfermeiro, os dois se despediram de Paulo e saíram. O enfermeiro acomodou Paulo na cama e sobre o protesto dele lhe aplicou uma injeção.

Logo em seguida, a tosse passou e ele adormeceu. Ao seu lado, um vulto de mulher estendia as mãos sobre todo o seu corpo e em especial na região do pulmão. De suas mãos saiam pequenas luzes que o envolviam por inteiro. Ele, adormecido, a começou sonhar. Estava naquele lugar novamente. Buscava alguém, mas não encontrava. Corria por corredores, mas de nada adiantava. Não encontrava. Seu coração começou a bater muito rápido, o enfermeiro se assustou, chamou o médico.

O médico entrou correndo, fez tudo para que Paulo acordasse, mas foi em vão. Após tentar muito, finalmente disse:

Pode parar. Não adianta fazer mais nada, ele se foi. Preparem tudo e avisem a família.

O enfermeiro, embora acostumado com aquela cena, não conseguiu evitar duas lágrimas que insistiam em cair. Ele se acostumara com aquele paciente, que aos poucos foi se tornando seu amigo. Sabia que Walther e Isaías chegariam logo pela manhã. Sabia também que teria que cumprir a missão que Paulo havia lhe deixado.

Mudança de planos

Walther acordou cedo. Estava ansioso para voltar ao hospital e ouvir o resto da história. Estava confuso com o que ouviu até ali. Enquanto se preparava para sair, pensava:

Estranho, tudo que meu tio contou até agora está muito distante daquilo que eu sabia. Por que minha mãe mentiu a respeito da sua família? Que mistério existe por trás de tudo isso?

Levantou, tomou um banho. Estava terminando de se trocar, quando ouviu uma batida em sua porta. Abriu, era Isaías que já estava pronto:

— Bom-dia! Espero que tenha dormido bem, embora nesta noite o calor tenha sido insuportável!

Walther sorriu, respondendo:

— Bom-dia. Se morasse em um país frio igual ao meu, com certeza não reclamaria de um calor maravilhoso como este.

— Talvez tenha razão, mas já está pronto? Paulo deve estar ansioso nos esperando.

— Estou as duas coisas, pronto para ir e também ansioso.

— Então, vamos?

Saíram em direção ao restaurante do hotel. Após tomar um café rápido, pegaram um táxi. Rumaram para a clínica. Assim que entraram, a recepcionista saiu de trás do balcão e veio em direção aos dois:

— Senhor Isaías, antes de entrar no quarto, preciso conversar com os senhores. Podem, por favor, me acompanhar?

Os dois, intrigados, se entreolharam. Ela abriu uma porta e os fez sentar. Tentando disfarçar o nervosismo, começou falar:

— Infelizmente, o senhor Paulo teve uma crise muito forte e não resistiu...

Os dois se levantaram ao mesmo tempo Walther quase gritou:

— Como não resistiu? Que aconteceu?

— Por favor, senhor, se acalme. Sabíamos que a situação dele não era boa. Estávamos esperando que a qualquer momento isso acontecesse.

Walther não se conformava:

— Não poderia ser agora! Ele tinha muito para me contar! Estou cheio de dúvidas! Ele não podia ter feito isso comigo! Isaías, o que vou fazer agora? Como saberei o resto da história?

Isaías, com lágrimas nos olhos, respondeu:

— Deus sabe sempre o que faz, precisamos acreditar nessa sabedoria.

— Que sabedoria? Eu estava tranqüilo, vivendo a minha vida! Não tinha preocupação alguma com respeito a minha infância! Hoje, estou cheio de dúvidas! Ele não podia ter feito isso comigo! Não podia!

Isaías o abraçou, dizendo:

— Você tem razão de estar revoltado, mas volto a lhe dizer, Deus é quem sabe de tudo. Se você está aqui neste momento, algum motivo deve existir. Não sabemos ainda qual é, mas saberemos. O que precisamos agora é fazer uma oração para que a alma dele seja encaminhada para um bom lugar e cuidarmos para que seu corpo seja enterrado dignamente.

Walther, embora um pouco irritado, foi obrigado a concordar. Nada mais poderia ser feito além disso. Não disse nada, mas pensou:

Vou enterrá-lo, depois voltarei para o meu país e continuarei a minha vida, fazendo de conta que nada disso aconteceu. Tudo o que ouvi não me acrescentou nada, a não ser uma série de dúvidas sobre aquilo que sabia até agora. Deveria ter continuado assim. Mas não vou me deixar envolver por isso. Tenho um trabalho me esperando. Tudo vai ser como era antes. Só sinto, não ter tido mais tempo para conversar com ele. Pareceu ser uma boa pessoa.

Isaías e Walther, acompanhados pela recepcionista, foram até o quarto, onde o corpo de Paulo ainda permanecia. Assim que entraram, encontraram o enfermeiro, que estava junto ao corpo de olhos fechados, rezando. Isaías entrou na frente, tocou no ombro dele, que voltou a cabeça, e ao vê-los levantou e se afastou.

Os dois se aproximaram. Walther, embora conhecesse Paulo há tão pouco tempo, sentiu uma enorme tristeza. Isaías colocou a mão sobre a cabeça do amigo, dizendo:

— Vá, meu amigo, siga o seu caminho. Não se preocupe com mais nada, daqui para frente, só tem que encontrar a luz. Que Deus o ajude e o ilumine para que chegue logo ao seu lugar.

Walther ouvia aquelas palavras, não entendia a profundidade delas. Fora criado em um país capitalista, onde o dinheiro e a posição tinham uma grande importância. Nunca teve educação religiosa. Seu pai sempre fora preocupado com o trabalho, viajava muito, quase não o via. Sua mãe, embora se dissesse católica, nunca lhe ensinou nada sobre a religião. Algumas vezes ia com ela à igreja, assistiam à missa, nada além disso. Por isso não entendia nada daquilo, nem reconhecia essa sabedoria de Deus, que Isaías lhe falara.

Após falar com Paulo, Isaías se voltou para Walther, dizendo:

— O melhor que tem a fazer é voltar para o hotel ou se preferir pode dar um passeio, conhecer a cidade. Pode deixar que eu cuido de tudo por aqui. Ele era meu amigo, quase um irmão.

Walther, embora ainda um pouco atordoado, concordou com a cabeça. Queria sair dali o mais rápido possível. Quando estava saindo, sentiu uma espécie de vertigem. Se o enfermeiro não o amparasse, teria caído:

— O senhor não está bem, acredito ser melhor que me acompanhe.

Walther olhou para ele, sentiu uma profunda confiança naquele desconhecido. Acompanhou-o sem relutar. Foi conduzido até uma lanchonete que havia ali. O enfermeiro pediu ao garçom um suco de laranja, dizendo para Walther:

— O senhor deve ter tido uma queda de pressão. O suco vai lhe fazer bem.

— Pode ter sido isso mesmo. Não estou acostumado com ambiente de hospital, muito menos com mortos, nunca antes tinha visto um sem maquiagem e no caixão enfeitado com flores. Aquela palidez do seu rosto, parecendo não lhe restar nem um fio de sangue, me impressionou muito.

— Entendo, mas procure esquecer aquela cena. Ali só estava o corpo, seu espírito, se Deus quiser, já deve estar sendo encaminhado.

— Espírito? Encaminhado? Não estou entendendo o que está dizendo!

— Quando morremos, deixamos tudo aqui na terra, inclusive o nosso corpo. Nosso espírito empreende um vôo de volta para a nossa pátria verdadeira.

— Pátria verdadeira? Espírito? Continuo entendendo menos ainda!

— Não se preocupe com isso, entendendo ou não, um dia todos retornaremos. Queira Deus que vitoriosos.

Walther não entendia, mas também não estava interessado naquela conversa. Estava ali conversando com um homem estranho, um enfermeiro que acabara de conhecer, mas que, com certeza, sabia muito a seu respeito, já que era amigo de seu tio. Disse:

— A única coisa que quero neste momento é voltar para minha terra e recomeçar de onde parei. Esta viagem foi inútil.

— Nada que acontece em nossa vida é inútil. Não pode negar que conheceu esta bela cidade e o país onde nasceu.

— Nisso o senhor tem razão, mas sinto que não poderia viver aqui para sempre.

— O senhor não teve ainda tempo de conhecer este país. Aqui existem muitos lugares bonitos. As pessoas são calorosas e afetuosas.

Walther sorriu:

— Sabe que estou gostando muito de conversar com o senhor! Estamos aqui conversando há tanto tempo e ainda não sabemos o nome um do outro. Meu nome é Walther, e o seu?

O enfermeiro também sorriu:

— Muito prazer, senhor Walther, mas eu já conhecia o seu nome. O senhor Paulo falava muito a seu respeito. Estava ansioso por sua visita. Meu nome é Olavo a seu dispor!

— Agora ficou melhor! Já que disse que o povo aqui é afetuoso, vamos deixar essa de senhor para lá. Quero que me chame apenas de Walther.

Olavo sorriu, dizendo:

— Isso mesmo, vamos terminar com essa cerimônia. Conheci muito bem o seu tio. Ele conversava comigo sobre várias coisas, inclusive muito a seu respeito.

— A meu respeito? O que ele dizia?

— Que não podia morrer sem lhe contar toda a verdade. Por isso ficou tão feliz quando soube que chegaria. Parecia que estava esperando a sua chegada para se entregar à morte.

— Se ele tivesse esse poder, não teria morrido antes de me contar tudo!

— Talvez o seu poder não fosse tanto. Acredito que, na realidade, ele queria apenas lhe conhecer.

— Por que isso? Por que ele queria tanto me conhecer?

— Isso não sei. Só sei que quando falava a seu respeito, era sempre com muita dor. Cada vez que falava sobre você e sua mãe, seu rosto se crispava.

— Isso é o que está me intrigando. O pouco que contou não esclareceu nada, apenas levantou dúvidas. A história que me contou é totalmente diferente da que minha mãe contava. Um dos dois está mentindo. Não sei qual dos dois, ou por quê?

— Tiveram com certeza seus motivos. O que lhe dá certeza de que estavam mentindo? Talvez ambos estivessem dizendo a verdade...

— Não sei... Só sei que preciso voltar para o meu país e o meu trabalho. Vou tentar esquecer tudo o que aconteceu aqui.

— O seu país é este aqui!

— Talvez seja, por um motivo qualquer nasci aqui, mas não me sinto brasileiro, fui criado nos Estados Unidos. Minha casa, trabalho e amigos estão todos lá. Não sei se conseguiria viver aqui...

— O futuro a Deus pertence, tudo será do modo como tiver que ser...

— Você fala muito em Deus, eu ao contrário, acredito em planejamento. Eu planejei a minha vida até aqui e assim será sempre. Deus nunca teve e não tem nada a ver com isso.

— Você se engana, meu filho, não planejamos nada, tudo acontece como tem que ser. Nossas vidas são planejadas sim, mas por uma força maior, que nos leva para onde devemos ir. Não é por acaso que veio para cá, algum motivo deve ter, e logo ficará sabendo que motivo é esse...

Walther não conseguia acompanhar o raciocínio de Olavo. Sua educação havia sido diferente de tudo aquilo. Por isso, cada palavra dita era novidade. Seus pensamentos estavam confusos. Sua vida toda, para ele, agora, era um mistério.

Terminaram de tomar o suco. Olavo levantou, bateu de leve com a mão sobre o ombro de Walther, dizendo:

— Meu amigo, preciso voltar ao meu trabalho, o melhor que tem a fazer agora é voltar para o hotel ou dar umas voltas pela cidade. Assim que tudo estiver pronto, o senhor Isaías irá lhe avisar.

— Tem razão, vou fazer isso, espero que tudo se resolva hoje, na segunda-feira preciso viajar, meu vôo já está marcado.

— Vai viajar mesmo?

— Claro que sim! Tenho que voltar ao meu trabalho!

— Faça o que achar melhor. Até logo...

Walther saiu da clínica. Seus pensamentos estavam conturbados, não entendia o porquê de tudo aquilo. O dia estava lindo, o sol estava alto e brilhava de uma forma diferente da que sempre conhecera. A cidade não era muito grande, o hotel ficava a algumas quadras dali. Ele resolveu não pegar um táxi, preferiu ir caminhando. Enquanto caminhava, olhava para as construções. Notou que em todos os jardins havia muitas flores com cores diferentes que enchiam seu coração de muita paz. Ficou admirando tudo o que via. Seu pensamento voava. Parou em um determinado lugar. Dali podia ver algumas casas que ficavam em uma espécie de vale. Ficou parado, olhando e pensando:

Como tudo aqui é bonito! Em meu país, devem existir lugares bonitos como este, só que nunca tive tempo para conhecê-los. Sempre estudei e trabalhei muito. A única coisa que meus pais queriam era que eu estudasse e me formasse. Queriam que eu me tornasse um homem independente financeiramente, mas mamãe sempre me dizia das belezas da natureza, às quais eu deveria prestar atenção.

Continuou andando em direção ao hotel. Pensando:

Sinto que ainda terei muitas surpresas aqui. Meu tio não poderia ter morrido, após ter levantado expectativas diferentes sobre a minha vida. Por que será que mamãe mentiu?

Estava com fome. Seu tio havia morrido, mas na realidade ele não sentia nada. Para ele, esse tio era como um estranho, só sentia que, com a sua morte repentina, deixara de contar algo que talvez lhe interessasse, mas isso também não o preocupava mais. Restava só uma esperança:

Talvez, agora, o Isaías me conte o resto da história. Engraçado. Parece que meu tio não temia a morte. Mamãe, assim que tomou conhecimento da sua doença, ficou com muito medo, mas logo após começou a se voltar para a religião. Foi a vários lugares. Por muitas vezes a vi ajoelhada e rezando. Um dia, ela me chamou em sua casa. Assim que cheguei, disse:

— Sabemos que a minha doença não tem cura, meu filho. Procurei em várias religiões um modo de me curar, não queria morrer. Sou ainda muito jovem, queria voltar para o Brasil, rever toda aquela beleza da natureza que Deus nos presenteou. Procurei, mas percebi que apesar de toda a minha fé e tratamento, estou ficando cada vez pior. Uma de minhas amigas me emprestou um livro.

— Que encontrou nesse livro que a deixou tão animada? Por acaso a cura de sua doença?

— Não! Ao contrário, me ensinou que a morte não existe! Que apenas morremos aqui e nascemos ali. Mudamos de dimensão, assim como se fizéssemos uma viagem, mas que um dia todos nos reencontraremos...

Ao ouvi-la dizendo aquilo, senti que estava sendo sincera. Notei um brilho estranho em seus olhos, agora não mais de medo, mas de esperança. Não acreditei em uma palavra que dizia, mas percebi que ela estava muito bem. Resolvi concordar:

— Que bom, mamãe, que esteja tão confiante! Que livro é esse?

— O Evangelho.

— Mas, mamãe! Esse é o livro mais antigo do mundo! Quantas vezes já o leu?

— Muitas, mas desta vez entendi diferente. É explicado de uma outra maneira. Quem o explica é um francês Allan Kardec. Por isso sei, que quando morrer, não estarei só, nem deixarei você sozinho. Vou fazer apenas uma viagem, nada além disso!

Ela estava muito diferente, parecia não se preocupar mais com a morte. Eu não quis mudar aquele estado de coisas. Coloquei meus braços sobre seus ombros, beijei seu rosto, dizendo:

— Que bom que esteja pensando assim. Mas não se preocupe, não vai morrer. Ainda encontrarão uma cura para a sua doença.

— Isso não me preocupa mais. Agora sei que a morte não existe, vou fazer uma viagem! Quero e preciso acreditar nisso!

— Tudo bem, mamãe, se a faz feliz, desejo que continue lendo esse

livro e se quiser lhe darei outros que tratem do mesmo assunto.

— Se fizer isso, ficarei muito contente, você poderia também ler alguns deles. Sei que mudará totalmente o modo de ver a vida.

Pobre mamãe, acreditou em tudo que leu naqueles livros. Morreu tranqüilamente e até o fim me dizia:

— Meu filho estou indo embora, mas não esqueça nunca que é apenas uma viagem, logo nos encontraremos, só estou indo na frente!

Não soube o que dizer, ela me parecia tão serena e confiante. Partiu com um sorriso nos lábios, dizendo que sua mãe estava ali, que viera buscá-la. Não sei por que será que neste momento estou lembrando de tudo isso. Talvez seja por ter me deparado com a morte novamente. Por estar me sentindo só. Se ao menos o Steven estivesse aqui. Estranho, o que acontecerá conosco após a morte? Será que mamãe tinha razão? Será que ela realmente está em outra dimensão?

Finalmente chegou ao hotel. Entrou, foi direto ao restaurante, pediu o almoço. Estava almoçando, quando Isaías chegou e sentou-se ao seu lado:

— Parece que está gostando da comida!

— Olá, senhor Isaías! Estou sim, é uma comida muito boa, me faz lembrar a que minha mãe fazia.

— É muito bom nos lembrarmos daqueles que se foram, mas sempre dos bons momentos que passamos juntos. De onde ela estiver, deve estar contente por ter se lembrado dela neste momento, sem dor sem sofrimento.

— Está me dizendo que ela deve estar em algum lugar e me ouvindo?

— Claro que sim! A morte não existe, apenas mudamos de dimensão, mas continuamos os mesmos. Com as mesmas qualidades e defeitos.

— Ouvi minha mãe dizer essas mesmas palavras, mas nunca dei muita atenção. Isso tudo parece história de carochinha. Confesso que, para ela, acreditar em tudo isso foi muito bom, mas eu não penso da mesma maneira. A única coisa que sei é que nunca mais voltarei a vê-la. Ela sempre me dizia que ia fazer apenas uma viagem, nada mais. Que logo nos encontraríamos. Nunca tive coragem de lhe dizer, que não era uma simples viagem, pois quando viajamos, temos endereço, telefone e podemos nos comunicar a qualquer momento. Com a morte, não, isso não é possível. Nunca mais teremos notícias um do outro. Só resta em nosso coração esta imensa saudade.

— Acredita mesmo nisso que está dizendo? Acredita que tudo termina com a morte?

— Claro que sim. Assim como meu pai, minha mãe e o meu tio Paulo foram embora. Um dia, irei também. Nada mais. Esta é a lei da vida...

— Acredita em Deus?

— Claro que sim!

— Pois bem, se acredita em Deus, não o julga um tolo, não é?

— Claro que não! Aprendi desde cedo que Ele era o criador de tudo.

— Nesse tudo, com certeza, se inclui o ser humano, não é?

— Isso é lógico!

— Pois bem. Acredita que esse Deus colocaria o ser humano para viver na Terra por alguns poucos anos? Nada mais?

— Não sei...

— Que acontece com o ser humano, quando morre?

— Vai para o céu, ou para o inferno...

— Na sua opinião, sua mãe está no céu, ou no inferno?

— Espero que no céu! Ela foi sempre uma pessoa muito boa. Dedicou toda sua vida a mim e a meu pai. Sempre nos sentimos protegidos e amados por ela.

— Dizendo isso, você está afirmando que existe algo após a morte!

Walther ficou calado por alguns segundos:

— Acredito que sim, nunca havia pensado nesses termos.

— Se existe algo após a morte, sua mãe deve estar agora em algum lugar. Acredita que ela, nesse lugar onde está, se esqueceu de vocês?

— Não! Se ela estiver em algum lugar, com certeza estará pensando em nós.

— Igual a você que neste momento está pensando nela! Este é o intercâmbio, a comunicação que existe entre os dois mundos.

— Está me dizendo que ela pode estar aqui? Agora? Neste momento? Ouvindo tudo isso que estamos conversando?

— Por que não?

— Isso seria maravilhoso! Difícil de acreditar, mas maravilhoso.

— Existem muitas coisas maravilhosas que não conhecemos. Mas tudo tem seu tempo certo. Na hora certa, tomaremos conhecimento de todas as coisas.

— Não sei se terei tempo para aprender mais a esse respeito. Tenho já uma vida toda formada, sem nunca ter precisado de religião.

— Não esteja tão certo disso. A vida nos reserva surpresas nunca esperadas. Além do mais, não estou falando de religião.

— Na minha vida, nunca houve, nem haverá surpresas. Vou voltar para a minha terra, meu trabalho e a minha vida. Tudo normal como sempre foi.

— Talvez seus planos tenham que ser mudados...

— Por que está me dizendo isso? Não posso mudar meus planos! Tenho responsabilidade com o meu trabalho!

— Estou aqui para lhe comunicar que, hoje, à tarde, o Paulo será enterrado. Já tomei todas as providências necessárias.

— Vai ser enterrado aqui?

— Estou seguindo suas ordens. Pediu que seu corpo ficasse aqui, junto a esta serra de que tanto gostava.

— E o resto da família? Não vai avisar?

— Não, ele me proibiu. Não queria que eles o vissem dessa maneira, fraco e doente.

— Mas.... eles pensarão da mesma maneira? Disse que eram muitos! Deveriam saber de sua real situação!

— Paulo queria que se lembrassem dele do modo como era, cheio de vigor e vitalidade. Aliás, nem eu era para estar aqui, só estou por sua chegada. As ordens que eu tinha, se essa fatalidade não houvesse acontecido, era que, após a conversa que teria com você e de acordo com a sua reação, eu o levasse de volta até o aeroporto ou a um hotel, até o dia da sua viagem. Depois, fosse para minha casa e não voltasse mais.

— Não entendo o porquê disso?

— Ele aprendeu e acreditava que, assim que partisse, aqui só restaria o seu corpo. Sabia que este estava doente, mas que seu espírito estava cheio de saúde. Bonito como antes.

— Não entendo nada disso, mas deve fazer parte da cultura deste país, tenho que respeitar. Tudo bem, que seja como ele queria. Após o enterro, estarei livre e poderei ir embora.

— Sinto muito, mas não poderá ir.

— Por que não? Não tenho mais nada para fazer aqui!

— Se tivesse conversado com ele, poderia partir ou não, mas como ele morreu, terá que ficar aqui por mais algum tempo.

— Como terei de ficar? Não posso! Tenho meus compromissos.

— O Paulo era um homem muito rico. Quando soube que possuía uma doença de difícil cura, resolveu fazer um testamento. Fui sua testemunha. Tudo foi feito dentro da lei. Você terá que ficar aqui, até que o testamento seja aberto.

— Testamento? Que tenho a ver com esse testamento? Ele tem família! Não me conhecia, muito menos eu a ele!

— Não sei, só sei, que sem a sua presença, o testamento não será aberto.

— Se eu não estivesse aqui?

— Teria que ser avisado onde estivesse. Como vê, não há outra saída. Vai ter que mudar seus planos. Não lhe disse que a vida nos reserva sempre surpresas inesperadas?

— Quanto tempo vai demorar? Preciso avisar na empresa o motivo do meu atraso.

— Após o enterro, vou conversar com o advogado e procurar fazer com que tudo fique pronto o mais rápido possível.

Walther ficou nervoso. Nunca havia deixado de cumprir seus compromissos. Sabia que a sua presença na empresa era importante, mas se viu sem saída. Teria mesmo que avisar e aguardar os acontecimentos.

O velório transcorreu em ordem, não havia muitas pessoas. Walther, acompanhado por Isaías e Olavo. Cumpriu todas as formalidades. Embora Paulo não fosse na realidade seu parente, já que sua mãe o considerava como irmão, naquele momento era o mais próximo disso. Notou que Isaías permaneceu muito tempo ao lado da urna. Parecia que conversava com o amigo. Realmente, em pensamento, fazia isso:

Meu amigo, não se preocupe com nada. Siga o seu caminho, farei com que tudo volte ao seu lugar. Em tempo aprendeu que a bondade de Deus é eterna. Que sua caminhada seja acompanhada de muita luz.

Walther o observava, não via a hora de que tudo aquilo terminasse. Para ele, velório com corpo presente era uma agressão aos parentes do morto. Em seu país, era diferente. O morto ficava exposto apenas por algumas horas. Os parentes e amigos ficavam reunidos em casa, comendo, bebendo, conversando e lembrando do amigo que partira.

Finalmente, a urna foi fechada e o corpo foi enterrado. Embora não conhecesse o tio, naquele momento sentiu um aperto no coração.

Após tudo ter terminado, Isaías se aproximou, dizendo:

— Bem, cumprimos a nossa parte. Agora, está tudo terminado. Podemos voltar para o hotel. Tenho uma notícia que, sei, não vai deixar você muito feliz.

— Que notícia pode ser essa?

— Conversei com o advogado, seu escritório fica em São Paulo e teremos que ir até lá.

— Tudo bem, se não outra maneira, iremos...

— Só que estamos em pleno fim de semana. Na segunda-feira, ele nos atenderá na parte da manhã. A tarde, ele precisa ir ao fórum.

— Quer dizer que só poderei ir embora após a segunda-feira?

— Não sei, depende do que o advogado nos disser.

— Não posso esperar muito tempo! Tenho meus compromissos!

— Infelizmente, vai ter que esperar, mas lhe garanto que não vai se arrepender!

— Sei que o senhor sabe todo o resto da história que meu tio começou a contar e não conseguiu terminar.

— Sei de tudo, estive ao lado dele todo esse tempo, mas não poderia deixar essa coisa de senhor para lá?

— Se é assim que deseja, não tenho nada contra.

— Fui amigo do Paulo, gostaria de ser seu também. Entre amigos não existem essas formalidades.

— Está bem. Mas já que é meu amigo, por que não me conta o que aconteceu na vida do meu tio que influenciou a minha? Confesso que estou atordoado com tudo o que ouvi!

— Não posso lhe contar, mas tenho certeza de que tudo vai se esclarecer. Tenha calma.

— Estou calmo! Só muito confuso. Ouvi duas histórias, uma diferente da outra. Não sei quem falou a verdade!

— Tudo tem sua hora e seu tempo, mais ainda, tudo sempre acontece com a vontade de Deus e, para qualquer coisa, sempre existe um motivo.

— Quero aceitar o que está me dizendo, mas não consigo! O que Deus tem a ver com todas essas mentiras?

— A resposta para as suas perguntas, virá

— Espero que tenha razão. Quero deixar de pensar em tudo isso, mas por mais que tente, não consigo. Nunca pensei que ao receber aquela carta de meu tio, me convidando para visitá-lo, tudo isso iria acontecer.

— Você agora tem que descansar. Vamos para o hotel, amanhã iremos para São Paulo. Lá conhecerá uma metrópole que não deve nada a Nova York.

— Tem certeza do que está dizendo?

— Claro que tenho, ou você pensa que vai encontrar cobras atravessando a rua?

Walther começou a rir.

— Nunca pensei isso, mas acredito que você está exagerando. Nova York é uma mega metrópole. Lá é o centro financeiro do mundo!

— Talvez eu tenha exagerado, mas São Paulo é o centro financeiro do Brasil!

Voltaram para o hotel. Cada um foi para seu quarto. Walther entrou, estava cansado. O fuso horário, toda a expectativa por que passou, a frustração ao descobrir que havia sido enganado a vida toda e finalmente a morte do tio, sem lhe ter contado o resto da história. Foi para o banheiro. Ainda era cedo. Tomou um banho, resolveu que deitaria e dormiria até a hora do jantar.

Fez isso. Deitou, fechou os olhos, mas não conseguia dormir, embora sentisse seu corpo cansado. De seu pensamento não saía os últimos acontecimentos:

Tudo esta acontecendo tão rápido. Até poucos dias atrás eu não tinha problema algum, a não ser a morte de minha mãe e o meu divórcio. Sofri muito com essas perdas, mas já estava me recuperando, graças ao meu trabalho que toma quase todo o meu tempo. De repente estou aqui, deitado em uma cama de hotel, em um país diferente de tudo o que conheci na vida. Tomei conhecimento de uma história diferente da que conhecia. Descobri que minha mãe, sempre mentiu ou será meu tio quem estava mentindo? Mas por que ele faria isso?

Olhou para a janela, as cortinas estavam abertas, e por elas o sol entrava. Ele não estava acostumado a dormir durante o dia, muito menos no claro. Levantou, fechou as cortinas. O quarto ficou na penumbra. Ele voltou a deitar. Fechou os olhos, tentando dormir. Mas seus pensamentos não permitiam. De repente, abriu os olhos, percebeu que uma luz intensa invadia o quarto. A princípio ficou com medo. Pensou estar dormindo e sonhando, beliscou seu braço para ver se estava acordado. Sentiu dor no lugar em que beliscou. Percebeu então que estava acordado. A luz foi ficando cada vez mais intensa. Sentou na cama e ficou olhando sem saber o que fazer ou falar. Sentia vontade de gritar ou sair correndo, mas não conseguia. Ficou como que paralisado, sem conseguir tirar os olhos daquela luz. Ali parado, notou que a luz tomava forma. Mais assustado ainda, não teve como desviar os olhos. A forma foi se modificando, diante dele surgiu uma linda mulher, que lhe sorria. Ela estendeu os braços em direção a ele. Sem saber como, ele sentiu que o medo havia passado, também sorriu. Ele a conhecia, não sabia de onde, mas tinha certeza que a conhecia. Ela, com voz suave, disse:

— *Não fique com medo, estou aqui para lhe mostrar que a vida não termina com a morte, e para lhe dizer, que aceite tudo o que vai lhe acontecer. Sua vida vai mudar totalmente, mas tudo será para o bem. Sempre estive e estarei ao seu lado. Que Jesus o abençoe.*

Walther, ali parado, quis dizer algo, perguntar quem ela era, mas não conseguiu. A luz foi se apagando. Novamente, a penumbra voltou ao quarto. Só aí ele conseguiu levantar. Estava tremendo e suando muito. Foi até o banheiro, abriu a torneira e molhou o rosto. Sabia que tudo aquilo havia acontecido, só não entendia.

Sem saber o que fazer, voltou para a cama. Não conseguia esquecer aquela mulher. Ela era loura, tinha os cabelos longos e olhos azuis muito brilhantes. Era de uma beleza nunca vista antes por ele. Deitou novamente. Sentiu um cansaço imenso. Sem perceber, adormeceu.

Seu sono era tranqüilo. Estava correndo por um corredor, em uma casa muito grande, atrás da mulher com a qual havia sonhado antes. Não era a mesma cujo rosto havia visto. Esta não era loura, mas sim morena. Embora não conseguisse ver seu rosto, deduziu isso ao ver seus cabelos pretos e longos. Ela sorria, se escondia e aparecia, ele sorrindo, a perseguia. Os dois riam muito, estavam felizes. Queriam se encontrar para se abraçar, mas não conseguiam, cada vez que um chegava perto do outro, a ponto de se tocarem, uma força que não sabiam de onde vinha os separava novamente. Mas, mesmo assim, eles continuavam sorrindo e felizes.

Walther acordou. Olhou em volta, percebeu que estava no quarto do hotel. Lembrou-se nitidamente do sonho. Sentiu que aquela mulher existia e que o estava esperando em algum lugar, mas onde?

Sempre ouvi dizer que todos sonhamos, eu quase nunca me lembro de ter sonhado, a não ser algumas vezes, mas este sonho foi diferente. Lembro-me de detalhes, do lugar, da casa com muitas janelas e, principalmente, daquela mulher. Estranho, nunca senti nada parecido com o que estou sentindo neste momento. Talvez seja tudo o que estou descobrindo desde que o avião pousou nesta terra. Descobri coisas nunca antes imaginadas. Meu inconsciente deve estar se revelando. Talvez seja este lugar, toda essa natureza...

Continuou pensando, olhou para o relógio. Havia dormido muito, já estava escuro. Alguém bateu à porta. Abriu, era Olavo, o enfermeiro de seu tio.

— Olá, senhor Walther, estava dormindo?

— Olá, Olavo! Entre, por favor. Estou estranhando, não costumo dormir durante o dia, hoje, sem perceber, adormeci e acabei de acordar.

— Não pode se esquecer que está no sul. Fora do seu fuso. Aqui, o calor realmente nos dá muito sono.

Olavo entrou, como sempre, sorrindo. Trazia em suas mãos uma caixa envolta em um papel azul. Walther lhe mostrou um sofá, onde ele sentou. Olhou para ele e para a caixa. Disse:

— Estou curioso em saber o porquê da sua visita.

— Hoje, por causa da morte do senhor Paulo, que era meu amigo particular, tirei o dia livre para poder acompanhar seu enterro. Eu o conheci como um paciente, mas aos poucos fomos nos tornando amigos. Ele sempre falava muito sobre você e sua mãe. Em uma dessas conversas, me entregou esta caixa, dizendo:

— *Sei que não vou viver muito, vou fazer o possível para que o Walther venha para cá e eu possa lhe contar tudo, mas se não for possível, estou entregando a você esta caixa para que você a entregue para ele. Esta caixa contém muito do que eu queria falar pessoalmente.*

— Por isso estou aqui. Esta caixa lhe pertence, estou cumprindo a promessa que fiz ao meu amigo. Não sei o que contém, nunca a abri. Cabe à você fazer isso a hora em que sentir vontade. Presumo que a hora seja agora. Deve estar curioso!

Walther pegou a caixa. Olavo tinha razão, ele estava mesmo muito curioso. Ficou com a caixa nas mãos, olhando para Olavo sem saber o que fazer ou falar. Ele, percebendo seu estado, disse:

— Vou embora para que possa fazer o que quiser. Não sei o que tem dentro dessa caixa, mas só lhe peço uma coisa. Não julgue nem condene. Nesta vida todos somos passíveis de erros e de acertos. Perante Deus, todos somos culpados e inocentes. A vida se encarrega de colocar tudo em seu lugar...

— Obrigado, meu amigo, por ter me entregue esta caixa. Sinto que nela encontrarei muitas respostas para minhas dúvidas.

— Espero que isso seja verdade. Não tem o que me agradecer, só estou cumprindo uma promessa feita a um amigo muito querido, que neste momento deve estar encontrando a sua verdade. Só peço a Deus que seja protegido...

Walther não entendia muito bem o que Olavo dizia. Só queria abrir e ver o que havia na caixa.

— Não entendo o que está dizendo a respeito de Deus e de todas essas outras coisas. Neste momento, só quero abrir esta caixa.

— Está bem, entendi a mensagem, já estou indo embora...

— Não entendeu nada! Quero realmente abrir a caixa, mas gostaria que ficasse ao meu lado, conheceu meu tio mais do que eu. Sinto que poderá me ajudar. Quero e preciso que fique ao meu lado. Pode ser? Tem tempo para isso?

— Claro que tenho tempo e quero ficar. Para ser sincero, desde que seu tio me entregou essa caixa, por muitas vezes senti curiosidade em saber o que há nela!

— Pois então vamos saber isso agora mesmo.

Walther começou, com cuidado, a tirar o papel que envolvia a caixa. Quando estava quase terminando, ouviram uma batida na porta. Olharam-se. Walther parou o que estava fazendo, perguntando:

— Olavo, o que vamos fazer? Quem será?

— O que deve fazer é abrir a porta e ver quem é!

Walther a contragosto foi até a porta, abriu e se deparou com Isaías, que foi falando:

— Já está tarde e como não desceu para o jantar, fiquei preocupado e vim ver se está sentindo alguma coisa. Olá, Olavo! Como está?

— Estou muito bem e o senhor?

— Na medida do possível, estou bem, mas parece que estou interrompendo algo. Desculpem!

Walther, um pouco sem graça, ficou sem saber se o mandava entrar ou pedia que fosse embora. Olavo, ao notar a indecisão dele, disse:

— Estou aqui cumprindo uma missão. O senhor Paulo me encarregou de entregar esta caixa para o Walther, caso não tivesse tempo de conversar com ele. Estávamos agora abrindo a caixa para ver o que há nela. Como não acredito em coincidências, creio que deva entrar e juntos tomarmos conhecimento do seu conteúdo. Que acha?

Isaías olhou para a caixa que estava sobre a cama.

— Se o Walther permitir, ficarei, mas posso lhes adiantar que sei o que há nela.

Os dois, admirados, se olharam. Walther, muito nervoso, perguntou:

— Sabe? O que é?

— A história de uma vida. A história de uma consciência culpada...

Walther não suportou mais:

— Sendo assim, já que sabe do que se trata o melhor que tem a fazer é entrar logo e vamos abrir essa caixa!

Isaías entrou. Walther pegou novamente a caixa, só que, agora, rasgou o papel com fúria. Tirou a tampa e, espantado, arregalou os olhos. Dentro da caixa, havia apenas fotografias, foi tirando uma a uma. As fotos eram suas mesmo. Olhou a primeira. Nela, era ainda bebê, atrás estava escrito coma letra de sua mãe.

Aqui ele está com dois anos. Não está lindo?

Leu o que estava escrito. Olhou para os amigos e para a caixa. Foi tirando as fotos e colocando sobre a cama, umas ao lado das outras.

Logo a cama ficou quase toda tomada pelas fotos. Ele ficou em pé, olhando. Ali estava a sua vida toda, desde muito pequeno, na primeira escola, sua primeira professora, no ginásio, nadando, jogando basquete, recebendo medalha, na faculdade e até a sua foto de casamento. A partir de um certo momento, ele começou a lembrar dos dias em que as fotos foram tiradas. Atrás de cada uma, sua mãe dizia de quando era. Ficou ali, olhando. Sua vida havia passado e ele nem havia notado. Quantos momentos felizes passou junto com sua mãe e seu pai.

Viu-se novamente criança e crescendo. Seu corpo foi mudando, transformou-se naquele homem que era hoje. Foi pegando uma por uma e lia o que diziam. Sua mãe, praticamente através daquelas fotos, contava toda a sua vida. Não havia cartas, apenas fotos.

Olhou para Isaías e perguntou:

— O que significa isso, Isaías? Por que minha mãe mandava estas fotos para meu tio, sem nunca ter mandado uma carta? Por que não tem fotos dela, ou do meu pai? Por que o interesse dele só pela minha pessoa?

Isaías respondeu:

Aí está faltando uma foto, deve estar dentro da caixa!

Walther se abaixou para pegar a caixa que havia deixado cair, enquanto colocava as fotos em ordem sobre a cama. Olhou dentro dela, realmente tinha uma carta, pegou e notou que dentro das dobras havia uma foto. Desdobrou rapidamente, olhou para a foto. Era uma foto dele junto com sua mãe. Foi, na realidade, a última que tiraram juntos. Lembrou-se imediatamente do dia em que foi tirada. Olhou com muita saudades. Sentiu vontade de contar como ela havia sido tirada.

— Eu estava trabalhando, o telefone tocou, atendi, era a minha mãe, com a voz muito fraca pela doença, isso aconteceu alguns meses antes de ela morrer. Queria que eu fosse até a sua casa. Fiquei preocupado, pois ela não costumava telefonar para o meu trabalho. Era eu quem telefonava todas as noites. À noite, fui até lá. Ela estava na sala, sentada em um sofá. Estava sorrindo, bem penteada, maquiada. Fiquei encantado ao vê-la daquela maneira. Assim que cheguei, ela disse:

— *Sei que tenho pouco tempo de vida, isso não me preocupa, porque acredito ter cumprido a minha missão aqui nesta terra, mas como estou muito bem, gostaria que você guardasse em sua lembrança este momento. E nunca, aconteça o que acontecer, nunca duvide de que você foi a coisa mais importante que aconteceu em minha vida...*

— A princípio, estranhei aquilo que ela dizia, mas sabendo da situação em que ela se encontrava, não me preocupei muito. Mas, hoje, estou preocupado. O que será que ela escondia por de trás daquelas palavras? Naquele dia, eu simplesmente disse:

— *Sendo assim, é para já. Vamos tirar essa fotografia!*

Marita já estava com a máquina fotográfica na mão. Sentei ao lado de minha mãe, a abracei, Marita tirou a foto... é esta aqui...

Seus olhos se voltaram com carinho para o rosto de sua mãe. Não conseguiu evitar duas lágrimas que insistiam em cair. Em seguida, pegou a carta que estava junto com a foto e leu:

Paulo

Estou lhe mandando esta foto, talvez seja a última que vá receber, pois por ela pode ver que estou muito doente. Pode ver também que ele se transformou em um belo homem. Além de bonito, tem muitas qualidades. É bom filho, honesto e muito trabalhador. Tem a sua vida sob controle. Vive muito bem. Sinto que, embora tenha dado a ele todo o amor e carinho que possuía, roubei também algo muito importante. Esse sentimento de culpa tem me acompanhado durante a vida toda, muito mais agora em que sinto que vou ter que prestar contas dos meus atos. Ele não precisa de nada. Tem aqui tudo o que necessita para viver e ser feliz. Antes de morrer, vou lhe contar da sua existência. Talvez ele queira conhecê-lo ou você a ele. Que Deus nos abençoe e perdoe.

Geni

Ao terminar de ler, Walther olhou para os amigos que o olhavam também:

— Um de vocês pode me dizer o que significa isto? Os dois conheceram muito bem o meu tio! Os dois dizem que eram amigos dele! Os dois dizem que ele confidenciava seus problemas! Por isso sei que sabem o que significam estas palavras! Sabem no que fui roubado? Devem saber o que aconteceu em minha vida!

Olavo, também intrigado com o que havia escutado, disse:

— Como você, também estou intrigado. Ele sempre falou com muito carinho a seu respeito, mas nunca disse nada de roubo ou qualquer coisa parecida...

Isaías, mais calmo, demonstrando que sabia de tudo, disse:

— Walther, fique tranqüilo, nada de ruim foi feito contra você. Como já lhe disse, estive ao lado dele todo o tempo, até o fim. Não deve se preocupar com nada. Na segunda-feira, iremos falar com o advogado e ali ficará sabendo de tudo. Não posso lhe revelar nada. Prometi que nunca faria, e não o farei. Vamos, agora, jantar e dar um passeio pela cidade.

— Como não me preocupar, Isaías? Após ter lido isso? Em que fui roubado? Que sentimento de culpa acompanhou minha mãe por toda a sua vida? Por que pediu perdão a Deus? Que meu tio tem a ver com tudo isso? Por que meu pai nunca soube que ela mandava essas fotografias ou ao menos se correspondia com ele? Por favor, me conte tudo! Acredita mesmo que poderei jantar ou passear pela cidade?

— Você está nervoso e com muitas perguntas, mas não posso adiantar nada. Até agora, você não sabia nada, pode esperar mais um pouco, a hora certa vai chegar. Está perto de saber tudo.

— Eu não sabia nada e devia ter continuado assim! Nunca devia ter vindo para cá! Vivia uma vida certa e tranqüila! Sempre me considerei uma pessoa normal como todas as outras! Agora, vejo que durante toda a minha vida fui enganado, que nada estava bem! Que existe uma história! Que desconheço tudo sobre a minha vida!

— Tudo está bem na sua vida. Você mesmo diz que sempre teve uma vida normal como todas as outras. Agora, está passando por um momento que pode considerar difícil, mas, como tudo na vida, também passará. Nada fica escondido para sempre. Você está agora prestes a conhecer algumas coisas a respeito da sua vida, mas não precisa ficar nervoso, pois não é nada que não possa compreender e aceitar. Lembre-se só de uma coisa: ninguém é perfeito. Muitas vezes, erramos tentando acertar. Volto a dizer, a melhor coisa que temos a fazer no momento é jantar e sair andando pela cidade. Amanhã cedo, iremos para São Paulo, conhecerá a nossa mega metrópole. Na segunda-feira, após conversar com o advogado, tomará conhecimento de tudo. Poderá, então, resolver a sua vida. Voltar ou ficar aqui para sempre.

— Ficar aqui para sempre? Está louco? Quero voltar o mais rápido possível para o meu país, para minha casa!

— Você é um homem livre. Pode fazer da sua vida o que quiser, mas, por enquanto, vai ter que ter paciência e esperar.

Walther voltou os olhos para a cama e para as fotos que lhe contavam sua vida. Ao menos a que ele conhecia. A sua cabeça estava cheia de dúvidas. Não conseguia entender o que havia acontecido. Queria e precisava voltar para sua casa e seu trabalho. Ao mesmo tempo, precisava descobrir que segredo era aquele que existia entre sua mãe e seu tio. Isaías, notando o seu desespero, disse:

— Posso entender o que está sentindo, mas não adianta ficar assim. Tudo está perto de ser resolvido. Dentro de alguns dias, tomará conhecimento de tudo e poderá escolher que rumo dará à sua vida.

Walther sentiu-se impotente. Sabia que Isaías estava dizendo a verdade. Ele não poderia agir até descobrir tudo. Não poderia simplesmente voltar para seu país e fazer de conta que nada daquilo havia acontecido.

— Está bem, vamos fazer como você está dizendo. Já que as coisas chegaram a este ponto, não me resta nada mais a fazer do que esperar e descobrir tudo. Só assim poderei voltar e retomar a minha vida. Vamos jantar.

Olavo, que até aí ouvia tudo calado, disse:

— Acredito que essa seja mesmo a melhor solução. Infelizmente, não poderei jantar com vocês, minha esposa está me esperando, preciso ir para casa. Tenho certeza de que no final tudo vai acabar bem, pois temos um Deus que tudo sabe.

Isaías concordou com a cabeça. Saíram os três do quarto. Olavo se despediu, dando um abraço caloroso em Walther:

— Talvez nunca mais nos encontremos, mas gostei muito de conhecê-lo. Sei que está confuso, mas pode ficar tranqüilo, pois tudo sempre está certo.

— Tem razão, não vamos mais nos encontrar, pois estarei indo para São Paulo amanhã e na terça-feira à noite, estarei voltando para a minha terra. Espero que com todo esse mistério resolvido.

— Desejo sinceramente que seja assim, que fique tudo esclarecido, mas nunca se esqueça de que a sua terra é esta aqui!

Walther sorriu.

Olavo foi embora. Os dois entraram no restaurante que havia no hotel. Walther estava cansado, queria que as horas passassem depressa para que pudesse ficar livre de toda aquela confusão. Jantaram em silêncio.

Walther sabia que não conseguiria obter qualquer informação por meio de Isaías e este sabia que, mesmo que sentisse vontade, não poderia adiantar nada. Não tinha esse direito.

Após o jantar, despediram-se, cada um foi para seu quarto. Isaías, ao entrar, deitou na cama com roupa e tudo, pensando:

Que grandes surpresas estão reservadas para esse rapaz. Espero que entenda e perdoe.

Walther, em seu quarto, percebeu que as fotos estavam ainda sobre a cama. Esquecera-se de guardá-las. Pegou a caixa, foi pegando uma a uma, olhando e lembrando-se do dia em que foram tiradas. Tornou a ver a foto com sua mãe, tornou a ler a carta:

Por que ela escondeu isso? Foi sempre uma mãe tão dedicada, devia ter confiado e me contado tudo. Por pior que possa ter sido esse erro que a condenou a vida toda, eu saberia compreender, ela deveria saber disso!

Guardou tudo na caixa, não conseguiu embrulhar no papel azul, pois o havia rasgado. Tomou um banho, deitou. Virou de um lado para outro, sem conseguir dormir. As fotos, a carta de sua mãe, a história que Paulo começou a contar e não terminou e que era bem diferente daquela que sua mãe havia contado. Tudo aquilo passava por sua cabeça. Após muito tempo, conseguiu, finalmente, dormir. Várias vezes acordou e adormeceu novamente. Seu sono foi agitado.

Por haver dormido tarde e mal, não acordou cedo. Dormia profundamente, quando ouviu uma batida à porta. Acordou assustado. Não sabia bem onde estava. Sentou na cama, olhou a sua volta, lembrou que estava no quarto do hotel. Novamente, alguém bateu à porta, agora com um pouco mais de força. Levantou, abriu a porta. Era Isaías:

— Bom-dia, Walther! Perdeu a hora? Estamos atrasados. Temos mais de três horas de viagem até chegarmos em casa! Pretendo almoçar ali!

— Bom-dia! Desculpe, mas não dormi bem, acredito ter dormido só de manhã. Estarei pronto em um minuto!

— Não precisa se apressar. Estou brincando, não está tão atrasado assim. Temos muito tempo. O trem só vai sair às dez horas. Enquanto se apronta, vou para o restaurante tomar o café. Estarei lá, esperando você.

Isaías saiu. Walther foi para o banheiro, tomou um banho rápido. Arrumou suas roupas na maleta. Pegou a caixa, foi encontrar Isaías que já estava tomando café. Sentou-se ao seu lado. Calados, tomaram o café. Isaías já havia feito o pagamento do hotel.

Pegaram um táxi que estava parado na frente do hotel. Às dez horas, estavam dentro do trem e iniciaram a viagem.

O Preconceito

Novamente, aquela serra maravilhosa. Walther olhava tudo. Sentia que jamais esqueceria tal paisagem. O céu, era de um azul profundo, com algumas nuvens brancas, contrastava com o verde da montanha, que estava colorida. As cores das flores iam do tom mais claro até o mais escuro, formando um belo *degradê*. Estava extasiado com tudo o que via.

Os dois seguiam calados. Isaías percebeu que Walther prestava atenção à paisagem. Sabia, também, que o rapaz teria pela frente uma longa jornada. Lembrou-se de como tudo havia acontecido. Durante muitos anos, esteve ao lado de Paulo, presenciou todo o seu sofrimento e sua busca. Agora, ali, naquela estrada, tendo ao seu lado Walther, pensava:

Por que será que o Paulo foi morrer, logo agora que estava tão perto de se libertar do seu sofrimento? Esteve doente por tanto tempo, poderia ter ficado mais um dia. A minha fé me faz crer que tudo está sempre certo, mas confesso que, às vezes, isso é difícil de aceitar. Sei que para tudo há um motivo, uma razão, mas qual será esse motivo? Qual será essa razão?

Em determinado momento, Walther disse:

— Sabe, Isaías, estou desapontado por não ter conhecido o resto da história, mas, apesar de tudo o que está acontecendo desde que aqui cheguei, estou gostando muito de conhecer este país. Jamais poderei esquecer essa serra toda florida. Sinto não ter trazido uma máquina fotográfica para registrar o que estou vendo. Vou contar ao meu amigo Steven o que vi aqui, mas sinto que não conseguirei me expressar o suficiente para que ele sequer imagine.

— Realmente, é tudo muito bonito. Quanto a tirar fotos, não faltará oportunidade, poderá voltar outras vezes para cá.

— Talvez um dia eu volte. Só que vai demorar, pois não sei quando poderei tirar outras férias no meu trabalho.

— O que você tem lá, além do seu trabalho?

Walther ficou pensando. Lembrou-se de sua casa, da Ellen, de alguns amigos, inclusive de Steven, que esteve todo o tempo ao seu lado, quando sua mãe morreu.

— Tenho uma vida toda, amigos, casa e uma ex-esposa.

— Realmente, deve ter muitos amigos, enquanto que aqui não tem ninguém, a não ser eu, que me considero seu amigo.

— Claro que é meu amigo. Um pouco urso, mas meu amigo.

Os dois riram. Isaías retrucou:

— Verá que não sou um amigo urso! Só não posso contar um segredo que não é meu. Paulo foi um grande amigo. Não posso traí-lo, agora que não está mais entre nós. Ainda mais sabendo que, logo, tudo será esclarecido. Você terá que esperar só mais alguns dias.

Walther não argumentou, sabia que seria inútil. Isaías não lhe contaria nada. Estava com muitas dúvidas a respeito de sua mãe. Pensou:

O que terá acontecido entre ela e o Paulo? Será que ela traiu o meu pai? Será que embora tenha ido para os Estados Unidos, deixou o Paulo aqui, seu amor? Que tenho a ver com toda essa história?

As perguntas eram muitas, as respostas poucas, mas já que Isaías dizia que logo ele saberia de tudo, resolveu que não adiantava mais ficar se torturando. Só teria que esperar. Continuou olhando a paisagem.

Finalmente, terminaram de descer a serra. Saíram do trem e pegaram o carro de Isaías, que ficara ali estacionado.

Já na estrada reta, Walther voltou o olhar mais uma vez para a serra. Não queria que aquela imagem saísse de sua mente.

No carro, conversaram sobre vários assuntos. Isaías queria saber como eram os Estados Unidos. Walther ia lhe contando:

— É um país maravilhoso, seu clima é bem definido. Na primavera, as flores nascem, as árvores enchem-se de folhas e tudo fica muito verde. No verão, o calor é imenso, às vezes é difícil até respirar. No outono, ah! O outono. As folhas das árvores, antes de caírem mudam de cor. Ficam vermelhas, cor de vinho e amarelas. Todas misturadas em uma mesma árvore. É um espetáculo deslumbrante, mas, no inverno, esse sim é violento, faz um frio incrível. Acredito que você não possa imaginar o quanto. Todas as folhas das árvores caem, os galhos ficam secos. Mas, por outro lado, tem neve. Branca, linda e fria! Muito fria. Adoro o inverno, pois é quando tiro alguns dias de folga no trabalho para poder ir esquiar, o meu esporte preferido.

— Não tem medo de esquiar?

— Não, aprendi quando era ainda uma criança. É maravilhoso.

— Parece que teve uma boa vida.

— Tive sim. Nunca me queixei, até agora.

— Por que acha que agora tenha motivo para se queixar?

— Não sei... estou sentindo que a minha vida foi toda uma mentira. Estou pensando que meus pais talvez não se amassem da maneira que eu imaginava.

— Não faça julgamentos precipitados. Seus pais se amavam, e muito!

— Você os conheceu também?

— Sim, já não lhe disse que acompanhei tudo?

— Tudo o quê?

— Tenha só um pouco mais de paciência.

Novamente, Walther percebeu que a sua tentativa de descobrir o que havia acontecido seria inútil. Voltou os olhos para a paisagem.

Isaías notou que ele estava deprimido, resolveu continuar conversando para distraí-lo:

— Disse que tem amigos, mas falou em um, que parece ser especial. O nome dele é Steven?

Walther não estava com vontade de conversar, mas percebeu que Isaías queria que ele ficasse bem. Respondeu:

— Sim, seu nome é Steven. Crescemos juntos. Ele é dois meses mais velho do que eu.

— Parece que gosta dele!

— Gosto muito. Ele esteve sempre ao meu lado, nos piores momentos e sempre que precisei.

— E nos melhores momentos? Esteve também?

— Sempre, somos inseparáveis. Quando vim para cá, foi ele quem me levou até o aeroporto.

— Como ele é?

Walther ficou por alguns segundos pensando em Steven. O rosto dele surgiu em sua memória. Deu um leve sorriso, enquanto respondia:

— Posso dizer que é um palhaço, está sempre rindo e faz piada de tudo. Está sempre de bem com a vida.

— E a sua aparência?

— É um homem bonito. Bem mais alto que eu, louro com olhos azuis. É americano mesmo, não misturado, como eu. Sua família está nos Estados Unidos desde a época da colonização, os primeiros eram ingleses. Steven, apesar de seu problema, sempre fez um grande sucesso com as mulheres.

— Que problema?

— Nasceu com um problema na perna direita. Quando criança, teve que fazer várias operações. Não ficou perfeito, usa um aparelho e manca um pouco.

— Não se revolta?

— Não, ao contrário, faz piada. Um dia em que eu estava com gripe, ele veio até em casa. Ao me ver deitado, ficou bravo:

— *Que está fazendo nessa cama, Walther?*

— *Estou com febre e com dor de garganta.*

— *Isso é motivo para ficar na cama? Pode levantar!*

— Não teve jeito, enquanto não levantei, ele não sossegou. Minha mãe havia feito um lanche, estávamos na cozinha comendo, quando, não sei o porquê, perguntei:

— *Não se revolta por causa da sua perna?*

— Ele me olhou... olhou e disse:

— *Não, sabe por quê?*

— Com a cabeça, respondi que não. Ele continuou:

— *Eu nasci com este defeito, mas o resto do meu corpo é perfeito. Já pensou, se eu ficar aqui me lastimando e não viver? Quando eu chegar lá do outro lado, Deus vai me perguntar por que não fiz nada na vida, por que fiquei o tempo todo só me lastimando e revoltado? Por que... por que...*

— *Por causa da minha perna.*

— *E se Ele me olhar e disser:*

— *O que fez com o resto do seu corpo, que era perfeito?*

— *Que vou responder?*

Isaías arregalou os olhos e perguntou:

— Ele disse isso?

— Sim, é uma pessoa maravilhosa. Ajuda a todos e está sempre disposto a ouvir. Trabalha na igreja como voluntário, dando assistência aos necessitados. Não conheço outra pessoa melhor que ele.

— Qual é a profissão dele?

— Depois que lhe disse como ele é, pode deduzir que só poderia ser professor. É professor de História, adora ensinar.

— Disse que ele o levou até o aeroporto. Se tem problema na perna, como consegue dirigir?

— Esqueceu que moro no primeiro mundo? Lá existem muitos, com problemas sérios, por causa das guerras, por isso foram desenvolvidos vários utensílios para facilitar a vida deles. Entre esses utensílios, fizeram um carro automático que é dirigido com as mãos.

— É mesmo? Que maravilha!

— Também acho. Por isso, sempre digo que adoro morar lá e que nunca poderei morar aqui.

— Isso é outra história. Vamos esperar e ver o que acontece.

— Conversamos, conversamos e voltamos ao ponto inicial. Não vai mesmo me contar o que aconteceu, Isaías?

— Já lhe disse que não posso, Walther.

Walther tentou mais uma vez, mas como das outras, percebeu que era inútil. Ficou calado, olhando a paisagem.

Após algumas horas de viagem, finalmente entraram na cidade de São Paulo. Antes mesmo de entrar, Walther notou que a cidade era grande. De longe, via edifícios altos. Já no centro da cidade, ele olhava tudo, admirado:

— Realmente, você tem razão, esta é uma grande cidade! Nunca imaginei que tivesse tantos edifícios tão altos!

Isaías, rindo, disse:

— Confesse! Pensou que o Brasil fosse uma floresta e que as cobras andavam pelas ruas!

Walther também riu:

— Quer realmente saber a verdade?

— Claro que sim!

— Minha mãe falava muito sobre a natureza, as florestas, o mar. Eu realmente pensava que aqui não existia outra coisa. Ao contrário, estou vendo que existe uma cidade quase tão grande como Nova York!

— São Paulo é a maior cidade do Brasil. Aqui são feitos os maiores negócios. Você deveria conhecer melhor o Rio de Janeiro. Além de ser a capital do país, é também uma das mais belas cidades que pode existir neste mundo. Lá, sim, a Natureza é pródiga!

— Talvez um dia eu volte com tempo para ver todas essas maravilhas.

O carro correu mais uns quarenta minutos. Entrou em uma rua toda arborizada, com casa sem muros e portões. Isaías entrou com o carro em uma delas. Era uma casa grande, cercada por um lindo jardim com muitas flores. Isaías parou o carro em uma garagem que ficava nos fundos, ao lado da casa. Desceram do carro. Walther perguntou:

— É aqui que mora?

— É sim. Eu, minha família e o Paulo.

Entraram em casa. Uma senhora os veio receber. Estendeu a mão para Walther, que correspondeu:

— Meu nome e Ismênia, sou a esposa do Isaías. Estou muito feliz por recebê-lo em nossa casa!

— Já deve saber que meu nome é Walther. Também estou feliz por conhecê-la, espero não lhe dar muito trabalho!

— Trabalho? Qual nada! Esta casa já teve muita gente! Agora, com a partida do patrão, ficou mais vazia ainda. Entre.

Enquanto Walther entrava e sentava em um sofá na sala, Isaías, dizia:

— Não ligue para o que ela diz. Sente falta dos filhos. Temos dois, estão casados e, graças a Deus, muito bem. Paulo fez questão que eles estudassem, um é medico, o outro é advogado. Trabalham no que gostam. Estão muito bem. A Ismênia não entende que agora eles têm a própria vida e não podem mais vir nos visitar todos os dias, mas sempre que possível estão aqui.

— Parece que ele não gosta dos filhos!

— Adoro meus filhos, mas sempre soube que um dia eles nos deixariam, como um dia deixamos nossos pais. Walther, não acredita que eu esteja certo?

Ele ia responder, quando entrou correndo um menino de uns oito anos mais ou menos. Ao ver Walther, parou e ficou olhando. Isaías o pegou no colo, o abraçou com muito carinho, enquanto dizia:

— Walther, este é o Leo nosso filho! Leo, cumprimente o Walther!

O menino desceu do colo de Isaías, estendeu a mão para Walther, dizendo:

— Como vai, senhor?

Walther ficou olhando para aquele menino que lhe estendia a mão. Ficou sem saber o que dizer ou fazer. Olhou para Isaías e para Ismênia, que sorriam. Estendeu a mão, respondendo:

— Estou muito bem, obrigado.

O menino largou sua mão, entrou correndo para dentro da casa.

Isaías, percebendo o espanto de Walther, disse:

— Percebeu que na realidade ele não é nosso filho. Mas é como se fosse, nasceu nesta casa. Leva o meu nome. Mais tarde lhe contarei a história toda.

Walther esfregava a mão, querendo limpá-la. Perguntou:

— Será que posso usar o banheiro?

— Claro que sim, fica na segunda porta desse corredor.

Walther entrou no banheiro, abriu a torneira e, com muito sabonete, ficou esfregando as mãos, pensando:

Como fui pegar na mão de um negro? Se um dos meus amigos soubesse disso, com certeza faria galhofas! Como vou tratar esse menino? Ainda bem que vou logo embora! Que país é este em que os negros são aceitos por famílias brancas, como se fossem iguais?

Saiu do banheiro um pouco encabulado. Ismênia, ao vê-lo, disse:

— O almoço já está na mesa. Deve estar com fome após a viagem.

— Estou, sim. Aliás, estou adorando toda a comida que tenho saboreado, desde que cheguei. Espero que a sua seja boa também!

— Disso pode ter certeza. Desculpe a modéstia, mas sou uma ótima cozinheira! Vamos para a sala?

Walther a acompanhou. Sentia ainda que sua mão estava suja, mas tentou disfarçar, esfregando-a. Mais assustado ficou, quando chegou à sala e viu, sentado e conversando alegremente com Isaías, aquele menino. Encabulado, mas, acima de tudo, educado, sentou, começou a comer, mas não conseguia falar. Seus olhos, mesmo que não quisesse, faziam questão de olhar para o menino que comia, falava e ria muito. Isaías, embora conversasse com o filho, prestava atenção aos movimentos de

Walther.

Terminaram de almoçar. Foram para a sala de visitas. Ismênia, em seguida, trouxe café e serviu aos dois. Walther estranhou o café, que era pouco e forte. Estava acostumado com muito café e fraco, quase água. Não conseguiu tomar todo, embora, para ele, fosse pouco. Em seu país, o café era servido em abundância. Isaías estranhou. Perguntou:

— Não gosta de café?

— Gosto, mas este está muito forte, em meu país é diferente!

— Parece que muitas coisas são diferentes em seu país!

— Por que está dizendo isso? Fiz alguma coisa para que pensasse assim?

— Embora eu não saiba quase nada de como é o seu país, pois as notícias demoram muito para chegar, o Paulo sempre teve muita curiosidade. Por isso acompanhava tudo que se passava lá. Desse modo, conversando com ele, também aprendi muito. Sei que lá existe muito racismo! Sei que os negros vivem em lugares separados dos brancos. Que eles têm suas escolas, igrejas e comércio separados. Que não podem andar nas mesmas calçadas em que os brancos andam. Que só entram nas casas dos brancos pela porta dos fundos e para trabalhar como domésticos. Por isso notei que, embora tenha tentado disfarçar, não conseguiu e mudou assim que viu o Leo sendo amado como nosso filho e sentado à nossa mesa.

Walther ficou encabulado. Gostava de Isaías e não queria, de forma alguma, perder essa amizade tão recente, mas já tão profunda. Olhou para ele e não soube o que dizer. Isaías continuou:

— Não pense que o estou julgando ou condenando. Sei que foi criado assim com todo esse preconceito e por isso teve essa reação, mas nisso este país é diferente, não vou dizer que não exista racismo. Aqui também existe, talvez um pouco mais velado, mas infelizmente existe. Só que não existe segregação, vivemos juntos, misturados. Qualquer um pode ir a qualquer escola, igreja e entramos nas mesmas lojas e mercearias. A escravidão terminou e, junto com ela, outras coisa mais. Sei que ainda falta muito para chegarmos à perfeição, talvez nunca cheguemos, mas estamos caminhando.

Walther ouviu calado. Sentia vergonha, mas realmente havia sido criado dessa maneira. Nunca teve proximidade alguma, com negros. Em sua casa, eles só entravam para servir, nunca para conviver. Seu pai não permitiria.

— Isaías, por favor, me desculpe se o ofendi, não foi essa minha intenção...

— Sei disso, não precisa ficar preocupado. Paulo gostava muito do Leo, assim como todos nós. Sei que, se deixar de lado o preconceito, gostará dele também. É um menino especial, muito amoroso, carinhoso e esperto. Já que estamos nesse assunto, devo lhe dizer que eu não o escolhi para ser meu filho. Ele me foi mandado por Deus, para ser o nosso companheiro, a nossa felicidade.

— Peço desculpas novamente. Mas se não o escolheu, como foi que ele chegou até você?

— É uma longa história, mas vou contar. Uma tarde, eu e o Paulo estávamos voltando do trabalho. Assim que virei o carro para entrar, vimos uma moça, sentada na calçada, chorava muito. Paulo me fez parar e falar com ela. Desci do carro, me aproximei, toquei em seu ombro, perguntei:

— *Você está sentindo alguma coisa? Está doente?*

— Ela levantou rapidamente. Olhou para o carro, viu Paulo que também a olhava. Ela, parecendo assustada, respondeu:

— *Desculpe, senhor, é que estou andando o dia todo atrás de trabalho e não consegui nada. Estou com muita fome. Mas já estou indo embora.*

— Assim que ela levantou, percebemos que, além de estar com as roupas sujas, estava grávida. Paulo fez um sinal. Eu entendi, segurei em seu braço, dizendo:

— *Espere! Não precisa ir embora. Se está com fome, em nossa casa deve ter algo para que possa comer, entre por esse corredor. Vou entrar com o carro e a levarei para falar com a minha esposa. Ela fará algo para que coma.*

— A moça me olhou, depois para Paulo, que com um sorriso concordou com a cabeça. Ela pegou uma pequena sacola que estava no chão e foi caminhando pelo corredor. Eu entrei no carro e parei na garagem. Descemos, Paulo foi para seu quarto trocar de roupa para esperar o jantar. Fiz com que ela me acompanhasse. Entrei na cozinha,

Ismênia estranhou a presença daquela moça. Notando sua surpresa, eu disse:

— *Esta é...como é o seu nome?*

— *Meu nome é Lorena!*

— *Pois bem Ismênia, esta é a Lorena. Lorena, essa é a Ismênia, minha esposa.*

— *Muito prazer, senhora...*

— Ismênia ficou me olhando, sem entender nada. Vendo aquela situação, eu perguntei:

— *Ismênia, tem algo para comer? A Lorena está com fome.*

— *O jantar ainda não está pronto, vai demorar um pouco!*

— *Dona! A senhora não precisa se preocupar! Pode ser só um pedaço de pão...*

— Ismênia, olhou para a barriga que já estava bem grande. Disse*:*

— *Estou vendo que você está mesmo com fome. Vou fritar um ovo e você come, assim engana o estômago até o jantar ficar pronto. Tem alguma roupa nessa sacola?*

— *Sim, senhora. Por quê?*

— *Enquanto eu preparo o lanche, você vai pegar essa sacola, entrar naquela porta e tomar um bom banho. Acredito que está precisando! Se não tiver uma toalha, existem muitas no armário, pode pegar. Quando sair, o seu lanche estará pronto. Está bem assim?*

— *Está muito bom! Estou mesmo precisando de um banho! Muito obrigada, senhora!*

— Ismênia não respondeu, apenas sorriu. Lorena, com sua sacola, entrou no banheiro. Enquanto fritava o ovo, Ismênia me perguntou:

— *Onde encontrou essa moça, Isaías?*

— Contei a ela, dizendo que foi o Paulo quem fez com que eu a fizesse entrar. Lorena não demorou muito no banho, parecia querer incomodar o menos possível. Assim que saiu, com a roupa limpa e os cabelos molhados, nos olhou com vergonha pela situação. Ismênia fritou o ovo. Colocou em um prato, pegou pão e um copo de leite. Mostrou uma cadeira para que ela sentasse. Lorena sentou e começou a comer. Ela comia com tanta vontade, parecia que aquele pão com ovo e leite era o manjar dos deuses. Paulo, depois de ter trocado de roupa, veio até a cozinha. Chegou quando ela pegava um pedaço de pão e limpava o prato. Ele ficou encostado na parede, olhando, sem nada dizer. Quando ela terminou de tomar o último gole do leite, olhou para nós, que a olhávamos com muita dor no coração por ver aquela moça com tanta fome, triste e abandonada. Ao ver o Paulo, ela se levantou. De seus olhos caíam lágrimas:

— *Muito obrigada, senhor! Que Deus o abençoe! Que abençoe a todos...*

— *Não precisa agradecer. Venha comigo e com o Isaías até a sala, enquanto a Ismênia termina de preparar o jantar. Vamos conversar um pouco?*

— *O senhor é quem sabe...*

— Paulo me olhou e juntos fomos até a sala. Lá, ele mostrou a ela um sofá para que se sentasse. Ela sentou e ficou com a cabeça baixa. Após alguns segundos, Paulo disse:

— *Pode levantar a cabeça, está no meio de amigos. Queremos ajudar você, mas precisamos saber como. Por que está nessa situação? Que lhe aconteceu? Você é ainda muito nova! Quantos anos tem?*

— Ela nos olhou. De seus olhos, lágrimas caíam.

— *Preciso de ajuda! Embora tenha errado, minha criança precisa nascer e com saúde! A única coisa que preciso é de um trabalho. Os senhores foram muito bons. Sem me conhecer, me deram o que comer. Nunca vou me esquecer disso. Acredito que, como gratidão, preciso que saibam da minha história. Por isso, vou contar.*

— Ela estava nervosa, tremia muito. Paulo, sorrindo, disse:

— *Fique calma. Não precisa tremer. Se achar importante, conte a sua história. Confesso que estou curioso.*

— Ela, ao ver o sorriso dele, se acalmou um pouco e começou a contar:

— *Minha história é como tantas outras que existem e, com certeza, continuarão a existir. Tenho dezenove anos. Morava no interior. Minha família estava passando por necessidade. Por isso, vim para a capital morar na casa de uma tia, assim poderia trabalhar e mandar algum dinheiro para meus pais. Assim que cheguei, fui trabalhar em uma casa de família. Dormia lá e só voltava para casa da minha tia nos fins de semana. A casa era grande, eu trabalhava como arrumadeira e ajudante da cozinheira.*

Meus patrões eram jovens, recém-casados e só estudavam. Saíam quase todas as noites para teatros e cinemas. Os pais dos dois eram muito ricos e pagavam todas as despesas. Eu dormia em um quarto que ficava nos fundos da casa. Por mais que tentasse, eu não me acostumava a ficar longe da minha família e me sentia muito sozinha. Em uma manhã, fui até o açougue. O açougueiro que sempre me atendia não estava lá. Um rapaz muito bonito me atendeu. Pedi a carne. Ele sorriu. Fiquei olhando, enquanto ele cortava a carne. Era negro como eu, alto e tinha um lindo sorriso. Quando me entregou o pacote, fez questão de tocar em minha mão. Aquele toque mexeu comigo. Senti um calor intenso por todo o meu corpo. Fiquei sem saber o que fazer. Ele sorriu, dizendo:

— Volte outra vez. Prometo que vou escolher sempre as melhores carnes.

— Saí dali tremendo. Nunca tinha sentido algo parecido com aquilo. Ao chegar em casa, entreguei a carne para Luzia, a cozinheira. Ela percebeu que havia acontecido alguma coisa, perguntou:

— Que aconteceu, Lorena? Você está vermelha e tremendo!

— Não aconteceu nada, devo ter vindo muito depressa.

— Daquele dia em diante, eu não consegui mais esquecer aqueles olhos e seu sorriso. Ficava ansiosa para que Luzia me mandasse ao açougue, pois assim eu poderia vê-lo. Sempre que eu ia até lá, meu coração batia mais forte. Ele sempre me recebia com aquele sorriso maravilhoso. Sempre que me entregava o pacote, segurava minha mão por alguns segundos. Isso durou algum tempo. Um dia, ao me dar o pacote, segurou minha mão com mais força, dizendo:

— Não estou suportando mais ficar só segurando em sua mão. Preciso ficar mais tempo com você. Estou apaixonado, não a esqueço por um minuto que seja!

— Aquelas palavras fizeram com que meu coração batesse mais forte ainda. Fiquei calada, olhando para ele e sentindo que também queria estar ao seu lado para sempre. Respondi:

— Não sei como isso possa acontecer! Trabalho e durmo no meu emprego, não sei como fazer para encontrar você!

— Trabalha nos fins de semana?

— Não, mas tenho que ir para a casa da minha tia. Se não for, ela vai

desconfiar e contar para meus pais.

— Diz para ela que no sábado vai ter uma festa na casa da sua patroa e que ela pediu para você ajudar. Quem sabe dará certo, aí poderemos nos encontrar por alguns minutos.

— Vou tentar, mas não sei se vai dar certo.

— Tem que dar, preciso ficar com você.

— Saí dali com o coração batendo e o corpo todo tremendo. Durante o caminho, fui imaginando como faria para mentir para minha tia. Eu não estava acostumada a mentir. Não sabia se conseguiria, mas a vontade de ficar junto dele, conversando e sentindo aquela mão, me dava toda a força de que precisava. Cheguei em casa, entreguei a carne para Luzia, fui para dentro da casa arrumar tudo. Enquanto ia arrumando, pensava o que dizer para minha tia. Depois de muito pensar, resolvi: ela não tinha telefone, mas eu precisava falar com ela. Terminei logo o meu trabalho, deixei tudo em ordem, fui até a cozinha, falei com a Luzia:

— Luzia, não sei por que, mas estou tendo um pressentimento ruim, sonhei com a minha tia, o sonho não fui muito bom. Será que eu poderia dar um pulo até lá para ver como ela está e se tudo está bem? Vou e volto bem depressa!

— Não sei... você tem muito trabalho.

— Já está tudo pronto. Vou e volto a tempo de ajudar você no jantar.

— Está bem, vá, mas volte logo.

— Saí correndo. Minha tia morava muito longe, era preciso tomar um ônibus e ainda andar um bom pedaço a pé, mas nada daquilo me importava. Fiquei no ponto do ônibus, esperando, e ele nunca demorou tanto para chegar. Finalmente, chegou. Após uns quarenta minutos, estava no ponto em que deveria descer. Teria que andar mais uns dez minutos para chegar até a minha casa, mas nada daquilo me importava. Estava correndo atrás da minha felicidade. Finalmente, e cheguei em frente a casa. Entrei correndo, minha tia levou um susto ao me ver ali àquela hora:

— Tia, sou eu, a Lorena!

— Lorena? Por que está aqui? Que aconteceu? Foi despedida do trabalho?

— Nada disso, tia. Não aconteceu nada de grave, minha patroa vai dar uma festa no sábado, pediu que eu ficasse para ajudar. Disse a ela que

só poderia ficar se a senhora concordasse. Ela permitiu que eu viesse aqui falar com a senhora.

— Ainda bem! Pensei que tivesse perdido o trabalho! Sabendo que vai ficar trabalhando, ficarei sossegada. Fez bem em vir me avisar. Vai ficar aqui hoje?

— Não, tenho que voltar rápido para ajudar Luzia a fazer o jantar. Estou indo agora mesmo.

— Está bem, minha filha, vai com Deus.

— Saí dali correndo. Precisava voltar o mais rápido possível, não podia despertar nenhuma suspeita em Luzia. Com tudo resolvido, fui correndo para o ponto do ônibus. Ele não demorou muito e a caminhada também não pareceu tão longa. Quando desci do ônibus, antes de ir para casa, fui até o açougue. Ele estava lá, lindo como sempre. Ao me ver, seus olhos brilharam. Emocionada, disse:

— Está tudo certo, não vou precisar voltar para casa no fim de semana. Posso me encontrar com você.

— Ele abriu um grande sorriso, dizendo:

— Isso é ótimo! Vamos fazer o seguinte, pego você na casa da sua patroa e podemos tomar um sorvete ou ir ao cinema!

— Não! Você não pode aparecer. Vamos nos encontrar na praça? Será melhor.

— Está bem, farei tudo o que quiser. Você é quem manda.

— Saí dali sorrindo e correndo. Precisava chegar logo. Luzia, ao me ver chegar, perguntou:

— Como está a sua tia? Aconteceu alguma coisa?

— Não. Foi bobagem minha. Ela está muito bem, mas foi bom eu ter ido lá e visto com meus próprios olhos que ela está bem. Eu estava realmente muito preocupada.

— Bem, já que está tudo bem, vamos fazer o jantar. Logo, os patrões chegarão, sabe que após ter estudado o dia inteiro, eles chegam com muita fome.

— Começamos a preparar o jantar. Eu estava muito feliz, era quinta-feira, o sábado estava chegando. Finalmente, eu poderia encontrar com o meu amor, mas, antes disso, precisava falar com a minha patroa e pedir permissão para ficar ali no fim de semana. Após o jantar, quando fui levar

o café, parei diante dos dois, que conversavam:

— Com licença. Dona Eliana, preciso falar com a senhora.

— Os dois me olharam, espantados, eu não costumava interromper, quando estavam conversando. Mas ela, muito educada, disse:

— Pois não! Que aconteceu?

— A minha tia vai fazer uma viagem, eu não gostaria de ficar no fim de semana sozinha na casa dela. A senhora sabe, ela mora em um lugar muito afastado, queria pedir permissão para ficar aqui?

— Ah! É isso? Pensei que estava querendo pedir demissão.

— Nem pensar! Adoro trabalhar aqui!

— Você quer ficar dormindo aqui? Não há problema algum. Pode ficar este e quantos fins de semana quiser. Só que vai ficar sozinha, a Luzia, como sabe, vai todos os dias para casa. Além disso, vamos viajar. Sairemos na sexta- feira à noite! Ficará sozinha do mesmo modo.

— Aqui não me importo de ficar sozinha. A casa tem toda segurança.

— Sendo assim, pode ficar. Eu mesma ficarei mais tranqüila sabendo que a casa não ficará sozinha.

— Pedi licença e saí vibrando por dentro. Tudo estava dando certo. Finalmente, poderia encontrá-lo.

— Fiquei contando os dias e minutos que faltavam. Finalmente, o sábado chegou. Eu me arrumei da melhor maneira que consegui. Não tinha muitas roupas, mas, mesmo assim, achei que estava bonita. Na hora marcada, eu estava na praça, sentada em um banco. Em seguida o vi chegando. Ele também estava bem arrumado e ainda mais bonito. Chegou, pegou minha mão, me levantou e me deu um abraço bem apertado. Senti todo o seu corpo junto ao meu. Comecei a tremer. Ele percebeu:

— Não precisa ficar nervosa. Gosto muito de você e não quero lhe fazer nenhum mal.

— Sei disso, não estou com medo, só emocionada.

— Também estou emocionado. Mas, antes, vamos nos apresentar? Meu nome é Nélson! E o seu?

— Lorena, meu nome é Lorena...

— Igual a você, seu nome também é muito bonito. Que quer fazer? Ir ao cinema? Está passando um filme muito bom.

— Na realidade, eu nunca havia ido a um cinema, nem sabia como *era. Na cidade em que morava, não havia nenhum, era muito pequena. Não quis dizer isso a ele, por isso concordei. Ao entrar no cinema, fiquei encantada, nunca havia visto uma sala tão grande como aquela. Todas aquelas cadeiras e a cortina vermelha. Ele foi me conduzindo, entramos em uma fileira, sentamos bem no meio. A sala estava iluminada, ouvi uma música suave. De repente, a sala escureceu, me assustei, pois não estava esperando. A cortina se abriu e a tela se iluminou, imagens começaram a aparecer. Lembrando agora, parece brincadeira, mas realmente me emocionei. O filme começou. Eu não conseguia tirar os olhos da tela. Nelson passou o braço por trás e o colocou sobre meus ombros, começou a fazer carinho em meu rosto. Aquilo me fazia muito bem. Aos poucos, foi encostando sua cabeça na minha. Eu parecia estar em outro mundo, era só felicidade. Delicado, com as mãos, virou meu rosto para o dele e me beijou com paixão. A princípio, fiquei com medo, mas me entreguei. Ele me beijou várias vezes, cada vez eu gostava mais. A sala voltou a se iluminar. O filme havia terminado. Nós nem notamos. Seguindo as outras pessoas, saímos abraçados. Na praça, ele disse:*

— Estou apaixonado por você, sinto que não poderei mais viver sem a sua companhia. Quero ficar com você para sempre.

— Era exatamente o que eu sentia e queria ouvir. Apenas sorri, não sabia o que dizer. Ele perguntou:

— Como conseguiu arrumar uma maneira de me encontrar?

— Contei a ele tudo o que havia feito, o que falei com a minha tia e com a minha patroa. Quando terminei, ele, sorrindo, disse:

— Você é mesmo muito esperta! Quer dizer que não tem ninguém em sua casa? Seus patrões estão viajando?

— Estão, vão voltar só amanhã à noite.

— Então, podemos ir até lá e ficar conversando em seu quarto?

— Não! Não podemos fazer isso!

— Por que não? Nós estamos apaixonados, isso você não pode negar. Por que não ficarmos juntos? Não vai acontecer nada de mal. Vamos apenas conversar e trocar alguns carinhos.

— Fiquei pensando. Era tudo o que eu queria, não vi mal algum e aceitei. Entramos pelo portão e nos dirigimos para o meu quarto. Já lá dentro ele me pegou por trás, começou a beijar meu pescoço e meu ombro.

Tentei resistir, mas não consegui. Em poucos minutos, estávamos deitados na minha cama. Ele me encheu de carinhos e beijos, aos poucos fui me entregando. Sabia que o que estava fazendo não era certo, mas estava me sentindo muito bem. Ficamos ali por muito tempo. Quando estava quase amanhecendo, ele levantou e foi embora. Fiquei ali sonhando e relembrando tudo o que havia acontecido. Estava muito feliz. No domingo, não nos encontramos. Fiquei em casa o dia todo, relembrando da noite maravilhosa que tive. Na segunda-feira, tudo voltou ao normal. Luzia chegou cedo, antes de os patrões acordarem. Quando ela chegou, eu já estava com o café coado e arrumando a mesa, pois eles, todos os dias, tomavam café e saíam correndo para a escola. Ela era dentista. Ia a faculdade pela manhã e à tarde fazia estágio em um consultório. Ele estudava o dia inteiro para ser engenheiro. Voltavam para o almoço e, depois, só a noite. Terminamos de arrumar a mesa para o café. Os dois desceram e, como sempre, tomaram o café rapidamente e saíram quase correndo. Luzia percebeu que eu estava feliz. Perguntou:

— Que lhe aconteceu, Lorena? Está com um brilho diferente nos olhos.

— Quis lhe contar o que havia acontecido, mas não tive coragem. No fundo embora estivesse feliz, sabia que havia feito algo de errado. Primeiro, ter deixado um estranho entrar na casa dos patrões. Segundo, ter me entregado com tamanha facilidade. Respondi:

— Não aconteceu nada. Só estou me sentindo bem.

— Não entendo. Ficou o fim de semana aqui em casa sozinha e me diz que está bem?

— Pois fique sabendo que fiquei muito bem. Ouvi música no rádio. Fiquei em paz.

— Ainda bem, pois eu tive uma porção de problemas. Como sempre, meu marido voltou a beber e fez outro escândalo. Por isso, só fico bem enquanto estou trabalhando. Queria ser como você, sozinha e sem compromisso algum.

— Sou mesmo muito feliz. Mas agora tenho que trabalhar. Não esqueça que os patrões foram viajar, com certeza trouxeram muita roupa para ser lavada. Vou arrumar lá em cima, depois ajudo você com o almoço.

— Subi as escadas correndo. Não queria continuar aquela conversa.

Sentia medo de me trair e deixar escapar qualquer coisa. Queria ver o Nélson, mas não podia sair de casa sem que a Luzia pedisse.

Walther prestava atenção em tudo o que Isaías contava. Leo entrou na sala, dizendo:

— Papai, o sol está quente, não podíamos ir até a piscina?

Isaías olhou para Walther, perguntando:

— Gostaria de ir até a piscina? Como disse o Leo, o sol está quente.

Walther olhou para Leo, agora de uma maneira diferente. Não que o seu preconceito houvesse terminado. Para ele, o menino continuava sendo um negro, portanto diferente dele, mas estava interessado em saber o resto daquela história e como ele tinha se tornado filho de Isaías. Voltou seus olhos para Isaías, dizendo:

— Se não se incomodar, gostaria de continuar ouvindo essa história que está me contando. Embora já esteja adivinhando o final, estou curioso para saber o que aconteceu.

Isaías olhou para seu filho, disse:

— Estou tendo uma conversa muito séria com a nossa visita. O sol está quente hoje e amanhã continuará também quente. Se prometer ficar no lado raso e se sua mãe ficar olhando, você pode ir para a piscina. Prometo que amanhã iremos todos juntos. Está bem?

Ismênia, que havia entrado junto com o menino, sabia que Isaías estava contando ao Walther a história do filho. Disse:

— Leo! Venha comigo! Você pode nadar todo o tempo que quiser. O papai vai continuar conversando com o senhor Walther.

O menino correu para a mãe, se abraçou a ela e, juntos, saíram.

Isaías se voltou novamente para Walther:

— Já que está gostando da história, vou continuar. Durante o dia todo, Lorena ficou ansiosa, esperando que Luzia a mandasse para rua fazer alguma compra. Ela queria ver Nelson. Parecendo adivinhar o seu desejo, Luzia a chamou:

— *Olhei na geladeira e percebi que está faltando tomate e cebola. Vá até a quitanda e compre, ao contrário, não terei como preparar a salada.*

— Lorena quase não conseguiu esconder a sua felicidade. Antes de sair, penteou os cabelos. Luzia estranhou, pois ela não costumava fazer isso:

— *Menina! Por que isso?*

— *Isso o quê?*

— *Se arrumar para ir até a quitanda?*

— *O que tem que ver? Não preciso andar por aí toda desarrumada! Já estou indo!*

— Saiu correndo. A quitanda ficava ao lado do açougue. Entrou. Ao vê-la, Nelson sorriu, dizendo:

— *Ainda bem que veio! Não agüentava mais de saudades! Quando vou poder encontrar você novamente?*

— *Não sei, mas vou dar um jeito!*

— *Vou ficar esperando, mas, por favor, não demore muito. Estou morrendo de saudades.*

— *Eu também. Pode deixar que vou encontrar um meio.*

— Saiu dali sorrindo. Seu coração estava cheio de alegria. Entrou na quitanda, comprou o tomate e a cebola e voltou feliz para casa. Passou o resto do dia pensando em um meio de ficar outra vez com Nelson. Não podia mentir novamente para sua tia e sua patroa. Teria que inventar outra maneira. Estava descascando batatas, quando Luzia perguntou:

— *Será que eles vão vir jantar hoje, Lorena?*

— *Por que está perguntando isso, Luzia?*

— *A dona Eliana não ligou até agora. Sabe que, às vezes, eles jantam fora.*

— *Quando isso acontece, ela sempre avisa. Se não avisou, é porque virão jantar.*

— *Pode ser, mas com certeza sairão à noite. Não sei como eles conseguem sair quase todas as noites e levantar cedo todos os dias.*

— *São jovens e se amam, Luzia...*

— *Que você entende de amor, Lorena?*

— *Nada, mas basta ver como eles se tratam.*

— Luzia ficou calada — Continuou Isaías — ,Lorena começou pensar:

Realmente, eles, quase todas as noites, vão a algum lugar. Voltam sempre muito tarde. Vou combinar com o Nélson. Assim que eles saírem, deixarei a luz da garagem acesa. Ele poderá vir sem se preocupar. Pode ficar um pouco aqui comigo e ir embora antes que eles voltem.

— Em seu rosto surgiu um sorriso. Estava tudo certo, só faltava uma oportunidade para contar ao Nelson. No dia seguinte, acordou entusiasmada. Assim que terminaram de tirar a mesa do café e os patrões já haviam ido embora, Luzia, disse:

— *Preciso que vá até o açougue. Quero que me traga uma carne boa para ser assada. Traga um pedaço sem muita gordura.*

— Era tudo o que Lorena queria ouvir. Ali estava a oportunidade de contar seu plano para o Nelson. Dessa vez, para não chamar a atenção de Luzia, saiu rápido, sem se arrumar. Foi correndo. Seu coração batia só em pensar que encontraria novamente com o seu amor. Assim que entrou no açougue, teve que se conter. Nelson estava atendendo uma cliente. Ele olhou para ela e sorriu. Ela ficou esperando. Assim que a cliente saiu, ela disse:

— *Consegui encontrar um modo de nos encontrarmos.*

— *Isso é ótimo! Como será?*

— *Meus patrões saem quase todas as noites. Gostam de ir ao teatro, cinema ou simplesmente dançar.*

— *Que esta querendo dizer?*

— *Que poderemos nos encontrar sempre que eles saírem. Sempre que você vir a luz da garagem acesa, será o nosso sinal. Você poderá tocar a campainha, eu abrirei o portão e, assim, poderemos nos ver.*

— *Você é mesmo inteligente. Como teve essa idéia?*

— *De uma conversa que ouvi da Luzia. Nós vamos nos encontrar durante a semana, nos fins de semana, vou para a casa da minha tia e ninguém descobrirá nada.*

— *Isso não vai durar muito tempo, assim que acertar a minha vida, encontrarei uma casa e nos casaremos. Sabe o quanto amo você.*

— O plano de Lorena deu certo, eles começaram a se encontrar sempre. Até que, um dia, Lorena percebeu que estava grávida. Contou para o Nelson:

— *Estou grávida. Não sei como vai ser. Assim que minha tia descobrir, não vai aceitar e vai contar tudo aos meus pais. Talvez eu vou perder o meu emprego.*

— Nelson pareceu feliz, disse:

— *Não estava pensando em um filho, mas não se preocupe, tudo vai ficar bem. Antes que alguém descubra, encontrarei uma solução.*

— Lorena voltou para casa com a carne. Estava radiante, pois além de ter encontrado o homem de sua vida, estava também esperando um filho, que seria a sua felicidade total. Continuaram a se encontrar por mais algum tempo. Todas as noites, ele passava pela frente da casa e sempre que via a luz da garagem acesa, sabia que o terreno estava livre. Com o tempo, Lorena entregou a ele uma chave do portão. Ele, agora, entrava sem tocar a campainha. Em uma noite, ao passar, notou a luz acesa e como sempre fazia entrou. Lorena, também como sempre, o recebeu com toda felicidade. Sua barriga já começava a aparecer, mas ela usava roupas largas e até aquele momento ninguém havia notado. Estavam se amando descontraídos, quando alguém bateu à porta. Assustaram-se. O quarto era pequeno, não havia como Nelson se esconder. A voz do patrão se fez ouvir:

— *Lorena! Acorde, por favor! A Eliana não está passando bem, preciso que faça um chá para ela!*

— Lorena tremia, ela e Nelson estavam despidos. Ficou sem saber o que fazer. O patrão, pensando que ela não o havia escutado, mexeu na maçaneta da porta. Lorena não costumava trancar com a chave. Ele abriu e viu os dois ali, daquela maneira. Perguntou, furioso:

— *Que está acontecendo aqui? Lorena! Quem é esse homem?*

— Ela, sem saber o que falar e com muita vergonha, começou chorar. O patrão, nervoso, continuou:

— *Não quero explicação alguma! Vistam suas roupas, e agora mesmo, quero os dois na rua!*

Ela ainda tentou argumentar:

— *Por favor, não faça isso, não tenho para onde ir...*

— *Mas deu a chave da minha casa para um estranho? Vá com ele! Ele que encontre um lugar para você ficar! Não quero você aqui nem mais um minuto! Saiam!*

— *Por favor, senhor. Sei que errei, mas prometo que isso não vai mais se repetir...*

— *Não vai mesmo! Você vai sair daqui imediatamente!*

— Lorena, vendo que não havia como comover aquele homem e

entendendo que ele tinha razão, se vestiu, pegou suas poucas coisas, colocou em uma sacola e saiu acompanhada por Nelson. Já na rua, chorando, olhou para ele, perguntando:

— Nelson. *Que vamos fazer? Para onde iremos a esta hora da noite?*

— Ele estava muito sem graça, sentia que teria de contar a verdade, só não sabia como começar. Finalmente, tomou coragem:

— *Não sei o que fazer. Nunca lhe disse, mas sou casado, tenho dois filhos, não pretendo abandoná-los.*

— *Casado? Esteve me enganando esse tempo todo?*

— *Não a enganei, gosto mesmo de você, mas nunca pensei em ter um filho. Continuaria com você e com minha esposa, nada além disso.*

— *Este filho que carrego é seu também!*

— *Sinto muito, mas não posso fazer nada. Acho melhor que me esqueça. Amanhã, não voltarei para o açougue. Não posso me arriscar em perder a minha família. O melhor que tem a fazer é voltar para a casa da sua tia ou para a sua casa.*

— *Não vou poder esconder essa barriga por muito tempo. Minha tia tem uma mentalidade muito antiga e o meu pai é pior ainda. Eles não vão aceitar! Que vou fazer, Nelson?*

— Ele foi se afastando, vagarosamente. Ela tentou segurá-lo, mas foi inútil. Ele foi embora e ela ficou ali, sozinha, no meio da noite, sem ter para onde ir. Chorando, dirigiu-se para a praça. Sentou em um banco, fazia muito frio. Encolheu as pernas e colocou o vestido por cima para se proteger do frio. Ficou ali chorando sem saber o que fazer. Quando acordou, o sol já raiava. Ao abrir os olhos, relembrou tudo o que havia acontecido e da situação em que se encontrava:

Meu Deus! O que vou fazer? Não posso voltar para minha casa, meu pai nunca vai aceitar esta criança. Vai me julgar uma perdida. Que vou fazer?

— Foi andando até a casa de sua tia, que, ao vê-la, admirou-se, pois era meio de semana:

— *Que está fazendo aqui, Lorena? Por que não está trabalhando?*

— Lorena, chorando, respondeu:

— *Fui mandada embora. Estou sem emprego...*

— *Mandada embora? Por quê? Que você fez?*

— Lorena ia contar, quando a tia a olhou mais atentamente e percebeu sua barriga. Com a pressa, ao sair, esqueceu de usar a cinta e o vestido largo que a escondia:

— *O que significa essa barriga? O que você fez, menina?*

— Lorena desabou a chorar. Não sabia como explicar, não conseguia acreditar que havia sido enganada por Nelson. A tia, nervosa, gritando, continuou:

— *Não precisa contar nada! Já sei como isso aconteceu! Envolveu-se com um homem! Quem é ele? Onde está?*

— *Não sei. Ele foi embora. Não sei onde mora!*

— *Sinto muito, mas você não pode ficar aqui na minha casa! Esta é uma casa de família! Volte para junto dos seus pais, eles é que saberão o que fazer, eu não sei!*

— *Tia! A senhora sabe que meu pai não vai me aceitar! Ele vai dizer que estou perdida! A cidade onde moro é muito pequena, ninguém vai me aceitar! Todos vão comentar!*

— *Você deveria ter pensado nisso antes de cometer essa bobagem! Sinto muito, mas aqui também não pode ficar! Pode voltar pelo mesmo caminho por que veio!*

— *Não tenho para onde ir...*

— *Não posso fazer nada! Vá para a casa do seu pai! Aqui não pode ficar!*

— Lorena pegou sua trouxa e saiu, desesperada. Já na rua, ficou olhando para todos os lados, sem saber que direção tomar. Enxugava os olhos para poder enxergar, mas as lágrimas não paravam de cair. De seu peito, saíam soluços profundos. Estava em total desespero. Ficou andando sem rumo. Anoiteceu. Estava com fome, não tinha onde dormir. Chegou, novamente, à praça, dormiu no mesmo banco. Acordou, saiu andando, procurando uma casa em que pudesse trabalhar, mas as pessoas, quando viam sua barriga, não a aceitavam. Em algumas casas, conseguiu comer alguma coisa, nada além disso. Sabia que, não adiantava voltar para a casa de seus pais. Ficou vários dias perambulando atrás de um emprego, até que, naquela tarde, cansada de tanto andar, sentou em frente à nossa casa para descansar.

Walther ouvia e por seu pensamento as imagens iam acompanhando a história. Assim que Isaías terminou de falar, ele perguntou:

— Por que o meu tio permitiu que uma negra entrasse na sua casa?

— Porque ele não viu a negra, mas sim a sua barriga.

— Não estou entendendo! O que tem a ver uma coisa com a outra?

— Isso é algo que só ele poderia responder, não sei. Só sei que assim que Lorena terminou de contar a história, Paulo levantou, ficou andando pela sala sem nada dizer. Depois de andar por um tempo, parou em frente a ela, perguntando:

— *O que pensa fazer agora?*

— *Não sei... só quero que meu filho possa nascer e ser mais feliz que eu...*

— *Depois que ele nascer, vai fazer o quê?*

— *Não sei o que vai acontecer, mas a única coisa que quero é nunca me separar dele... sinto que mesmo sem que eu quisesse, Deus me mandou esta criança. Ela vai nascer e eu vou amá-la muito. Se Ele me deu este presente, com certeza vai me ajudar para que eu o tenha e possa ficar com ele.*

— *Deseja mesmo ter esse filho e cuidar dele?*

— *Vou fazer tudo o que estiver ao meu alcance. Já amo muito esta criança.*

— *Sendo assim, a partir de agora, está sob a minha proteção, você e a sua criança.*

— *Não estou entendendo...*

— *Se Deus lhe deu esse presente, se você veio parar em frente à minha casa, é porque Ele quer que eu também receba esse presente. Se quiser, pode ficar aqui, até que sua criança nasça. Após ela nascer, você vai decidir o que fazer. Que me responde?*

— Ela começou a chorar. Levantou, pegou a mão de Paulo, tentou beijar, dizendo:

— *Muito obrigada! O senhor é um santo! Não sei como agradecer! Vou ficar aqui na sua casa, mas vou trabalhar, posso fazer qualquer trabalho.*

— Paulo, antes que ela conseguisse beijar sua mão a retirou-a, dizendo:

— *Não precisa me agradecer. Não sou nenhum santo. Aprendi que, como quase todas as pessoas, sou só um grande devedor. Tenho minhas contas para acertar. Fique aqui, trabalhe, ajudando a Ismênia, enquanto conseguir.*

Assim que a criança nascer, veremos o que será feito. Por enquanto, Isaías, leve essa moça até a Ismênia, peça a ela para lhe preparar um quarto. Lorena, se quiser, pode ajudar a Ismênia com o jantar.

— Ela levantou e, sorrindo, saiu correndo, dizendo:

— *Obrigada, senhor! Vou agora mesmo ajudar a dona Ismênia!*

— Daquele dia em diante, Lorena ficou morando aqui. Era uma moça alegre e expansiva. Ismênia se deu muito bem com ela. Paulo deu todo o dinheiro necessário para comprar o enxoval e tudo o que a criança iria precisar. Lorena ajudava no serviço da casa. Aos poucos, foi nos conquistando. Todos nos considerávamos pais daquela criança. Em uma tarde, três meses após, estávamos no escritório, o telefone tocou, atendi:

— *Isaías, sou eu, a Ismênia! A Lorena está com dores, precisa ser levada para a maternidade.*

— *Ismênia, fique calma, já estou indo para aí, prepare tudo o que precisar ser levado para a maternidade.*

— Paulo, ao ouvir aquilo, levantou da cadeira em que estava sentado:

— *Que está acontecendo?*

— *Não está acontecendo nada! A nossa criança vai nascer!*

— Ele pegou o paletó e saiu, dizendo:

— *Vamos logo!*

— Chegamos em casa. Ismênia estava muito nervosa. Lorena, embora com dores, sorria. Ao nos ver, disse:

— *Finalmente, a nossa criança vai chegar. Está doendo muito, mas estou feliz.*

— *Nós a levamos para a maternidade. Paulo já havia telefonado para o médico, que estava nos esperando. Assim que chegamos, Lorena foi levada para uma sala, onde o médico a examinaria. Nós três ficamos do lado de fora. Após alguns minutos, o médico voltou:*

— *Ela está muito bem. O trabalho da natureza já começou, vai demorar mais ou menos umas quatro horas. Poderão voltar para casa. Assim que a criança nascer, eu telefono, avisando.*

— Nós nos olhamos, sem que um dissesse algo para o outro, nos sentamos. O médico entendeu que não sairíamos dali. Sorriu e voltou para dentro do quarto onde Lorena estava. Após alguns minutos, ele voltou:

— *Podem entrar por alguns instantes, ela quer falar com todos.*

— Entramos. Ela estava um pouco abatida, mas mesmo assim, sorria:

— *Pedi ao médico que os fizesse entrar, pois estou prestes a ter meu filho e isso devo a todos vocês, principalmente ao senhor, seu Paulo. Que Deus os abençoe. Espero que tudo corra bem, mas se alguma coisa me acontecer, tenho certeza que não vão abandonar a minha criança.*

— Eu e Paulo estávamos emocionados demais, não sabíamos o que dizer. Aprendemos a amar aquela menina. Ismênia foi a única que respondeu:

— *Fique bem calma, Lorena. Não esqueça que, por pior que sejam as dores, nada será maior que a felicidade que vai sentir quando tiver a sua criança nos braços. Não se preocupe, ela terá a nós todos para amá-la!*

— Lorena sorrindo, disse:

— *Sei disso, vocês são os anjos que Deus me enviou. Que esse mesmo Deus os abençoe.*

— Ia continuar falando, mas uma dor forte chegou, ela fez com o rosto uma expressão de muita dor. O médico nos retirou do quarto, dizendo:

— *Agora ela precisa ficar sozinha. Já vi que não irão arredar o pé daqui, mas, por favor, fiquem lá fora. Assim que a criança nascer, vou avisar.*

— Saímos, ficamos na sala de espera. Os minutos se transformaram em horas. Paulo andava de um lado para outro. Eu também estava muito nervoso. Já havia passado por aquilo duas vezes, mas parecia ser a primeira. Ismênia, ao contrário estava calma. Tirou da bolsa um pequeno rosário e começou a rezar. Em dado momento, falou:

— *Vocês dois querem por favor parar de andar! Ela está bem! Logo a nossa criança vai nascer!*

— Ouvimos o que ela disse, mas não adiantou. Olhamos para ela, e continuamos andando. Já eram quatro horas da tarde e não havíamos comido nada. Ismênia sentiu fome, disse:

— *Não seria bom irmos até a lanchonete e comermos algo? Estou com fome!*

— Só aí percebemos que também estávamos com fome, mas tínhamos receio de sair e a criança nascer. Ismênia, continuou:

— *Não adianta ficarmos aqui. Nada vai adiantar ou atrasar a hora da criança nascer. Vamos comer, assim estaremos mais fortes para sentir a emoção de ver a criança.*

— Concordamos, desde que fosse bem rápido. Nós fomos até a lanchonete que havia na própria maternidade. Comemos, não, engolimos um lanche e tomamos um copo de leite. Voltamos para a sala. Quando estávamos chegando a porta do quarto se abriu. O médico saiu, sorridente!

— *Nasceu! É um menino!*

— Nos abraçamos, a nossa felicidade era tão grande que contagiou o médico e as pessoas que passavam por ali e outras que também esperavam a sua criança. Paulo tirou do bolso uma porção de charutos e começou a distribuir. A alegria foi geral. Ismênia perguntou ao médico:

— *Podemos entrar?*

— *Agora, Lorena e a criança estão sendo cuidadas. Podem ir até o berçário, logo o menino será levado para lá. Vocês o verão através do vidro para evitar qualquer contágio. Ele até agora estava muito bem protegido. Tem que se acostumar com a sua nova vida. Por isso ficará por um tempo no berçário, sob total vigilância para que nada aconteça.*

— Entendemos e nos dirigimos para o andar de cima, onde ficava o berçário. Ficamos ali esperando. Agora, mais tranqüilos, pois a nossa criança já havia nascido. Uma enfermeira veio até o vidro e nos mostrou o menino. Era a coisa mais linda. Foi assim que o Leo chegou em nossa casa e em nossas vidas.

Isaías olhou para Ismênia que já há algum tempo estava ali, ouvindo o que seu marido falava. Walther seguiu o olhar dele e percebeu que Ismênia chorava. Preocupado, perguntou:

— Por que está chorando, Ismênia? Que aconteceu com Lorena?

Isaías segurou a mão da esposa, continuou:

— Ficamos felizes com o menino. Em casa, já estava tudo preparado, esperando a sua chegada. Saímos dali e fomos para o quarto onde Lorena estava. Ela nos recebeu sorrindo:

— *Viram o nosso menino? Ele não é lindo?*

— Paulo se aproximou, pegou a mão de Lorena e beijou:

— *Ele é muito lindo e será muito feliz em nossa casa. A não ser que você queira dar outro rumo para a sua vida.*

— *Nem pensar! Só vou sair de sua casa, quando o senhor me mandar embora. Sei o quanto me ajudaram, sei o quanto esperaram o meu filho. Sei também que me consideram!*

— *Se é isso que quer, assim será. Esse menino terá tudo o que precisar. Nada lhe faltará, nunca.*

— *Sei disso. Mas o mais importante é que ele terá muito, mas muito amor de todos nós.*

— Todos nos olhamos e sorrimos. Paulo continuou:

— *Disso você pode ter certeza. Agora, precisamos pensar no nome que lhe daremos. Tem alguma idéia, Lorena?*

— *Nunca pensei nisso, mas gosto muito do nome Leonardo.*

— *Então, que seja Leonardo.*

— Lorena sorriu.

— *Muito obrigada...*

— *Não tem nada que agradecer, nós é que estamos felizes por ter-nos dado esse lindo menino.*

— Uma sombra passou pelo rosto de Lorena. Todos notamos, Ismênia perguntou:

— *Por que esse olhar de tristeza? O que está pensando?*

— *Leonardo precisa de um registro de nascimento. Só que não vai ter o nome do pai. Não sei onde ele está.*

— *Isso não será problema. Embora eu próprio não saiba como é o procedimento nesses casos, mas deve existir uma maneira.*

Eu disse:

— *Registrei os meus dois filhos, não tive problema algum. Também não sei qual é o procedimento na falta do pai.*

— Novamente, Ismênia, com sua sabedoria, interrompeu a conversa.

— *Vocês estão se preocupando à toa. Por mais que discutam, não chegarão a um acordo. O melhor a fazer é um de vocês ir amanhã até ao cartório e se informar.*

— Paulo, disse:

— *Iremos os dois. Amanhã mesmo ele terá um registro.*

— Sorrimos. Ficamos ali conversando até oito horas da noite. Estávamos cansados. Lorena também, nos despedimos dela. Antes de sairmos, passamos pelo berçário para ver mais uma vez o nosso menino.

Ismênia largou da mão do marido. Enxugou os olhos e serviu um café. Isaías parou de falar para beber. Walther ficou pensando em tudo o que havia escutado até ali. Após ter tomado o café, Isaías continuou:

— Fomos para casa, estávamos cansados, aquele dia havia sido cheio de emoções. Eram sete horas da manhã, estávamos tomando café. Eu e Paulo iríamos mais tarde até o cartório para ver como seria feito o registro do menino. O telefone tocou. Ismênia foi atender. Era do hospital. Assim que desligou, ela estava branca como cera. Só não caiu, porque eu corri e a segurei. Paulo também levantou, apressado:

— *Que aconteceu? Por que está assim? Quem ligou?*

— Ismênia demorou alguns segundos para voltar ao normal. Finalmente, respondeu:

— *Era do hospital. Pediram para que fôssemos até lá. Aconteceu uma complicação com a Lorena, ela não está bem...*

— Ficamos desesperados. Paulo falou alto:

— *Que complicação? Ela estava muito bem!*

— *Também não sei. O que sei é que precisamos ir logo.*

— Nós nos apressamos, largamos o café que estávamos tomando e, apreensivos, nos dirigimos ao hospital. Lá encontramos o médico que havia feito o parto de Lorena. Ele nos recebeu com o olhar triste.

— *Sinto muito, mas durante a noite ela começou a sofrer uma hemorragia, não houve maneira de controlar. Infelizmente, ela se foi...*

— Estávamos atônitos, não conseguíamos acreditar que aquilo estivesse acontecendo. Paulo, temeroso, disse:

— *Se foi como? O que está querendo dizer?*

— *Ela não resistiu. Tentamos todas as maneiras conhecidas pela medicina, mas nada adiantou. Ela faleceu...*

— Nós estávamos boquiabertos. Ismênia começou a chorar. Paulo ficou branco, calado, sem saber o que dizer. Parecia que eu estava sonhando, não conseguia acreditar no que estava ouvindo. Paulo foi o primeiro a voltar à realidade, perguntou:

— *Como isso aconteceu? Ontem, quando fomos embora, ela estava muito bem...*

— *Isso é difícil, mas às vezes acontece. A ciência não tem resposta para tudo. De repente, começou a sangrar em demasia.*

— Não entendíamos o que havia acontecido, aliás nem o médico tinha uma razão perfeita. Ele próprio não tinha resposta. Ismênia, chorando, perguntou:

— *O menino, como está?*

— *Está muito bem graças a Deus. Ele nasceu forte. Logo poderá ir embora.*

— *Já que Lorena morreu, o que vai acontecer com o menino?*

— *Se não aparecer ninguém da família, será enviado para adoção.*

— Paulo, nervoso, disse;

— *Adoção! Nunca! Ele é nosso! Nós o esperamos por três meses! O senhor foi testemunha disso!*

— *Sei o quanto esperaram e o quanto gostavam da mãe dele. Posso dar uma sugestão?*

— *Claro que sim.*

— *Não é muito comum que seja feito o que vou sugerir, mas não gosto de ter que enviar uma criança para adoção, principalmente uma como essa.*

— *Quer dizer um negro?*

— *Isso mesmo. Uma criança negra é muito difícil de ser adotada. Todos querem crianças louras e, de preferência com os olhos azuis. Por isso, posso colocar em um papel que quem deu a luz, foi a dona Ismênia e, com esse papel, ele poderá ser registrado no seu nome, Isaías. Será seu filho! Que acha da minha idéia?*

— Olhei para Ismênia e Paulo, que também me olhavam. Pelos olhos dos dois, senti que gostaram da idéia, como eu mesmo havia gostado, disse:

— *Não vejo problema algum, depende dos outros.*

— Não houve necessidade de palavras, eles me abraçaram. Paulo disse:

— *Doutor, nós amamos essa criança, como amávamos sua mãe. Se houver um jeito de ficarmos com ele, ficaremos e prometo que terá tudo o que precisar, além do nosso amor e carinho...*

— *Sei disso, por isso propus. Já que estão de acordo, vou providenciar o papel.*

— Assim foi feito. Meus filhos eram menores, mas como nós, também gostavam muito de Lorena. Leo foi registrado em meu nome. É nosso filho como os outros dois. Não existe diferença alguma. Meus filhos casaram-se, mas não ficamos sozinhos, temos essa presença bendita que nos enche de felicidade. Lorena, de onde estiver, deve estar feliz por ver seu filho, lindo e feliz. Por tudo isso que terminei de contar, foi que lhe disse que ele foi mandado como um presente de Deus.

Walther terminou de ouvir, olhou para Isaías, dizendo:

— Após tudo isso que contou, estou começando a ver a vida diferente. Lorena, uma moça que não conheci, me inspirou muita ternura. Embora fosse uma negra, ela foi uma boa mulher...

Isaías ia responder, mas, nesse exato momento, Leo entrou novamente correndo na sala. Olhou para Walther, tornou a olhar, falou:

— Sabe de uma coisa, moço? Gosto muito do senhor.

Ao ouvir aquelas palavras, Walther emudeceu. Nunca em sua vida estivera tão próximo de um negro. Sentiu vergonha do que havia dito momentos antes. Ficou sem palavras. Isaías, percebendo a emoção dele, disse:

— Meu filho, ele também gosta muito de você.

Ismênia não tinha o mesmo conhecimento que Isaías sobre como era o racismo no país de Walther, por isso não notou nada em sua atitude. Pensou que apenas estivesse emocionado com a história que acabara de ouvir. Bateu palmas, dizendo:

— Ficaram conversando a tarde toda, nem notaram, já escureceu. O jantar está quase pronto. Walther, se quiser tomar banho antes do jantar, pode ir.

Walther, ainda um pouco confuso pela presença do menino, disse:

— Gostaria de tomar banho na hora em que fosse dormir. Está um calor tão bom, preferia ficar lá fora, olhando esse céu tão bonito. Posso?

— Claro que sim. Fique à vontade. Vou para a cozinha terminar o jantar.

Isaías percebeu que ele estava confuso e que precisava ficar sozinho para pensar em tudo o que havia escutado.

Walther saiu da casa. A noite estava chegando. Ainda alguns raios do sol se faziam presentes. Começou a andar por todo o jardim. Seus pensamentos estavam realmente confusos desde o dia em que chegou ao Brasil. Pensou:

Esta terra está tão distante daquela em que me criei... está me mostrando uma vida diferente. A história de Lorena me mostrou que o negro e o branco são iguais em suas emoções. Por que, em meu país, existe tanto preconceito? Por que minha mãe, embora tenha nascido e sido criada aqui, nunca me falou nada a esse respeito? Nunca me disse que não havia diferença entre as raças, permitiu que meu pai não me deixasse conviver com negros? Ao contrário, sempre que podia, proibia veementemente a minha aproximação deles. Sei que não devia, mas estou gostando muito desse menino. Que estará acontecendo comigo? Que transformação será essa? Não estou conseguindo entender meus sentimentos. Isso está me preocupando. Sempre fui muito seguro em relação a qualquer atitude que deveria tomar, mas agora estou aqui, sem saber como agir...

Continuou andando, chegou até a piscina. Ficou olhando, lembrou-se de Leo convidando-o para nadar. Continuou pensando:

Nunca pensei, em minha vida, que algum dia estaria prestes a entrar em uma piscina ao lado de um negro. Mas por que não? Esse menino é muito querido nesta casa, como sua mãe o foi. A única diferença é a cor.

— O jantar está pronto. Ismênia só está esperando você para servir!

Walther se voltou, olhou para Isaías, dizendo:

— Vamos entrar... só estou pensando em algumas coisas...

— Sei que deve ter muitas coisas para pensar. Sei também que está passando por conflitos.

— Isso mesmo, Isaías. Conflitos que não existiriam se eu não tivesse atendido ao chamado do meu tio.

— Tudo tem seu tempo e sua hora, Walther. Não está aqui por um acaso. Está simplesmente cumprindo uma lei maior...

— Lei maior? Que lei?

— A lei da vida, do amor e de Deus...

— A cada minuto que passa fico cada vez mais confuso. Vejo a todo instante a minha vida toda passando por minha memória! Estou revendo e avaliando fatos acontecidos já há muito tempo.

— Isso já é muito bom. Se estivesse trabalhando, não teria esse tempo para pensar e reavaliar fatos. No final, talvez voltará para seu país, se voltar, um homem diferente daquele que aqui chegou. Essa é a Lei que estava lhe dizendo...

Walther ficou calado, não conseguia entender o que estava acontecendo com ele. Isaías percebeu, tocou em seu braço e o encaminhou para dentro da casa. Assim que entraram, Ismênia os recebeu com um largo sorriso:

— Parece que não está com fome?

Walther respondeu, também sorrindo:

— Ao contrário. Estou com muita fome!

— Então venha, sente aqui. Garanto que vai gostar da comida. Fiz com muito carinho.

— Acredito, a senhora tem sido muito gentil desde que cheguei.

— Não faço por obrigação, além de receber bem o sobrinho do Paulo, gostei muito da sua maneira.

— Obrigado por toda essa atenção.

A mesa estava colocada para quatro pessoas, em uma das cadeiras já estava sentado o menino. Walther olhou para Isaías. A cadeira que Ismênia havia lhe mostrado ficava ao lado da que Leo se encontrava. Isaías afastou-a e fez sinal com as mãos para que Walther sentasse. Ele, sem outra alternativa, sentou.

Ismênia começou a servir. Walther foi agradecendo e começou a comer. Por alguns instantes, ficaram calados. Quem quebrou o silêncio foi o menino:

— Mãe! Esta comida está muito boa. Não está, seu Walther?

Ele olhou para o menino que lhe sorria e respondeu:

— Está sim, Leo! Sua mãe é uma ótima cozinheira.

— O senhor já sabe que ela não é minha mãe?

Ele olhou para Ismênia e Isaías, que sorriam. Leo continuou:

— A minha verdadeira mãe, teve que fazer uma viagem, ela foi encontrar Deus. Ele precisava muito que ela trabalhasse lá com Ele. Mas antes dele levar ela, ele me deu de presente para eles.

Disse isso olhando com muito amor, hora para um, hora para outro.

Walther novamente ficou sem saber que dizer. Isaías, sorrindo, disse:

— Walther, tudo isso que ele lhe disse é verdade. Deus nos deu esse presente maravilhoso e por ele agradecemos todos os dias, não é Ismênia?

— Claro que sim, mas, menino, pare de falar e coma toda a comida. Já o conheço, não gosta de verdura, fica conversando para disfarçar e deixar de comer. Pode comer! Está crescendo e precisa se alimentar bem.

Leo olhou para Walther e sorriu, num gesto de cumplicidade. Ele não suportou:

— Sabe de uma coisa, Leo? Também não gosto de verdura, mas aprendi com a minha mãe que precisava comer para ficar forte e saudável como sou. Não me acha forte?

— Acho. Se comendo verdura vou ficar do seu tamanho! Mãe, pode me dar mais, vou comer tudo!

Ismênia, enquanto colocava mais verdura no prato do menino, disse:

— Walther, você está conseguindo um milagre. Ele não come verdura de jeito algum.

— Não comia, mamãe! Não comia! Agora, vou comer todos os dias. Quero ser igualzinho ao seu Walther.

Novamente, Walther, sem querer, voltou ao seu passado. Lembrou-se da discriminação que havia em seu país. Pensou:

Por que toda aquela diferença? Esse menino é igual a outro qualquer na sua idade...

Terminaram de jantar. Isaías o convidou para que fossem até a sala de estar. Ismênia, pedindo licença, foi para o seu quarto. Estava acompanhando uma novela pelo rádio. Leo foi também para seu quarto. Precisava dormir logo, no outro dia teria que ir cedo para escola. Beijou o pai e a mãe. Antes que Walther percebesse, beijou-o também. Ele recebeu aquele beijo e também, sem perceber, beijou o rosto do menino. E sentiu uma felicidade inexplicável.

Isaías acompanhou toda aquela cena. Percebeu que Walther havia feito aquilo com sinceridade. Não disse nada, apenas sorriu. Ismênia, antes de sair, deu a cada um deles um cálice com licor que ela mesma fez. Assim que Walther tomou o primeiro o gole, disse:

— É muito bom! Do que é feito?

— De jenipapo. A Ismênia é especialista em fazer licores. — respondeu Isaías.

— Ela é uma grande mulher e parece que se amam muito.

— É verdade, ela é uma grande mulher e nós nos amamos muito mesmo. Posso até lhe dizer que nascemos um para o outro.

Enquanto tomavam o licor, Isaías continuou:

— Finalmente o dia está findando. Assim que terminarmos de tomar o licor, seria bom que fôssemos dormir. Amanhã, teremos que acordar cedo. Marquei com o doutor Amadeu às nove horas. Após tomar conhecimento do testamento, poderá decidir o que vai fazer da sua vida...

— Não tenho nada para decidir, Isaías. Assim que sairmos do advogado, vamos até o aeroporto, preciso ver se consigo trocar a minha passagem, mas acredito que terei que comprar outra:

— Uma coisa de cada vez, Walther, por enquanto, vamos nos deitar e dormir. Terá que ficar no quarto que foi do Paulo, espero que não se incomode.

— Claro que não! Vou apenas dormir. Não vejo a hora de ter tudo isso resolvido. A única coisa que sinto é não saber o resto da história da minha família, que ele começou contar. Você bem que poderia me ajudar nisso...

— Bem que gostaria, mas se Deus permitiu que ele morresse sem lhe contar, é porque tem que ser assim. Já lhe disse que a história é dele, não posso trair a confiança do meu amigo. Não se preocupe, continue a sua vida como antes.

— Minha vida jamais será como antes. Muita coisa mudou. Meus pensamentos hoje estão tomando um rumo diferente de até então.

— Sei disso. Está pensando nesse, momento, no Leo, não é? Nunca pensou em sequer se aproximar de um negro, muito menos receber um beijo e retribuir a esse beijo...

Walther olhou para ele e perguntou:

— Foi tão visível assim?

— Não! Apenas eu notei, me desculpe, mas sabendo da educação que teve, estive o tempo todo observando a sua reação cada vez que ele se aproximava, mas parece que ele o conquistou também.

— Isso é incrível! Na realidade, não sei qual é o sentimento que tenho em relação a ele.

— Não tem nada de incrível. Está apenas aprendendo que somos todos iguais, filhos do mesmo Deus. Que a cor da pele ou situação financeira não faz diferença. Deus nos criou e nos dá sempre uma direção para a nossa evolução. Isso é o que importa. Bem, vamos nos deitar? Vou acompanhá-lo até ao seu quarto.

— Antes, gostaria de tomar um banho.

— Tudo bem. O quarto fica ali e o banheiro logo em frente. Fique à vontade e procure dormir bem. Boa-noite.

— Boa-noite e obrigada por tudo.

Isaías apenas sorriu e se afastou em direção ao seu quarto. Walther entrou naquele que ele havia lhe mostrado e que havia sido de seu tio. Sua maleta estava ali, sobre uma poltrona. Por curiosidade, olhou em volta. Não havia realmente conhecido o tio. Estava agora ali, no quarto em que ele havia dormido:

Que tipo de homem ele era? Por tudo que vi e ouvi, ele foi um bom homem...

Estava olhando e pensando, quando seus olhos pararam. Viu que sobre o criado-mudo, havia uma foto em um porta-retratos. Foi para mais perto, pegou o porta-retratos e ficou olhando. A foto já era bem antiga, mas nela aparecia uma jovem, muito bonita. Os seus cabelos eram pretos, longos e cacheados. Possuía um sorriso lindo. Curioso, virou o porta-retratos. Não conseguia ver a foto por trás. Automaticamente, retirou os grampos que a prendiam. Com cuidado, para não danificá-la tirou-a do porta-retratos. Virou, atrás havia uma dedicatória:

Para meu grande e único amor

Marta.

Walther ficou olhando aquela moça que ali aparecia e pensou:

Será que meu tio foi casado? Isaías não disse nada a respeito disso, nem eu perguntei, mas agora, diante desta foto, estou curioso. Quem será essa moça? Pela dedicatória, deve ter sido o amor da vida de meu tio. Para estar em seu criado-mudo, provavelmente deve ter sido sua esposa.

Colocou novamente, com muito cuidado, a foto no porta-retratos. Recolocou-o no lugar em que estava. Voltou seu olhar para a sua maleta. Pegou um pijama e com ele se dirigiu ao banheiro.

Estou sem sono, ansioso demais para que o dia amanheça. Após comparecer ao advogado, poderei finalmente voltar para minha casa e tudo voltará a ser como antes... espero...

Entrou no banheiro, tomou um banho. Não eram ainda nem dez horas da noite, mas ele deitou e tentou dormir. Tentou, mas não conseguiu. Virou e revirou na cama:

Não consigo dormir. Muita coisa aconteceu desde que cheguei. Sei agora que existe um mistério em minha vida. Por que tudo isso? Eu vivia tão tranqüilo...

Continuou pensando. Virou e revirou na cama, até que, finalmente, adormeceu.

A Surpresa

Acordou, ouvindo uma leve batida na porta. Abriu os olhos, levou algum tempo para se lembrar de onde estava. Ouviu a voz de Isaías:

— Está na hora, precisa levantar, não podemos nos atrasar.

— Já acordei! Estarei pronto em instantes.

— Precisamos tomar café, antes de sairmos de casa...

— Irei em seguida...

Percebeu que Isaías se afastava da porta. Sentou na cama. Olhou novamente para o porta-retratos. A moça parecia que olhava para ele. Levantou e falou em voz alta:

— Não sei quem você é, mas que é muito bonita, isso é!

Trocou-se rapidamente:

Finalmente, chegou o dia. Espero poder voltar hoje mesmo. Voltarei com muitas dúvidas, mas não vou parar a minha vida por isso. Vivi até hoje sem saber de nada e continuarei vivendo. Será que vou conseguir?

Chegou à sala das refeições. Estranhou, pois Isaías tomava café sozinho:

— Onde estão os outros?

— Ismênia foi levar o Leo para a escola. Já deve estar chegando.

— A escola começa cedo assim?

— Não é a escola que começa cedo, nós é que estamos atrasados. Por isso é melhor se apressar.

— Já estou pronto, vou tomar um café rápido.

— O doutor Amadeu é muito ocupado. Não podemos deixá-lo nos esperando.

Walther se apressou realmente. Em poucos minutos, tomou o café e comeu uma fruta. Iam saindo, quando Ismênia chegou:

— Já estão indo?

— Sim, e atrasados.

— Isaías! Como sempre, você está exagerando. Walther, espero que tudo dê certo e que consiga voltar para a sua terra.

A terra dele é aqui! Ele é brasileiro.

— Sei disso, mas também sei que tem uma vida toda lá e que aqui não conhece ninguém, além de nós.

— Está bem, mas vamos embora?

— Sim, estou pronto.

Saíram, entraram no carro. Por mais que Walther tentasse, não conseguia esconder a ansiedade e o nervosismo que estava sentindo. Isaías também dirigia calado.

Enquanto o carro corria, Walther ia apreciando a paisagem. Um rio muito largo surgiu. O carro atravessou uma ponte que passava por cima dele.

— Que belo rio, Isaías. Ele fica dentro da cidade?

— Sim, é o rio Tietê. Ele atravessa quase todo o estado de São Paulo.

Chegaram ao centro da cidade. Isaías parou o carro em uma rua, desceram e andaram alguns metros. Entraram em um edifício, o elevador era pequeno e apertado. Desceram no quinto andar. Isaías seguiu um corredor. Parou em frente a uma porta. Walther olhou o número, era cinqüenta e seis. Isaías bateu na porta, um senhor de uns cinqüenta anos abriu e sorrindo, disse:

— Bom-dia! Chegaram pontualmente. Como vai, Isaías?

— Estou bem, apesar de tudo.

Já dentro da sala e sentados, o advogado disse:

— Sinto muito pelo Paulo, também era meu amigo, mas tanto nós como ele, sabíamos o quanto estava sofrendo. Deus é quem sabe das coisas. O nosso dia também chegará.

— Tem razão. Quero lhe apresentar Walther.

— Muito prazer. Ainda bem que está aqui no Brasil, se assim não fosse, nos daria um trabalho enorme para encontrá-lo.

— Muito prazer, mas por que a minha presença é tão importante?

O advogado tinha sobre a mesa quatro envelopes lacrados. Calmamente, abriu um dos envelopes, dizendo:

— Não sei se o senhor sabe, mas o Paulo era um homem que possuía muitos bens. Quando descobriu que estava doente, vendeu todos eles e veio a minha procura e fez este testamento.

Abriu o envelope, tirou de dentro dele um papel:

— Por este papel o senhor e seu herdeiro universal.

Walther levantou, perguntou alto:

— Herdeiro universal? Como? Por quê?

— Não sei responder, só sei que é o seu único herdeiro. O dinheiro que conseguiu com as vendas de todos os seus bens, está depositado em seu nome no banco do Brasil.

Entregou o papel para Walther, que o pegou e leu. Realmente, ele era o herdeiro. Havia um número com muitos zeros. Ele, tremendo, disse:

— Não estou acostumado com o dinheiro brasileiro. Estou vendo muitos zeros, poderia me dizer o valor disto em dólares?

— Perto de dois milhões de dólares, descontados os impostos.

— Dois milhões? Não consigo imaginar o que representa isso!

O advogado e Isaías riram. O advogado, disse:

— Nem eu! O senhor é hoje um homem muito rico!

— Isaías! Não pode ser! Não entendo o que está acontecendo.

— Não tem que entender nada, tem apenas que usufruir de tudo o que esse dinheiro pode lhe dar.

— Não pode ser! Deve haver um engano!

— Não há engano algum, eu sabia. Por isso lhe disse que teria muitas surpresas! Esse dinheiro é todo seu, e posso lhe garantir que o merece, muito mais do que imagina.

O advogado pegou outro envelope, abriu, tirando de dentro dele alguns papéis, entregou-os para Isaías, dizendo:

— Realmente, Isaías, você sabia que ele teria muitas surpresas, só não sabia disto.

Isaías, surpreso, pegou os papéis. Começou a ler o primeiro. Após terminar, disse quase chorando:

— Não acredito. Ele não pode ter feito isso.

Walther, tremendo muito, mas curioso, perguntou:

— Fez o quê? O que ele fez?

Isaías estava tão emocionado que não conseguia responder. Quem respondeu foi o advogado:

— Esse papel que o Isaías tem nas mãos, é a escritura da casa em que mora. Seu tio a passou para ele. Isaías, tem mais este outro papel que também é seu.

Isaías pegou o outro papel e leu. Novamente, quase gritou:

— Não pode ser! Aquele homem era um louco!

— Louco não, Isaías. Seu amigo. Ele o queria muito bem. E a toda a sua família, mas não terminou, tem mais! Leia este outro papel.

Outro papel, outra expressão de surpresa. Walther acompanhava tudo calado. Estava ainda um pouco atordoado por saber, que agora estava rico.

Isaías, finalmente, conseguiu falar:

— O Paulo era realmente um santo! Além de me dar a casa, deixou também no Banco do Brasil, uma quantia muito grande para que eu possa viver o resto da minha vida, sem me preocupar com dinheiro. Este outro papel, é outra quantia que ele deixou em nome do Leo para que ele estude até a faculdade! Nunca esperei por isso. Sei que sempre fomos amigos, mas nunca pensei que chegasse a isso.

O advogado deu outro papel para Isaías. Era uma carta. Emocionado Isaías começou ler em silêncio.

Querido amigo Isaías

Neste momento, já deve saber que tem hoje tranqüilidade para viver o resto da sua vida ao lado da querida Ismênia. Sabe também que o nosso pequeno Leo tem assegurada a sua educação acadêmica. Sei que, se depender da educação que dará a ele, se tornará um homem de bem. Daremos a ele todas as oportunidades, queira Deus que ele as use bem. Deve estar pensando por que eu fiz isso.

Ao saber que minha doença era difícil de ser curada, entendi que nada do que havia conquistado poderia levar comigo. Você, durante todo esse tempo, esteve trabalhando ao meu lado. Resolvi que venderia todos os meus bens e os transformaria em dinheiro para dar ao Walther. Não sei se com esse meu gesto poderei resgatar todo mal que fiz a ele e a sua mãe, mas sei que, assim fazendo, não o estarei prendendo aqui no Brasil. Ele poderá tomar a decisão que acreditar ser a certa. É o que posso fazer. Você, além de ter trabalhado ao meu lado, em um pior momento da minha vida, me levou a conhecer essa doutrina que nos ensina que Deus é nosso Pai infinito e por isso nos ama e nos dá sempre novas oportunidades para aprendermos e evoluir espiritualmente que a morte não existe, que a vida pós-morte é bela e que ali é o nosso verdadeiro lugar. Aprendi a acreditar em tudo isso. Espero, amigo, que tudo seja realmente verdade, pois em breve irei conferir de perto. Continue sendo o homem que é. Se o Walther vier até o Brasil, vai precisar muito da sua ajuda para compreender tudo o que se passou. Se tudo que aprendemos for realmente verdade, estarei esperando por você do outro lado da vida. Espero que demore muito, pois tem sobre sua responsabilidade o Leo. Obrigado, amigo, por ter sido meu companheiro de jornada. Que Deus o abençoe. Um abraço, do seu amigo.

Paulo

Walther, sem saber o que estava escrito na carta, mas emocionado por ver a emoção de Isaías, disse:

— Você disse que eu teria muitas surpresas, mas só posso lhe dizer que realmente estou surpreso, mas você também não pode reclamar!

O advogado pegou outro papel e entregou para Walther:

— Ele transformou tudo o que tinha em dinheiro, com exceção da casa do Isaías. O resto é todo seu.

— Por que ele fez isso?

— Não sei, talvez a resposta esteja nesta carta que está neste envelope. Ele pediu que eu a entregasse e que, se possível, você a lesse antes de voltar para os Estados Unidos.

Walther pegou uma quantidade considerável de papel, todos datilografados. Ficou com eles na mão, sem saber o que dizer. Isaías, mais calmo, disse:

— Eu lhe avisei que talvez não conseguisse voltar, sabia da herança e desta carta. Nela vai encontrar as respostas que procura. Quando terminar de ler, todo o mistério estará resolvido. Que pretende fazer?

— Não sei. Preciso voltar! Tenho compromissos, tenho meu trabalho.

O advogado continuou:

— Para levar este dinheiro para os Estados Unidos, tem uma certa burocracia. Levará alguns dias. Acredito que terá tempo para ler a carta.

— Não sei... parece que estou sonhando! Eu, rico? Não pode ser! Preciso pensar...

— Você é quem sabe o que vai fazer com a sua vida, mas enquanto não decide, vamos para casa. A Ismênia deve estar nos esperando com um belo almoço. Ela nem imagina que a casa agora é nossa! Preciso contar! Doutor, o senhor tem mais alguma surpresa?

— Não, Isaías, só essas. Acredito que esteja mesmo ansioso para chegar em casa. Pode ir, mande minhas lembranças para dona Ismênia. Senhor Walther, preciso saber qual vai ser a sua decisão para providenciar a remessa do dinheiro.

— Eu ainda estou um pouco atordoado com os últimos acontecimentos. Por favor, não faça nada até segunda ordem. Como disse o Isaías, vamos para casa contar a novidade para a dona Ismênia.

— Está bem, quero lhe adiantar que já recebi por todo o trabalho que fiz e que ainda farei por vocês. Paulo foi para comigo também muito generoso.

Walther e Isaías se despediram do advogado. Já dentro do carro, perguntou:

— Como foi que meu tio conseguiu tanto dinheiro? Ele encontrou a tal pedra?

— Encontrou e, daquele dia em diante, a vida dele mudou. Tornou-se um comerciante de pedras preciosas e semi preciosas, exportando para o mundo todo. Foi assim que conseguiu a sua fortuna.

— Teve muita sorte, Isaías.

— Mas pagou um preço muito alto por isso.

— Que preço, Isaías? Que aconteceu?

— Não posso lhe contar. Acredito que nessa carta que o advogado lhe deu, deve estar tudo explicado. Por favor, não me pergunte nada! Não sei o que ele escreveu nessa carta. Não posso dizer mais nada.

— Está bem! Não precisa ficar nervoso. Ao menos, agora, vejo uma luz no fim do túnel. Acredito que com esta carta saberei o que aconteceu. Por que minha mãe mentiu e escondeu esse quase tio até quase na hora de sua morte?

— Quando terminar de ler e eu souber exatamente o que ele deixou escrito, poderemos conversar a respeito. Antes disso, sinto muito, mas não posso...

— Entendo a sua posição. Vamos passar pela agência de viagem, para que eu possa ver o que pode se feito com a minha passagem?

— Faremos isso à tarde, agora preciso ir para casa. Ismênia vai ficar muito feliz com as novidades.

Assim que chegaram em casa, Ismênia veio encontrá-los no jardim. Isaías a pegou no colo e começou a rodar, rodou tanto que quase caíram. Ismênia não entendeu o que estava acontecendo. Assim que ele a colocou no chão, ela, assustada, perguntou:

— Que está acontecendo, Isaías? Está louco?

— Eu não estou louco, não! Louco era o Paulo!

— Por que está dizendo isso? Que ele fez, além de deixar todo o seu dinheiro para o Walther?

Walther a olhou, perguntando:

— A senhora sabia disso?

Ela, meio sem graça, olhou para Isaías, que respondeu:

— Ela sempre soube de tudo, Walther. Viveu ao meu lado toda a sua história. Mas isso agora não tem mais importância. Assim que terminar de ler a carta, com certeza saberá de tudo. Ismênia, pode olhar à sua volta? O que vê?

Ismênia foi se voltando, olhando tudo, mas não viu nada de diferente, respondeu:

— Estou vendo apenas a nossa casa.

— Isso mesmo a nossa casa! Ela agora é nossa mesmo! O Paulo passou a escritura em meu nome! Ela agora é nossa!

— Está dizendo que não vamos precisar mudar de casa para entregá-la ao Walther?

— Isso mesmo. Ele deixou tudo para o Walther, menos a nossa casa e muito dinheiro para vivermos bem pelo resto de nossas vidas e dinheiro para que o Leo possa estudar até a faculdade.

— Não estou acreditando no que está dizendo, Isaías! Não pode ser!

— Pode acreditar. Olhe. Os papéis estão aqui em minhas mãos.

Ela olhou para as mãos de Isaías, realmente ele estava com alguns envelopes nelas, começou a chorar:

— Obrigada, meu Deus por ter colocado em nossas vidas um

homem como o Paulo. Que ele esteja agora em um bom lugar, com muita luz e felicidade...

— Deve estar, minha velha. Deve estar...

A Carta de Paulo

Walther, calado e emocionado por ver a felicidade dos dois, entrou na sala sentou em um sofá. Enquanto Ismênia lia a escritura da casa, ele pensava:

Meu tio foi realmente um homem muito bom e querido por seus amigos. Sinto mesmo não ter tido mais tempo para conhecê-lo melhor! Mas por que isso não aconteceu?

Ismênia, parecendo ler os pensamentos dele, levantou os olhos dos papéis que estava lendo e disse:

— Walther, o Paulo foi um homem muito bom, deve sempre se orgulhar dele.

— Estava pensando exatamente isso, dona Ismênia e sentindo muito por não ter tido tempo para conhecê-lo melhor...

Ismênia respirando fundo, secou uma lágrima e disse:

— O almoço já está pronto, só estava esperando por vocês...

— Vamos, sim, embora não esteja com fome. Aconteceram muitas coisas hoje, ainda estou um pouco atordoado.

— Entendo, meu filho. Nunca imaginou que houvesse alguém aqui que se interessasse por você.

— É isso mesmo, nem que, de um dia para o outro, eu me tornaria um milionário!

— Disso não pode se queixar. Tem pessoas que, ao contrário, perdem tudo o que têm de uma hora para outra.

Walther sorriu concordando com a cabeça. Entraram, a mesa já estava posta. Ele estranhou que o lugar de Leo estivesse vazio e que não houvesse um prato colocado:

— O Leo não vem almoçar?

— Não! Ele estuda o dia inteiro, só chega à tarde.

Começaram a comer. Novamente, adorou a comida. Embora seu pai não gostasse, sua mãe, de vez em quando, fazia comida como aquela que estava comendo agora. Sentiu uma enorme saudade de sua mãe.

Assim que terminaram de comer, Isaías perguntou:

— Quer ir até a agência para saber o que fazer com a sua passagem?

— Não, estive pensando. Vou ter que esperar até que o advogado resolva toda a burocracia. Desde que cheguei e conheci o meu tio, muitas dúvidas surgiram em minha cabeça. Cheguei a pensar que voltaria para o meu país com todas essas dúvidas, mas agora com essa carta que ele deixou, talvez eu consiga descobrir algo. Prefiro, se não se importar, ir para o quarto e ler a carta.

Isaías sorriu, dizendo:

— Sábia decisão! Faça isso, afinal, agora, não precisa voltar com tanta urgência. É um homem rico!

— Posso ser um homem rico, mas tenho responsabilidade com o meu trabalho. Antes de ir para o quarto, preciso tentar telefonar para a empresa e avisar que vou me demorar um pouco mais do que o previsto.

—As ligações para o exterior demoram muito. Vá ler a carta, eu ligo para a telefonista e peço uma ligação, assim que estiver pronta, eu aviso você. Qual é o número?

Walther entregou a ele um papel, onde estava anotado o número. Pegou o envelope com a carta, que estava sobre um móvel e se dirigiu ao quarto. Entrou, olhou tudo. A moça do retrato parecia que lhe sorria. Tirou o paletó e a gravata. Desabotoou a camisa, ajeitou o travesseiro acomodou-se. Ficou olhando para o teto e pensando:

Dois milhões... dois milhões. O que significam realmente dois milhões? É muito dinheiro! Muito mais do que eu um dia pudesse imaginar.

Lembrou-se de Steven:

Quando lhe contar, não vai acreditar, se nem eu acredito! Mas sei que ficará contente. Preciso começar a pensar o que vou fazer com tanto dinheiro! Nunca imaginei que um dia teria tanto assim, por isso nunca também imaginei o que fazer. Tenho uma boa casa, bom carro. Que mais preciso? Poderei viajar pelo mundo. Isso sim! Com tanto dinheiro, não precisarei mais trabalhar! Posso conhecer muitos lugares, quem sabe encontrar um amor verdadeiro. Sim, pois, sozinho, não deve ser agradável viajar. Se o Steven não estivesse casado, poderia me fazer companhia, não... ele não abandonaria seus alunos. Gosta muito de ser professor. Tem verdadeira adoração por seu trabalho.

Levantou, foi até a janela, abriu a cortina. O céu estava claro, não havia nuvens, apenas um sol brilhante. Ficou ali, olhando para o céu, voltou para cama. Estava eufórico por saber que estava milionário.

Olhou para o envelope que o advogado havia lhe dado. Sabia que nele deviam conter as respostas para todas as suas perguntas:

— *Por que ele me deixou tanto dinheiro? O que represento para ele? Estou com este envelope nas mãos, mas, também, estou com medo de abri-lo. Será que nele vou descobrir que minha mãe traiu o meu pai? Será que vou descobrir que tenho algum parentesco com o Paulo? Será que vou descobrir que sou seu filho?*

Pegou o envelope, abriu, havia varias páginas e uma chave. Colocou a chave sobre a cama e começou ler:

Prezado Walther:

Se estiver lendo esta carta, é porque devo estar prestando contas a Deus, dos meus atos. Não consegui ver você nem lhe contar tudo pessoalmente, o que era realmente o meu desejo. Temendo não ter essa oportunidade, resolvi lhe deixar esta carta. Com ela, todas as suas dúvidas serão dissipadas.

Walther continuou lendo, até o momento em que, na clínica, Paulo havia terminado de contar. No instante em que todos voltaram para o Piauí e ele continuou no garimpo. A carta continuava:

Eu não poderia voltar! Sabia que ia encontrar aquela pedra enorme, que me faria feliz e resolveria todos os nossos problemas. Os outros, vendo que eu não mudaria de idéia, resolveram partir. Ao me abraçar para se despedir, meu irmão disse:

— Já que quer continuar neste inferno, fique. Sabe que essa sua sonhada pedra não existe e mesmo que a encontre, terá que vendê-la para o americano, pelo preço que ele quiser pagar. Sabe muito bem onde é a sua casa e que pode voltar quando quiser. Estaremos esperando você de braços abertos.

Eu o abracei também:

— Mano, vou ficar e encontrarei a minha pedra. Quando a encontrar, vou mudar a vida de todos nós. Você vai ver!

— Está bem, Deus ajude você a realmente encontrar a sua pedra. Eu não acredito, por isso estou indo embora.

Estou revivendo agora, aquele momento em que subiram no caminhão e ficaram abanando as mãos, dando adeus. Senti uma forte solidão. Nunca antes eu havia me separado da minha família. Embora não estivesse com meus pais, durante todo aquele tempo, estive ao lado de meu irmão e primos. Daquele dia em diante, eu estaria sozinho. Estava com vinte e um anos. Quase corri atrás deles, mas a certeza de que encontraria a pedra me fez ficar. Quando o caminhão sumiu na estrada, olhei à minha volta. Outro caminhão que ia levar os garimpeiros para o garimpo também estava saindo. Corri para alcançá-lo. Assim que chegamos ao local, desci do caminhão e comecei a cortar aquela montanha feito um louco, sem parar. Examinava os torrões de terra, sempre na esperança de encontrar a pedra. O dia passou, eu nem percebi, tão concentrado estava no trabalho. À noite, dormíamos em barracas. Deitado em minha cama de campanha, comecei a pensar:

— Meu irmão tem razão, isto aqui é realmente um inferno! Mas e a nossa terra? Com toda aquela seca? Também é! Lá, o único que posso conseguir será plantar para comer. Nada além disso. Aqui, tenho a chance de encontrar a pedra. Vou encontrar!

— No dia seguinte, logo cedo, eu comecei a trabalhar novamente. Durante o dia, tudo corria bem, mas à noite eu me sentia muito só. Outros homens e rapazes estavam na mesma situação. Também, como eu, por causa da seca, foram obrigados a abandonar suas famílias. Todos como eu, se sentiam sozinhos. Todos como eu, queriam encontrar uma pedra grande. Na área do garimpo, havia um grande barracão feito de madeira. Dentro dele, tinha um fogão bem grande, que era mantido aceso por carvão. Quem o fornecia era também o americano. Bem mais velho que todos nós, ele tomava conta de tudo. As pedras e os cascalhos encontrados eram vendidas a ele, que nos fornecia o alimento e o carvão. Cada garimpeiro possuía suas provisões e faziam sua comida. Ficávamos no garimpo a semana inteira, só voltando para a pequena vila no sábado à tarde. Ali no hotel, que era um pouco de tudo, o garimpeiro podia comer, beber, dormir em uma cama de verdade e ter uma mulher. Normalmente era gasto no fim de semana todo o dinheiro que, ele havia ganhado durante toda a semana. O Americano ficava com tudo. Embora meu irmão houvesse dito que eu teria que vender a minha pedra para ele, essa não era a minha intenção.

Quando a encontrasse, não contaria a ninguém, iria embora do garimpo, dizendo que estava voltando para casa, mas, na realidade, eu iria para uma cidade grande, venderia a minha pedra por um preço justo. Fazia dois dias que meu irmão e primos haviam ido embora, quando um rapaz, meu conhecido, chegou da vila me procurando.

— Paulo! Você tem que ir para o hotel!

— Por quê? Aconteceu alguma coisa com alguém da minha família?

— Não sei, o americano mandou chamar você.

— Preocupado, subi no jipe em que ele estava e fui para a vila. Durante o caminho, não conseguia entender porquê daquilo de o americano mandar me chamar. Eu não havia feito nada que o desgostasse.

Assim que entrei no pequeno saguão do hotel, fiquei parado, olhando, sem querer acreditar no que estava vendo. Em pé, não sei se sorrindo ou chorando, estava Marta.

Walther parou de ler, olhou para o retrato da moça que lhe sorria. Sorriu, pensando:

Sabia que você fazia parte da vida dele! Olhe! Meu tio tinha bom gosto, você é mesmo muito bonita!

Voltou a ler:

— Ao vê-la ali, corri para ela. A abracei. Após um logo abraço, fiz com que se sentasse, perguntando:

— Marta! O que está fazendo aqui?

— Fui expulsa de casa! Não sabia o que fazer. Vim aqui atrás de vocês, mas fiquei sabendo que os outros voltaram para casa, só restou você.

— Expulsa? Por quê?

Ela colocou a mão na barriga. Só aí notei que ela estava esperando um filho. Ela agora chorava muito, disse:

— Eu não sabia que estava esperando criança, mas quando a minha barriga começou a crescer o pai notou e não quis mais que eu ficasse em casa. Disse que eu era uma perdida e que na casa dele não podia ter uma perdida.

— Ao ouvir aquilo, perguntei nervoso:

— Minha mãe e a tia? Não falaram nada?

— Elas tentaram, mas ele não quis ouvir ninguém, mandou que eu fizesse a minha mala e saísse da sua casa.

— *Ele não podia ter feito isso, Marta. Você é ainda uma menina!*

— *Mas fez, Paulo. Quando me vi na estrada, sem dinheiro e sem destino, lembrei que vocês estavam aqui no garimpo. Resolvi vir encontrá-los, pois sabia que me ajudariam.*

— *Como chegou até aqui?*

— *Já faz alguns dias que saí de casa. Aproveitei que alguns rapazes da cidade vinham para cá, eles entenderam a minha situação, pagaram a passagem e eu vim junto com eles. Disse que assim que chegasse eu devolveria o dinheiro. Você tem dinheiro para dar a eles?*

— *Não se preocupe com isso, eu acerto tudo, mas continue...*

— *Demorou muito, mas finalmente consegui chegar.*

— *Fiquei atordoado, Walther, sem saber o que fazer. Aquele não era um lugar para uma moça igual a ela. Disse:*

— *Você não pode ficar aqui, Marta. Este lugar não é bom. Vou voltar com você para casa, lá farei com que seu pai entenda o que aconteceu e receba você de volta.*

— *Não adianta. Ele não vai me aceitar. Enquanto esperava você, conversei com a Geni. Ela me contou que você não foi embora, porque quer encontrar uma pedra grande.*

— *É verdade, mas agora tudo mudou. Vamos voltar.*

— *Não! Ela me disse também que se eu quiser, posso ficar morando e trabalhando aqui como arrumadeira e ajudante de cozinha. Eu já aceitei o emprego. Se quiser, volte sozinho. Eu não vou voltar. Vou ficar aqui com você, e a minha criança vai nascer aqui.*

Walther voltou a olhar para o retrato, pensando:

Eita mulher corajosa!

Estava olhando para a foto, quando ouviu uma batida na porta. Largou os papéis sobre a cama, levantou. Era Isaías:

— Sinto interromper você, mas a ligação que pediu está pronta.

— Obrigado, Isaías, vamos lá! Preciso conversar com o meu chefe e voltar para a carta.

Enquanto se encaminhavam para a sala, onde ficava o telefone, Isaías perguntou:

— Está gostando do que está lendo?

— Até aqui sim, acabei de conhecer o grande amor da vida do meu tio. Marta. Você a conheceu?

— Sim.

— Pela foto, ela era muito bonita.

— Coloque bonita nisso! Além de bonita, era também muito corajosa!

— Era exatamente isso que estava pensando, quando você bateu na porta.

Chegaram até a sala. Walther pegou o telefone e, em inglês, falou com alguém do outro lado. Ismênia e Isaías não entenderam nada, mas sabiam do que se tratava. Parecia que a pessoa do outro lado da linha não queria aceitar o que Walther lhe dizia, pois este gesticulava com a mão e a cabeça. Após uns cinco minutos de conversa, finalmente desligou o telefone:

— Até que enfim consegui convencê-lo a esperar mais alguns dias. Ele me ameaçou com a demissão. Contei a respeito da morte do meu tio. Aí ele amoleceu.

— Contou sobre o dinheiro que herdou?

— Não! Ainda não estou acreditando que isso realmente aconteceu. Nem sei o que farei com esse dinheiro.

— Termine de ler a carta, garanto que, no final, saberá.

— A leitura está muito boa, estou na parte em que Marta chegou ao garimpo. Estou curioso para saber o que aconteceu.

Isaías sorriu. Walther continuou falando:

— Isaías, li na carta do meu tio que minha mãe trabalhava no hotel. Ela me contou essa história, só que dizia ser um lindo hotel e que foi ali que conheceu o meu pai. Isso foi verdade?

— Realmente, a Geni trabalhou no hotel e foi ali que conheceu o marido. Quanto ao hotel maravilhoso, talvez não quisesse lhe contar a verdade, sabe-se lá por qual motivo.

— Podia me contar algo sobre esse tempo e como a conheceu?

— Termine de ler a carta. Acredito que o Paulo tenha escrito tudo, mas, se após ler, restar alguma dúvida, prometo que esclareço todas.

— Está bem, vou terminar de ler. Estou ansioso para conhecer o resto. Se me der licença, vou me retirar e voltar para a leitura.

— Claro que lhe dou licença, entendo a sua curiosidade.

Walther se levantou e voltou para o quarto. Sobre a cama estavam os papéis e, no porta-retratos, o rosto daquela moça, que agora começava a conhecer. Ajeitou o travesseiro, acomodou-se, pegou os papeis e continuou lendo.

— *Quando Marta me falou sobre a Geni, olhei para o lado. Ela também estava nos olhando em pé, no último degrau da escada. De onde estava, podia ouvir a nossa conversa. Veio até nós, dizendo:*

— *Ela está dizendo a verdade, Paulo. Se quiser, pode ficar aqui trabalhando.*

— *Mas ela está esperando um filho!*

— *Que tem isso? Está esperando um filho, não está doente. Pode trabalhar e ganhar o seu sustento.*

Perguntei, nervoso:

— *Marta, com quantos meses você está?*

— *Marta colocou a mão na barriga, respondeu:*

— *Não sei. Nem sabia o que era essa barriga grande.*

Geni tocou na barriga de Marta, disse:

— *Pelo tamanho da barriga, deve estar com uns cinco meses.*

— *Está vendo? Ela não vai poder trabalhar por muito tempo. O Alan não vai permitir!*

— *Deixe isso por minha conta. O Alan faz cara de ruim, mas no fundo é um ótimo homem.*

— *Vendo que não havia outra alternativa, só me restava concordar.*

O rosto das duas se iluminou. Dali para frente, Marta começou a trabalhar no hotel. Eu continuava no garimpo, mas agora não me sentia tão só. Sabia que nos fins de semana ela estaria lá me esperando. Durante a semana, eu trabalhava cada vez mais. Queria derrubar aquela montanha num minuto, mas sabia que era impossível. Por mais que cavasse, não conseguia encontrar nada, além de pequenos cascalhos. Com eles, eu conseguia ir sobrevivendo. Por várias vezes cheguei a desanimar e conversar com a Marta:

— *Não adianta continuar aqui. Chego a pensar que não existe ouro, muito menos pedra preciosa. Vamos voltar para casa? Lá você terá a criança com mais facilidade.*

— *Nada disso. Vamos ficar aqui. Você vai encontrar a sua pedra e eu vou ter a minha criança. Quando tudo isso acontecer, seremos felizes. Você não pode abandonar seus sonhos! Tem que continuar acreditando nessa pedra! Ela existe e está em algum lugar, esperando que você a encontre! Você vai encontrar!*

A carta continuava.

Marta era assim, cheia de vida e confiança. Era alegre e aos poucos foi conquistando a todos. A criança era esperada com muito carinho. Até o americano, sempre sério, sorria ao vê-la passar por entre as mesas, servindo aos garimpeiros. Ele estava feliz, porque finalmente sua esposa, a Geni, havia encontrado uma amiga. Já não o incomodava tanto, querendo ir embora dali. Fazia três meses que Marta estava no garimpo. Geni chegou para ela toda feliz, dizendo:

— Você não imagina como estou feliz!

— Por quê?

— Estou também esperando um filho! Logo, logo, vai ter duas crianças correndo por entre as mesas. O Alan não se agüenta de tanta felicidade.

Walther parou de ler, lembrou de sua mãe e de seu pai:

Eles foram maravilhosos... estiveram sempre ao meu lado, me dando tudo o que eu precisava. Por que será que não tive outros irmãos? Marta também foi muito corajosa, mas vou retornar para a carta, está muito interessante.

Voltou seus olhos para a carta, nela Paulo continuava:

Daquele dia em diante, as duas, além de se preocuparem com o trabalho, preparavam com carinho as roupinhas das crianças que chegariam. Alan, o americano, assim que chegou no garimpo, conheceu Geni. Ela trabalhava no hotel. Alan era filho do dono do hotel e de todos os outros negócios que pertenciam à família. Seu pai veio para o Brasil, alguns anos antes e se dedicou ao trabalho nas minas. Conseguiu muito dinheiro, mas adoeceu, voltou para os Estados Unidos. Alan veio para tomar conta de tudo. Era um aventureiro, veio para Brasil em busca de aventura e de dinheiro, é claro. O amigo que vendera os negócio para o seu pai voltou para seu país com muito dinheiro, mas já estava velho e cansado. Ofereceu seus negócios ao pai de Alan por um valor muito pequeno e sem prazo para pagar. Na época em que Alan chegou, Geni trabalhava como arrumadeira no hotel. Ela preparou para ele o melhor quarto. Assim que ele a viu, se apaixonou. Ela, ao vê-lo, também se entusiasmou. Aos poucos, essa primeira impressão foi ficando cada vez maior. Alan tentou morar com Geni, mas ela não aceitou. Disse à ele que só se entregaria quando casassem. Não tendo outra maneira e querendo ficar com Geni, Alan terminou se casando. Os dois continuaram juntos cuidando de tudo. Por isso, quando Geni disse que Marta ficaria lá, ela sabia o que estava dizendo.

Os dias, semanas e meses foram passando. Eu, por mais que tentasse, não conseguia encontrar a minha tão sonhada pedra, mas sabia que a encontraria. A barriga de Marta foi crescendo cada vez mais. Ela trabalhava muito. Quando, em alguma semana, eu não conseguia nenhum cascalho sequer, ela comprava as minhas provisões. Todos os sábados à noite, havia um baile no hotel. De uma casa grande que tinha lá perto, vinham moças para dançar e agradar os garimpeiros. Eu não me sentia bem em ver Marta no meio daquelas moças, mas ela se colocava como simples garçonete e não permitia gracinha de garimpeiro algum. Aos poucos, eles aprenderam a respeitá-la. Ela passou a ser irmã de todos. Em um desses sábados, o salão estava lotado, muita música, dança e bebida. Marta andava entre as mesas, servindo. Eu estava sentado em uma mesa, acompanhado de alguns amigos, ficava observando a sua desenvoltura e o quanto era bonita. Percebi que ela se dirigiu até o caixa, onde a Geni estava. Falou com ela, por sua expressão, percebi que algo estava acontecendo. Geni chamou o Alan, ele ficou no caixa e as duas subiram. Ao ver toda aquela movimentação, fiquei preocupado, fui até o Alan e perguntei:

— Que está acontecendo? Por que as duas subiram justamente agora que tem tanto trabalho?

Ele, com seu português arrastado, disse:

— Estava olhando pelas mesas para ver se encontrava você. Parece que a criança vai nascer. Você precisa ir chamar a dona Custódia!

Fiquei apavorado. Parado, não conseguia me mexer. Alan gritou nervoso:

— Vai logo, homem! Não demore muito!

Após o espanto, saí correndo, indo atrás da dona Custódia. Ela era a parteira do lugar. Muitas crianças já haviam nascido por suas mãos. Assim que me viu chegando espavorido, ela sorrindo, disse:

— Já sei... já sei... seu Paulo, a criança vai nascer...

Eu, cansado de tanto correr, quase não conseguia falar. Ela, calmamente, disse:

— Fique sossegado! Vai dar tudo certo. Isso não é assim, vai demorar um pouco.

Pegou uma pequena maleta, tocou a mão em meu ombro, dizendo:

— Vamos trazer ao mundo mais um brasileiro?

Eu não queria muita conversa, saí na frente, correndo. Ela me seguiu bem devagar. Cheguei ao hotel bem antes dela, precisava ver a Marta. Subi, fui para o quarto, ela estava deitada, tendo ao seu lado a Geni, que segurava suas mãos. Assim que me viu, seus olhos brilharam:

— Paulo! Chegou a hora! Vai nascer!

Eu estava emocionado demais. Não sabia o que dizer ou falar. Apenas me aproximei, beijei sua testa. Ela, sorrindo, disse:

— Não precisa ficar nervoso. Vai dar tudo certo.

Calado, sem poder articular uma palavra, fiquei lá até que dona Custódia chegou. Entrou no quarto, olhou para mim e disse:

— Moço, quer fazer o favor de esperar lá fora. Dona Geni, preciso de uma bacia e água quente para lavar o bichinho quando ele chegar.

Geni pegou em meu braço, me conduzindo para fora e dizendo:

— Você vai ficar calmo, Paulo, é melhor que vá até lá embaixo ajudar o Alan. Quando tudo terminar vou avisar você. Está bem?

Eu não podia fazer mais nada. Nem rezar eu sabia, mas, mesmo assim, desci, fui para fora. No céu, não havia nuvem, só muitas estrelas e uma meia lua que iluminava a escuridão. Olhei para aquele céu, pareceu que a lua falava comigo. Uma suave brisa me acariciava. Senti naquele momento uma enorme vontade de rezar, de acreditar que existia mesmo um Deus:

Deus do céu! Não sei se existe mesmo! Às vezes, fico pensando que se existisse, não permitiria que tivesse tanta miséria e que o sertanejo sofresse dessa maneira! Mas Deus! Se existir mesmo, ajude a Marta nesse momento... Mais uma criança está nascendo para este mundo de pobreza e sofrimento... Deus! Proteja os dois!

Lágrimas caíam dos meus olhos, estava com medo. Medo que algo acontecesse naquele lugar sem recurso algum. Não sei se estava emocionado demais, só sei que apareceu uma luz me envolvendo todo. E não era a luz da lua nem das estrelas. Senti uma paz imensa, voltei para o salão.

As pessoas, alheias a tudo o que estava acontecendo, continuavam rindo, dançando, cantando e bebendo. Olhei para o alto. Senti vontade de subir, mas Alan me chamou:

— Paulo! Sem as duas aqui, preciso que me ajude a servir às mesas. Pode fazer isso?

Era a única coisa que eu poderia fazer no momento. Comecei a atender as mesas e não percebi o tempo passar. Não posso, na realidade, lhe dizer quanto tempo demorou. Vi a Geni aparecendo no alto da escada. Ela vinha descendo, me procurando. Assim que me viu, abriu um sorriso largo, veio em minha direção. Eu não sabia se ria ou chorava. Meu coração batia de uma forma louca. Geni chegou ao meu lado, dizendo, feliz:

— Paulo! Nasceu! É um lindo menino! Não sei quanto pesa, mas é bem grande.

— E a Marta, como está?

— Está muito cansada, mas também muito feliz. Pode subir. Ela está esperando por você.

Subi a escada de três em três degraus. Não via a hora de encontrar a Marta e ver com meus próprios olhos ela e a criança. Assim que abri a porta, parei. Jamais vou esquecer a imagem que vi. Marta estava deitada, segurando, nos braços, seu filho, que parecia dormir. Dona Custódia terminava de fechar sua maleta. Marta, ao me ver, sorrindo, disse:

— Paulo! Venha ver como ele é lindo! É o menino mais bonito que já vi!

Caminhei em sua direção. Ela estava um pouco abatida, mas seus olhos brilhavam. Junto a cama, me debrucei sobre ela e a beijei na testa. Em seguida, olhei para o menino. Era um menino grande, com os cabelos negros, muito inchado. Confesso que não o achei bonito, mas não quis dizer isso à ela. O importante era que os dois estavam muito bem. Tudo havia terminado. Estava pensando nisso, quando percebi que nada havia terminado, estava apenas começando. Enquanto eu olhava o menino, ela passava suavemente as mãos sobre a cabecinha dele. Eu ia pensando:

Que vou fazer agora? Ela, por um bom tempo, não vai poder trabalhar. Esse menino vai precisar de muita coisa... não encontrei a minha pedra. Não vou poder dar tudo o que ele merece!

— Por que está tão sério, Paulo? Não achou o menino bonito?

Voltei à realidade:

— Claro que ele é o menino mais bonito do mundo, Marta! Estou muito feliz!

— Sei que está preocupado, mas não precisa ficar assim, tudo vai dar certo.

— Sei que vai dar tudo certo... você é que não tem que ficar preocupada. Logo estará de pé. Tenho a certeza que, antes mesmo de levantar dessa cama, vou encontrar a minha pedra e tirar você e o menino deste lugar. Ele nasceu para ser um rei, não para viver aqui.

— Isso tudo o que está dizendo é bobagem. O importante é que nasceu e está aqui, bem pertinho da gente. Como ele vai viver ou ser? Não sei, só sei que estou muito feliz...

Ao notar que ela havia ficado triste, eu mudei de atitude:

— Você tem razão. Ele está aqui e será muito feliz.

Falei aquilo, mas no íntimo sabia que não seria assim, ninguém poderia ser feliz, nascendo em um lugar como aquele, no meio de tanta pobreza e confusão. Aquele não era lugar para se criar uma criança. Fiquei com ela, olhando para o menino. Quando voltei meus olhos para ela, percebi que estava dormindo. Levantei e saí bem devagar. Lá embaixo, tudo continuava igual. Agora, a Geni estava de volta ao caixa. O Alan servia às mesas. Normalmente, quem ficava no caixa era ele, e ela servia, mas como sua barriga já estava aparecendo, ele quis poupá-la. Caminhei até ela, que falou nervosa:

— Que está fazendo aqui, Paulo? Por que não está lá com a Marta?

— Ela adormeceu. Achei melhor deixá-la tranqüila.

— Fez bem. Daqui a pouco volte para lá e veja se ela e o menino estão bem.

Após alguns minutos, não suportei e voltei. Ela continuava dormindo e o menino também. Via ali, na minha frente, aquelas duas criaturas que eram toda a minha família. Olhei para o menino, senti vontade de pegá-lo, mas não tive coragem, pois ele era muito pequeno e fiquei com medo de acordar um dos dois. Geni entrou em seguida. Ao me ver ali parado, disse, baixinho:

— Vamos sair, Paulo, eles estão dormindo. Marta está muito cansada, o parto não foi fácil. Estou até com medo da minha hora.

Olhei para ela e sorrindo, disse também baixinho:

— *Vai dar tudo certo. Tomara que você tenha um menino, assim um fará companhia para o outro.*

Antes mesmo de terminar os quarenta dias de resguardo, Marta voltou ao trabalho. O menino crescia forte, cada vez mais bonito. Eu estava apaixonado por ele. Agora trabalhava com mais afinco. Precisava encontrar a minha pedra. Marta tinha muito leite, eu sabia que por enquanto não precisaria me preocupar com a alimentação dele, mas em breve ele iria necessitar de muitas outras coisas. Por isso eu precisava encontrar a pedra para poder dar a eles tudo o que precisavam e mereciam. Mas não adiantava, por mais que procurasse, eu não a encontrava. O tempo foi passando, Marta sempre trabalhando muito e me ajudando, tanto com dinheiro como me dizendo sempre:

— *Não desanime, Paulo, você vai encontrar a pedra! Ela está aí em algum lugar esperando por você!*

Ao ouvi-la, eu sentia uma nova energia e partia para a luta. No fundo, também acreditava que encontraria a minha pedra. O menino já estava com seis meses, engatinhava por entre as mesas, enquanto Marta e Geni ficavam de longe, cuidando dele. No garimpo, não havia cartório, por isso ele ainda não havia sido registrado. Seu nome seria João Antônio, escolhido por Marta. Para registrá-lo, seria preciso ir até a cidade vizinha, que ficava a quase duas horas do garimpo. Além de não ter dinheiro, não tínhamos tempo, fomos adiando. Assim que a criança de Geni nascesse, seriam registradas juntas. Alan, além de ter dinheiro, tinha um Jipe e também tempo para isso. Quando ele fosse registrar o seu filho, eu e Marta iríamos junto.

Em um domingo pela manhã, após outra noitada daquelas, eu estava dormindo ainda, quando acordei com a batida de alguém na porta. Levantei e a abri. Alan entrou no meu quarto, desesperado, dizendo:

— *Paulo, a Geni está com dores, preciso ir chamar a dona Custódia.*

— *A Marta, onde está?*

— *Está lá com Geni. Elas estavam juntas preparando o café, quando a Geni começou a sentir as dores.*

Levantei-me e me vesti rapidamente. Saí com o Alan, ele não sabia onde dona Custódia morava. Quando retornamos, Geni estava em seu quarto, tendo ao lado Marta que com uma toalha, enxugava seu rosto. Assim que entramos, dona Custódia se aproximou de Geni, colocou a mão em sua cabeça, olhou para nós, dizendo:

— Os dois podem sair agora. Dona Marta, preciso de água quente e algumas toalhas.

Eu já havia passado por aquilo, sabia o que o Alan estava sentindo. Peguei em seu braço e o retirei do quarto. Já fora do quarto, disse:

— Fique calmo, Alan, vai dar tudo certo. Você não lembra como foi o dia em que o João nasceu? Fiquei nervoso como você está agora e no final chegou aquele lindo menino! Vamos tomar um pouco de café? Antes, preciso ver onde o João está. Com toda essa confusão me esqueci dele.

Saímos correndo em direção ao quarto. O berço estava vazio, fiquei apavorado. Fomos correndo até a cozinha, procurando pelo menino. Assim que entramos, respiramos aliviados. Ele estava ali, com Ismênia. Ela estava dando a ele uma papa de pão com café e leite. Ele comia tranqüilo. Assim que nos viu, ela disse:

— Ele está muito bem, cheguei aqui quando elas estavam fazendo o café. Marta me entregou o menino e pediu que cuidasse dele, estou fazendo isso com muito prazer.

— Muito obrigado, Ismênia, não estou em condições de cuidar dele.

Alan completou:

— Nem eu! Mas o que veio fazer aqui, Ismênia?

— O Isaías pediu que eu trouxesse estes documentos para o senhor assinar.

Olhamos e sobre a mesa havia realmente alguns papéis. Alan, por não saber falar bem a língua e muito menos ler direito, contratou Isaías para que cuidasse de toda essa parte. Ele viajava para todos os lugares e vendia as pedras que Alan comprava dos garimpeiros. Eles moravam algumas casas além do hotel. Eram recém-casados. Até aí, eu não os conhecia muito bem, apenas de vista. Todos os garimpeiros sabiam que o Isaías era o homem de confiança do americano, nada além disso. Ele era muito reservado, mas parecia ser um bom profissional. Eu e o Alan nos sentamos e começamos a tomar café. Ele não conseguia comer, estava apavorado, com muito medo. Pegou os papéis e assinou. Ismênia terminou de dar a papa para o João. Disse:

— Preciso levar esses documentos para o Isaías. Estou pensando, sei que aqui hoje está muito complicado, por isso vou levar o menino comigo e *cuidarei dele até que tudo fique bem. Posso?*

Para ser sincero, fiquei aliviado. Sabia que ainda faltava muito tempo para tudo se resolver e sabia também que precisava ficar ao lado do Alan. Após a chegada de Marta, com a amizade que nasceu entre ela e a Geni, também me tornei amigo dele e percebi que ele não era aquele monstro que os garimpeiros pensavam. Ele só era um pouco tímido, por causa da dificuldade que tinha em conversar. Por causa do idioma que falava. Para esconder essa timidez, se tornava antipático. Ismênia saiu, terminamos de tomar o café. Eu disse:

— Alan, vamos andar um pouco? Você está muito nervoso, se ficar aqui, vai ser mais difícil. Andando, poderemos conversar e o tempo passará mais depressa.

Ele, meio contra-gosto concordou. Sabia que dona Custódia não o deixaria entrar no quarto. Saímos, andando por aquela rua de terra. Sendo domingo, havia muitas pessoas andando, fazendo compras para levar ao garimpo. Caminhávamos calados. Não sabíamos o que falar. Para animá-lo, eu disse:

— Sei tudo por o que está passando. Quando o João estava para nascer, eu mesmo, sem saber, rezei pedindo ajuda a Deus.

Ele me olhou com os olhos arregalados:

— Por que acha que estou quieto? O que acha que estou fazendo? Eu amo a Geni e morro de medo que algo de mal possa acontecer. Neste lugar não temos recursos, se acontecer alguma coisa errada, não teremos tempo de socorrê-la...

— Também pensei isso, mas não aconteceu nada! A dona Custódia parece ser muito experiente. Fique calmo, vai dar tudo certo.

Eu estava sendo sincero. Queria que tudo desse certo. Andamos um certo tempo, mas o Alan não suportou, quis voltar. Eu o acompanhei. Chegamos ao hotel. Não sabia por quanto tempo havíamos andado, mas lá estava tudo calmo. Os empregados faziam a limpeza e colocavam as mesas e cadeiras em seus lugares. Alan se dirigiu ao bar, tomou uma dose de conhaque. Estava realmente nervoso, não queria falar, eu respeitei a sua vontade e, como ele, eu também comecei a rezar, pedindo a Deus que aquela criança viesse ao mundo com saúde. Ela teria tudo o que o meu João jamais teria. Seria uma criança feliz. Estávamos sentados. Na frente do Alan, havia um copo com conhaque. O silêncio era completo. Ninguém dizia nada. Todos estávamos esperando a hora de ouvir o choro da criança. Comecei a ficar preocupado. Já fazia muito tempo que a dona Custódia estava lá. Estava demorando, muito mais do que demorou com a Marta. De repente, ouvimos um grito desesperado. Era Geni quem estava gritando. Alan levantou e correu para a escada. Eu o segurei, dizendo:

— Fique calmo, não adianta ir até lá! Ela não vai deixar você entrar. Já deve estar perto da hora da criança nascer.

Ele voltou a sentar, ficamos com os olhos pregados na escada, esperando ouvir o choro da criança. Passaram-se mais alguns minutos, Marta apareceu no alto da escada. Corremos para ela. Em seu rosto, percebi que algo estava errado. Ela me olhou e disse para o Alan:

— É preciso que suba agora...

— Por quê? Que aconteceu?

— Venha comigo.

Eu estava pressentindo que algo de grave havia acontecido. Alan subiu as escadas correndo. Não suportei e fui atrás. Assim que entrei no quarto, vi a Geni muito abatida e chorando. Ao lado dela, estava a dona Custódia, terminando de cobri-la. Alan se jogou com cuidado sobre Geni, dizendo:

— Meu amor. Ainda bem que você está bem. Fiquei assustado quando ouvi o seu grito. Por que está chorando?

Ela não conseguiu responder, com a mão apontou para o outro lado. Eu e o Alan olhamos juntos. Dona Custódia estava com uma criança no colo, totalmente enrolada em uma toalha. Alan voltou a olhar para Geni:

— Que aconteceu? Por que a criança não está aí do seu lado?

Ela, chorando com mais força, disse:

— Porque ela morreu, Alan! Ela morreu! Entendeu? Ela morreu!

Ele se levantou, foi ate a dona Custódia, pegou a criança no colo. Descobriu seu rostinho. Começou a chorar, desesperado. Marta apertou meu braço, segurando-se para não chorar também. Ele olhou para dona Custódia, gritando:

— Que aconteceu? Por que deixou meu filho morrer?

Ela, muito abatida, respondeu:

— Não deixei seu filho morrer! Ele não estava na posição certa. Tentei tudo para acertar a posição, mas não consegui. Quando vi que se não o

tirasse a dona Geni também corria risco de vida, eu o tirei com estes ferros. Já fiz isso muitas vezes e sempre deu certo, mas ele não resistiu.

— *E a Geni, como está?*

— *Está bem, só vai precisar ficar alguns dias de repouso.*

Ele se abraçou novamente a Geni e os dois ficaram chorando muito.

Walther parou de ler a carta. Seu pensamento voltou para seus pais:

Por que nunca me contaram isso? Nunca soube que eles tiveram outro filho...

Voltou a ler novamente. Paulo continuava:

Eu e Marta ficamos ali por algum tempo. Dona Custódia terminou de guardar suas coisas na maleta. Ela saiu e nós resolvemos sair também. Aquele momento deveria ser só deles. Já lá fora, Marta, chorando, disse:

— *Não consigo nem imaginar o que a Geni está pensando, Paulo. Ela esperava essa criança com tanto carinho. Já imaginou se tivesse acontecido isso com o João? Acho que eu enlouqueceria...*

— *Nem pensar, Marta! Graças a Deus ele é um menino saudável e muito querido.*

Alan ficou muito tempo ao lado da Geni, até que ela, cansada, adormeceu. Ele desceu a escada e caminhou até nós. Estava com os olhos vermelhos de tanto chorar. Não sabíamos o que fazer para o consolar. Também estávamos tristes e abatidos. Assim que chegou ao nosso lado, Marta perguntou:

— *Como ela está, Alan?*

— *Muito triste, inconsolável, mas finalmente adormeceu.*

— *Estava dizendo exatamente isso ao Paulo. Consigo imaginar o que ela deve estar sentindo. Mas tudo passa, poderão ter outros filhos...*

— *Venham aqui, precisamos conversar.*

— *Nós o acompanhamos até uma mesa e nos sentamos.*

Alan nos olhou, dizendo:

— *Vocês sabem o quanto gosto da Geni. Não suporto vê-la sofrendo dessa maneira. Estivemos conversando e resolvemos fazer um pedido à vocês.*

Estranhamos aquela conversa, mas perguntei:

— *O que quer pedir, Alan?*

— *Escutem com atenção e por favor me deixem falar até o fim.*

— Está bem, mas fale logo, está me deixando nervoso!

— Sei que você vive procurando uma pedra grande que lhe daria a liberdade financeira para conseguir tudo o que quer, não é, Paulo?

— Claro que sim, mas o que isso tem a ver com o seu pedido?

— Posso lhe dar muito mais que essa pedra, caso a ache algum dia.

— Não estou entendendo. O que está querendo dizer? Me dar o quê? E por quê?

— Posso lhe dar este hotel, todos os meus clientes, enfim, tudo o que possuo aqui no Brasil.

— Estou entendendo menos ainda. Por que me daria isso tudo?

— Em troca do João...

Eu e Marta nos levantamos juntos. Marta gritou:

— Está louco? Está querendo comprar o meu filho?

Alan continuou, calmo e frio:

— Vocês sabem que nunca poderão dar uma vida decente a esse menino. Sabem que ele, como vocês, viverá sempre na miséria. Ao contrário, se viver do nosso lado, terá tudo, inclusive uma nova pátria...

Marta não se conteve:

— Não estou ouvindo o que está dizendo, Alan! Talvez ele não tenha tudo o que você pode lhe dar, mas terá o nosso amor! Ele não precisa de outra pátria, já tem a sua! Nunca vou lhe dar o meu filho! Entendeu? Nunca!

— Amor, nós também o daremos a ele, e muito mais. Boa comida, educação. Ao nosso lado ele tem a chance que nunca terá se continuar vivendo aqui. Se continuar aqui, ele será um garimpeiro, se você voltar para a sua cidade, dependerá da seca e da chuva para sobreviver. Se pensar bem, verá que será muito melhor para ele viver ao nosso lado. Se o amar realmente, vai nos dar o João.

— Nunca! Nunca! Nunca! Sofri muito para ter esse menino. Fui expulsa da minha casa! Vivi e vivo todo esse tempo aqui nesta cidade, longe da minha família, dando meu sangue para que não falte nada para ele.

Eu estava meio tonto com tudo aquilo. Não estava entendendo muito bem. Alan continuou:

— Vocês sabem o amor que a Geni tem pelo João. Ela está sofrendo muito. Não suporto vê-la sofrendo assim! Farei qualquer coisa para que *volte a sorrir, Marta...*

— E eu? Como vou ficar? Ele é meu filho! Poderão ter outros filhos!

— Geni se recusa, tem medo de perder novamente. Ela ama o João como se fosse dela, Marta.

— Mas não é! Ele é meu! Também o amo, e muito!

Alan parou de falar com Marta, voltou-se para o meu lado, que ainda não estava entendendo muito bem o que ele estava pretendendo:

— Paulo, fale com ela! Faça-a entender que esse menino é a pedra que você esteve todo o tempo procurando. Com tudo que vou dar por ele, terá muito mais que qualquer pedra lhe daria!

— Não posso fazer isso. Esse menino é tudo em nossa vida! Como a Marta disse, poderão ter outros filhos! Não sei... não sei o que fazer...

— Pensem até amanhã. Vou ter que enterrar o meu filho. Para isso, preciso ir até a cidade, no cartório. Isso só poderá ser feito amanhã bem cedo. Vocês terão tempo para pensar e decidir o que for melhor para o João.

Saiu e nos deixou ali, parados. Marta estava possessa. Eu, ao contrário, via na minha frente o que poderia conseguir tomando conta de tudo que pertencia ao Alan. Confesso que naquele momento, eu estava realmente pensando no bem do João, mas muito também, no nosso próprio bem. Por isso, me deixei dominar pela ganância. As palavras do Alan não saíam da minha cabeça:

— Esse menino vale mais que a pedra que tenho procurado há tanto tempo.

Marta saiu correndo, me deixou sozinho, foi até a casa de Ismênia buscar o João. Eu fiquei ali, pensando:

O Alan tem razão em tudo que falou. Que tenho para oferecer para este menino a não ser miséria e esse meu sonho de encontrar essa pedra que não existe? Será que temos esse direito? De tirar a chance de ele ser um menino feliz, bem educado e de barriga cheia?

Estava ali pensando, quando Marta entrou, trazendo João nos braços. Subiu a escada correndo, e segurando o menino com muita força. Eu a segui. Já havia tomado a minha decisão. Entrei no quarto. Ela estava deitada na cama ao lado do menino, meio adormecido. Sentei ao seu lado. Passei a mão sobre seus cabelos, dizendo:

— Precisamos conversar. Temos que tomar uma decisão.

— *Não temos que tomar decisão alguma, Paulo. Essa proposta que ele fez é uma loucura.*

— *Não é tão louca assim, Marta. Poderá nos render dinheiro para o resto da nossa vida.*

— *Não estou acreditando no que estou ouvindo, Paulo. Você também está louco? Ele é nosso filho! Como pode pensar em dá-lo em troca de qualquer coisa!?!*

— *Qualquer coisa, não, Marta! É muito dinheiro e, também, você tem que concordar que para ele será melhor viver com eles, poderá ter uma vida muito boa, diferente da nossa.*

— *Não me importo com a vida que ele vai ter. Seja qual for, será ao meu lado. Você vai encontrar a pedra e poderemos dar tudo a ele, Paulo!*

— *Pare de sonhar, Marta! Essa pedra não existe! Eu e você estamos tentando nos enganar, mas ambos sabemos que ela não existe! Sabemos que nunca teremos dinheiro nessa vida! Sabemos que nosso filho também nunca terá! Como nós, não aprenderá a ler, escrever e talvez como você, só conseguirá assinar o próprio nome, nada além disso. Sabe muito bem que para gente como nós, não existe futuro! Isso tudo pensei quando vi você aqui pela primeira vez e olhei para sua barriga. Tornei a sentir naquela noite em que ele nasceu. Não temos e nunca teremos nada para dar à ele... ao contrário, com o dinheiro que o Alan vai nos dar, poderemos nos casar. Já sabemos que não há problema algum em sermos primos e termos o mesmo sangue. Poderemos ter outros filhos...*

— *Outros filhos? Não quero ouvir nada disso que está dizendo, Paulo. Você não está preocupado com ele, está pensando no muito que vai ganhar! Vou dizer só mais uma coisa e nunca mais voltaremos a este assunto. Ele é meu filho e eu o amo. Ficará ao meu lado para sempre. Se insistir nessa loucura, amanhã mesmo vou embora e deixarei você. Pensei que me amasse, e ao nosso filho, como eu amava você... mas estou vendo que não gosta de ninguém, nem mesmo de você...*

— *Claro que amo você, Marta! Por a amar muito e a ele, é que quero fazer essa troca! Com o dinheiro, seremos felizes, e ele, também será!*

— *Saia do meu quarto, Paulo! Vou embora! Não quero ver você nunca mais na minha frente.*

— *Vai embora? Posso saber com que dinheiro? Eu amo você, e amo também ao nosso filho. Não precisa ir embora, eu não saberia viver sem você. Direi ao Alan que a idéia dele está descartada. Eu amo você, Marta...*

Com os olhos cheios de lágrimas, ela me abraçou, dizendo:

— Ainda bem que voltou à razão... vamos ficar juntos nós três... você vai encontrar a pedra... tenha fé... Deus está ao nosso lado...

Eu a abracei e com muito carinho me deitei ao seu lado. Ela colocou o João no berço que ficava ao lado da nossa cama. No dia seguinte bem cedo, eu e o Alan pegamos o corpinho da criança e fomos, juntos, para a cidade. Lá ele teria que ser examinado por um médico para que fosse providenciado o registro de nascimento e, em seguida, o atestado de óbito. Eu aproveitaria para registrar o João. Geni e Marta queriam ir também, mas uma estava precisando de repouso e a outra precisava tomar conta de tudo na nossa ausência. Assim que chegamos à cidade, fomos para a delegacia, mostramos o menino ao delegado e contamos o que havia acontecido. Ele já estava acostumado, pois muitas crianças morriam no garimpo. Deu toda a orientação e, juntos, enterramos o menino. Voltamos para casa. Geni estava inconsolável Marta dava à ela toda atenção. Assim que chegamos, me perguntou:

— Onde está o registro do João, Paulo?

— Sabe como é uma cidade pequena, aliás nem assim se pode chamar aquilo. Não passa de uma pequena Vila. Deixei todos os nossos dados, o homem do cartório disse que vai levar uns dez dias para ficar pronto.

— Estranho... pensei que ficasse pronto na hora.

— Também pensei, mas não é assim, não se preocupe, daqui a alguns dias, eu volto lá para buscar.

— Está bem, mas preciso voltar ao meu trabalho.

Sorri, ela se afastou. Tudo corria bem. Após alguns dias, Alan chegou, dizendo:

— Preciso ir para o Rio de Janeiro resolver um assunto com um cliente.

Marta disse:

— Pode ir tranqüilo, não se preocupe com nada, tomarei conta da Geni e tudo vai ficar bem.

— Ele foi. Eu continuava no garimpo, tentando, desesperado encontrar a minha pedra. Sentia que a qualquer momento a encontraria e seria a

minha salvação. Alan ficou no Rio por uma semana. Voltou, dizendo:

— Está tudo certo. Consegui resolver o meu problema.

Geni o recebeu com muito carinho. Eles se amavam realmente. Tudo voltou ao normal. Naquela semana, trabalhei mais do que nunca, precisava encontrar a pedra, mas novamente foi em vão. No sábado, voltei para o hotel. Fazia um pouco mais de um mês que a Geni havia dado à luz. Embora muito triste, ela reagia, mas ainda continuava deitada, sem vontade de levantar. No sábado, iria novamente haver a festa dos garimpeiros, as moças viriam. Marta trabalhou muito para que tudo estivesse pronto para a festa. Desde aquele dia que o menino da Geni nasceu, aos sábados, a Ismênia levava João para a sua casa. Marta decidiu que seria melhor, pois o barulho era muito grande. Ele dormia lá e, pela manhã, um de nós ia buscá-lo. Como todos os sábados, a festa foi até as quatro horas da manhã. Cansados e sabendo que no dia seguinte teríamos muito trabalho, fomos todos nos deitar logo em seguida. Eu não conseguia pregar os olhos. Marta, muito cansada, adormeceu assim que se deitou. No dia seguinte, eram onze horas, quando ela acordou. Ficou preocupada por ter dormido tanto. Eu continuava dormindo. Ela foi depressa para a casa do Isaías buscar o João. Ismênia estranhou ao vê-la entrar:

— Que você veio fazer aqui? Aconteceu alguma coisa com o João?

— Que está dizendo, Ismênia? Ele não está aqui?

— Não! O Paulo veio buscá-lo ontem a noite.

— Como buscá-lo? Para quê? Por quê não me disse nada?

Ismênia não entendia o que estava acontecendo:

— Não sei o que aconteceu, Marta. Ele me disse que você mandou buscá-lo, por isso entreguei.

Marta chegou ao hotel correndo, foi direto para o quarto. Eu, por ter demorado muito para dormir, não havia ainda acordado, e não percebi quando ela saiu, nem quando voltou. Ela, furiosa, começou a me sacudir para que eu acordasse:

— Paulo! Acorde! Onde está o meu filho?

Acordei assustado, sabia que aquele momento ia chegar. Sabia, também, que teria muita dificuldade para contar para a Marta o que eu havia feito. Sentei na cama. Ela gritou:

— Onde está o meu filho, Paulo? O que fez com ele?

Tentei abraçá-la, mas ela se esquivou:

— *Não quero saber de abraços, quero saber do meu filho, o que fez com ele?*

— *Fique calma. Vou lhe contar tudo.*

Ela tremia muito. No íntimo, sabia o que eu havia feito, mas não queria acreditar.

— *Por favor, não venha me contar que você fez o que estou pensando?*

Fiquei olhando. Ela já havia adivinhado. Abaixei a cabeça, sem coragem de olhá-la. Senti naquele momento a extensão do que havia feito. Ela começou a me bater na cabeça, no rosto, onde conseguia pegar. Estava alucinada:

— *Como teve coragem de vender o nosso filho, Paulo? O meu filho? Você é um monstro! Odeio você! Onde ele está?*

Fiquei calado, não tinha o que dizer. Sabia que havia feito algo terrível, mas já estava feito.

— *Fale alguma coisa! Vou atrás do meu filho!*

Sem que eu esperasse, ela saiu, desceu as escadas e, como uma louca, saiu correndo para a rua. Corri atrás dela. Ela correu, correu muito, até que, cansada, parou e se ajoelhou. Cheguei perto. Ao me ver, quis se levantar e correr novamente. Eu a segurei, dizendo:

— *Não adianta, Marta! Eles já estão muito longe! Saíram, quando fomos dormir.*

— *Você sabia? Você concordou? Você vendeu meu filho? Você é um monstro! Vou a pé, de caminhão, de qualquer maneira, mas vou encontrar o meu filho.*

— *Não adianta, não vai encontrá-los e, mesmo que encontre, não poderá fazer mais nada. Nosso filho não existe mais, está enterrado.*

Ela arregalou os olhos, perguntando:

— *O que está dizendo? Enterrado? Como?*

— *Tente se acalmar para que eu possa lhe contar tudo. Quando eu terminar, vai ver que fiz o melhor para ele.*

— *Melhor para ele, Paulo? Fez o melhor para você! Você é um monstro! Nada que me disser vai poder me fazer mudar de idéia. Vou atrás do meu filho e vou encontrar ele! Você nem ninguém vai me impedir.*

— *Espere, Marta! Fique calma. Você não vai encontrá-los, eles estão indo para os Estados Unidos.*

— O quê? Como?

— Você precisa me deixar explicar. Quando tomar conhecimento de tudo, verá que não foi tão ruim assim.

Ela sentou no meio da rua. Ficou me olhando de uma maneira que jamais esquecerei. Em seus olhos, eu via muito ódio, mesclado com dor. Naquele momento, entendi o que havia feito e também que a tinha perdido para sempre. Ela ficou calada, me olhando, esperando que eu lhe contasse tudo. Sentei ao seu lado, não me atrevi a tocar nela. Comecei a falar:

— Você se lembra daquela noite em que conversamos sobre a proposta do Alan? Você pode não acreditar, mas eu havia pensado muito. Ele tinha razão, jamais nosso filho teria ao nosso lado uma vida decente. Sem dinheiro, seria criado como nós fomos, sem instrução e até sem comida. Por isso tomei a decisão. Assim que você adormeceu, eu fui até o quarto deles. Bati à porta, Alan abriu:

— Preciso falar com vocês. Só que a Marta não pode saber até que tudo aconteça.

— Alan fez com que eu entrasse. Entrei, a Geni estava ansiosa, querendo saber o que eu tinha para dizer. Ela sabia que, se eu estava ali, era porque havia aceitado a proposta do Alan. Sentei em uma cadeira, dizendo:

— Aceito a sua proposta. Sei que para a Marta vai ser difícil, mas arrumarei um jeito de falar com ela. Alan, você tem razão. Não tenho nada para oferecer ao meu filho. Se você me passar todas as suas pedras e os seus negócios, sei que ganharei muito dinheiro e poderei dar tudo para os outros filhos que teremos.

Ao me ouvir dizer aquilo, Marta pegou em meu rosto com muita força e gritou, olhando em meus olhos:

— Outros filhos? Com você? Nunca mais! Nunca mais vai se atrever a me tocar! Até agora não disse o que fez com o meu filho! Continue, mas, por favor, seja breve. Estou ficando cada vez mais nervosa.

— Alan e Geni, ao me ouvirem dizer aquilo, ficaram cheios de felicidade. Foi aí que combinamos como tudo seria feito. No dia seguinte pela manhã, teríamos que ir até a cidade para fazer o enterro do menino e o registro do João. Combinamos tudo. Por isso a Geni se sentiu muito mal, o que obrigou você a ficar com ela. Ao chegarmos à cidade, fomos direto à delegacia. Disse

ao delegado que o meu filho havia nascido morto e que precisava enterrá-lo. Ele nos instruiu que precisávamos de um atestado de óbito e que ele mesmo chamaria um médico para obtê-lo. Tudo seria rápido, desde que se pagasse. O Alan se prontificou a pagar. O menino precisava também de um registro de nascimento. Combinamos que, enquanto ele providenciasse o médico, nós iríamos até o cartório. Assim fizemos. No cartório, Alan registrou o João em seu nome e eu registrei o menino deles em meu nome.

— O quê? Você deu o nosso filho para eles de papel passado e tudo? Você é bem pior do que eu pensava!

— Fiz isso, sim. Por isso tive que inventar aquela história, quando me pediu para ver o registro do João. Achei que estava fazendo o melhor por nosso filho! Ele teria uma vida boa!

— O que o Alan lhe deu em troca?

— Após registrarmos as crianças, fomos até um advogado. Ele preparou um documento no qual passava para o meu nome o hotel e todos os negócios do Alan, aqui no Brasil. Hoje, somos donos de tudo, Marta! Vamos ter muito dinheiro! Muito mais do que eu conseguiria, caso achasse a pedra!

— Você transformou meu filho em uma "pedra"! Você o vendeu em troca de um sonho! Eu te odeio e vou odiar você pelo resto da minha vida!

Eu sabia que ela estava com razão, mas tinha esperança de que conseguiria convencê-la. Por isso, deixei que falasse o que quisesse. Assim que terminou de me xingar, ficou me olhando, esperando a continuação. Prossegui:

— Quando o Alan foi para o Rio de Janeiro, dizendo que ia atender a um cliente, na realidade, ele foi providenciar os passaportes e as passagens para os três. Nosso filho hoje se chama Walther Soares Brown e vai viver nos Estados Unidos.

Ao ler aquilo, Walther se levantou, tomado de susto. Saiu correndo do quarto, chamando por Isaías. Este estava sentado na sala, ao lado de Ismênia, ouvindo música no rádio. Walther entrou correndo e, muito aflito, com os papéis nas mãos, perguntou:

— Isaías! Você sabia disso? Você sabia que eu não era filho da Geni e do Alan? Vocês sabiam que fui vendido?

Ismênia e Isaías estavam esperando por aquele momento. Isaías calmamente, disse:

— Sabíamos, sim, presenciamos todos os fatos.

— Não fizeram nada para impedir uma loucura dessa?

— Só ficamos sabendo quando tudo já havia acontecido, mas, mesmo que soubéssemos antes, não poderíamos fazer nada.

— Aquele retrato que está no quarto é da minha mãe verdadeira?

— Sim, ele esteve ali por todo o sempre.

— E ela onde está? Morreu?

— Pelo visto, você não terminou de ler a carta.

— Não terminei nem vou terminar! Agora só me interessa saber da minha mãe! Quanto deve ter sofrido por um inconseqüente como ele!

— Não vou tirar a sua razão, mas, por favor, termine de ler a carta. Tem ainda muito para saber. Ele deixou tudo escrito, leia e não julgue. Apenas leia. A parte mais difícil você já leu, veja agora as conseqüências de tudo isso.

— Só quero saber se minha mãe ainda vive!

— Leia e saberá. Se eu lhe responder essa pergunta agora, talvez não queira mais ler, e é importante que leia até o fim. Confie na providência. Deus está em todos os lugares e em todos os momentos das nossas vidas, não nos abandona nunca e nada acontece por acaso. Leia tudo até o fim...

— Vem me falar de Deus em uma hora como esta? Onde estava Deus quando esse louco fez uma monstruosidade dessa? Onde está a minha mãe?

— Deus, com certeza, estava ao lado deles, como está agora ao nosso lado. Por favor, leia a carta até o fim.

Walther percebeu que seria inútil continuar insistindo. Isaías não diria nada. Voltou para o quarto, pegou o retrato em suas mãos e começou a olhar aquele rosto que parecia sorrir para ele. Prestou atenção nos cabelos, rosto e, principalmente, em seus olhos, pensou:

Ela era realmente muito bonita e quanto deve ter sofrido... não sei o que estou sentindo nesse momento... fui criado com tudo e com muito amor, não posso me queixar da vida que tive... amei meus pais, mas nunca poderia imaginar que não era filho deles. Descubro, agora, que a minha vida toda foi uma mentira. Descubro, agora, que fui tirado dos braços de uma mulher que me amava... como pode ser isso? Como pode existir tanta maldade no mundo?

Colocou novamente o retrato sobre o criado-mudo, voltou a se acomodar na cama e recomeçou a ler a carta.

Assim que Marta ouviu o novo nome do nosso filho, levantou-se e foi caminhando, calada, em direção ao hotel. Eu a acompanhei à distância. Não me atrevia a dizer mais nada. Sabia que ela precisava de tempo para pensar e eu daria a ela todo o tempo que fosse preciso. Eu a amava muito. Sabia, agora, que embora eu houvesse lhe tirado o filho, poderia lhe dar tudo o que sempre sonhei e outros filhos, tantos quantos ela quisesse.   Ao chegar ao hotel, ela foi direto para o quarto, eu a segui. Assim que entrou no quarto, pegou a mesma maleta com que chegou e foi colocando dentro dela algumas peças de roupas. Eu tentei evitar, ela apenas me olhou, sem dizer nada, mas entendi o seu olhar. Sabia que ela não ia mudar de idéia. Estava, naquele momento, me abandonando. Eu não podia permitir. Desesperado, falei:

— Espere, Marta, não faça isso! Eu amo você! Agora, poderemos ter tudo com o que sempre sonhamos! Não poderei viver sem você! Precisa me perdoar. Sei, agora, o grande erro que cometi, mas me perdoe! Viverei para fazer você feliz! Teremos outros filhos!

Ela não disse nada, nem sequer se voltou para me olhar. Terminou de arrumar a mala, saiu do quarto. Fui atrás, implorei, chorei, mas não adiantou. Perguntei:

— Para onde você vai? O que pretende fazer?

Ela não respondeu, continuou andando. Eu insisti:

— Você não tem para onde ir, Marta!

Ela não disse uma palavra. Continuou andando. Percebi que não adiantava. Ela estava determinada a me deixar e nada a faria mudar de idéia. Ela saiu para a rua e foi caminhando pela pequena estrada de terra. Eu a vi se afastando. Embora desesperado, eu sabia que não conseguiria nada naquele momento. Fiquei olhando até que ela desaparecesse no fim da estrada. Estava ali, parado, olhando, quando ouvi uma voz atrás, nas minhas costas:

— E agora, o que vai fazer, Paulo?

Era Isaías. Olhei para ele, fiquei sem saber o que responder. Ele, percebendo que eu estava desesperado, me fez entrar, dizendo:

— *Venha, vamos entrar, nos sentar e conversar. Não quer me contar o que está acontecendo?*

Eu mal o conhecia. Sabia que ele trabalhava para o Alan, mais nada. Mas, naquele momento, eu precisava conversar com alguém, desabafar, contar a enorme asneira que havia praticado. Ele pegou em meu braço e me conduziu de volta para o hotel. Nós nos sentamos. Olhei em seus olhos, notei que havia neles uma luz que me transmitia confiança. Contei tudo. Ele me ouviu, sem interromper. Quando terminei de falar, lágrimas corriam por meus olhos. Estava sofrendo muito, eu amava Marta e nunca pensei que um dia ficaria sem ela. Ele olhou bem dentro dos meus olhos, dizendo:

— *O que o senhor fez foi muito grave. Eu não sabia de nada, mas agora entendo por que Alan, um dia, me chamou e disse:*

— *O Paulo vai passar por momentos difíceis. Quero que continue ao lado dele e o ajude em tudo o que precisar.*

— *Perguntei o que era, mas ele não disse. Sei que, além do dinheiro e de tudo o mais que recebeu, o senhor, sinceramente, pensou que seria melhor para o seu filho. Não sei se será ou não, mas está feito. Sigo já há muito tempo uma Doutrina que nos ensina que nada acontece por acaso e que nunca estamos sós. Temos o livre-arbítrio para decidir o que é certo ou errado. O que é bom para nós ou ruim. O senhor usou do seu livre-arbítrio, só que foi para decidir a vida de outras pessoas. Vai carregar isso para sempre, mas está feito. Talvez consiga, um dia, remediar tudo o que foi feito hoje. Tenha fé...*

Isaías ficou em silêncio por alguns minutos, só me olhando. Eu não conseguia dizer nada, apenas chorava. Ele perguntou:

— *Para onde acha que ela foi, Paulo?*

— *Não sei, Isaías! Nem sei se ela tem dinheiro. Ela não me disse...*

— *Ela trabalhou durante muito tempo, deve ter algum dinheiro. Não estará indo de volta para casa?*

— *Não sei. Acredito que não. Não sei o que fazer...*

— *Se não sabe o que fazer, não faça nada, Paulo. Confie em um Deus que tudo sabe e que tudo perdoa. Tudo será como tem que ser. No final, tudo está sempre certo.*

— *Não está nada certo, Isaías! Estou só, sem meu filho e sem a mulher que amo...*

— Esse é o preço que terá de pagar pelo uso do seu livre-arbítrio.

— Isso que está dizendo não faz sentido! Não entendo nada disso! Não tenho religião alguma! Nem sei se Deus realmente existe!

— Claro que existe. Olhe à sua volta, tudo isso que vê. Esse sol brilhando, as matas, as montanhas cheias de pedras preciosas, nós mesmos, as plantas, os animais. Ele existe, está em todos os lugares e com todas as pessoas, Paulo.

— Às vezes, quero acreditar que Ele exista, mas ao ver tanta miséria e fome, chego a pensar que não existe nada. A única coisa que realmente conta neste mundo é a quantidade de dinheiro que possuímos. Com ele, sim, podemos ter tudo o que queremos.

— Hoje, o senhor tem uma boa quantidade de dinheiro, mas tem tudo o que quer? Aliás, ninguém tem nada. Tudo o que temos ou conseguimos, um dia, teremos de deixar aqui mesmo.

— Não estou entendendo.

— Um dia, todos voltaremos para Deus e não levaremos nada, a não ser o que aprendemos, fizemos de bem e as orações dos amigos que conquistamos. O resto ficará aqui, inclusive o nosso corpo. Não é mesmo?

Era muito jovem para entender o que o Isaías estava dizendo. O que me importava, realmente, era tudo o que eu poderia adquirir, com todo o dinheiro que agora possuía. Respondi:

— Quer saber de uma coisa, Isaías? Não sei para onde ela foi, mas sei que pensará e entenderá que fiz o melhor para o nosso filho e para nós mesmos. Após pensar bastante, ela voltará. Sei que também me ama. Enquanto isso, vou ficar aqui trabalhando e esperando. Falando nisso, você vai continuar ao meu lado, fazendo o mesmo trabalho que fazia para o Alan?

— Se me quiser, ficarei.

Daquele dia em diante, começamos uma longa amizade que perdura até hoje. Nós nos entregamos ao trabalho. O Isaías cuidava de toda a parte burocrática; eu, dos garimpeiros. Ele e a Ismênia se mudaram para o hotel. Ela começou a trabalhar no lugar antes ocupado pela Geni. Eu, embora fosse dono de tudo aquilo, não era feliz. Todas as noites, ficava pensando em Marta e em você. Sabia que, um dia, ela voltaria. O tempo passava, já fazia dois meses que tudo havia acontecido, mas até agora, nada. Não tinha *notícias da Marta. Em uma manhã, acordei muito nervoso, precisava fazer alguma coisa. Não conseguia parar, andava de um lado para outro. Desde que Alan foi embora, nunca mais eu havia voltado ao garimpo, mas, naquele dia, senti uma vontade imensa de ir até lá. Resolvi que iria, pois pensava, que, cortando aquela montanha, poderia extravasar toda a raiva que estava sentindo. Esquecer de tudo o que havia feito, mas, muito mais, da incompreensão da Marta. Fui até a montanha, peguei a picareta e comecei a cavar com muita força. Precisava colocar a minha ira naquela picareta. Eu cavava, cavava sem prestar muita atenção nos torrões que iam caindo. Ouvi um garimpeiro gritando:*

— Olhe aí! Olhe o tamanho desta pedra!

Olhei para o lugar que ele apontava e vi, estarrecido, ali, sob os meus pés, envolta em muita terra, uma enorme pedra verde. Fiquei parado, olhando, sem coragem de me abaixar e tocar naquilo que era o meu sonho há muito tempo. Após alguns segundos, me abaixei, peguei o torrão e comecei a tirar a terra que a envolvia. Ela era realmente grande, muito mais do que eu havia imaginado. Comecei a gritar feito um louco:

— Encontrei! Encontrei a minha pedra!

Todos os garimpeiros se aproximaram para ver aquela beleza que eu tinha em minhas mãos. Eu pulava e gritava feito um louco. Ela estava ali! Finalmente a encontrei, sabia que a encontraria, Marta sempre me dizia que ela só estava esperando que eu a encontrasse. Só aí me lembrei da Marta. Ali, naquele momento, dei-me conta mais ainda da imensa loucura que havia feito. Só agora eu entendia que aquela pedra não representava mais nada em minha vida. Ela chegou muito tarde. Eu havia perdido meu filho e a mulher que amava. Comecei chorar sem parar. Os garimpeiros acreditavam ser de emoção, felicidade, mas não era verdade, eu chorava de desespero, por ver como a vida era injusta. Peguei a pedra, voltei para o hotel. Fui com ela até o escritório, onde Isaías trabalhava. Chorando, coloquei a pedra em cima da mesa, dizendo:

— Eu a encontrei! Ela está aqui! A pedra que tanto procurei!

Isaías pegou a pedra em suas mãos:

— Que beleza de pedra, Paulo! Nunca vi uma igual em todo o tempo que trabalho aqui! Ela é linda e deve valer muito dinheiro!

— Sei disso, e é por isso que estou chorando...

— *Não entendo! Deveria estar feliz! Todo garimpeiro sonha com uma pedra como esta!*

— *Ela chegou tarde! Muito tarde...*

Isaías entendeu o que eu dizia. Saiu de trás da mesa, colocou a pedra sobre ela, me abraçou:

— *Sei o que está sentindo. Devemos continuar acreditando na sabedoria Divina. Se encontrou esta pedra, é porque tem muito o que fazer nesta terra. Acredito que a primeira coisa que deveria fazer, agora, seria voltar para a sua casa, talvez a Marta esteja lá. Já passou um bom tempo. Ela deve ter pensado muito. Vá até lá, meu amigo. Dê a você mesmo uma chance de remediar o mal que sem intenção fez. Se ela não estiver lá, ao menos reverá a sua família e agora poderá ajudá-los. Vou guardar muito bem esta pedra até conseguir um bom comprador.*

— *Tem razão, farei isso, mas levarei a pedra comigo. Se a Marta estiver lá, quero que a veja.*

— *É muito perigoso viajar com uma fortuna desta. Não sei se essa é uma boa idéia.*

— *Da maneira como ela chegou às minhas mãos, é porque ela é minha, e ninguém vai tirá-la! O importante é que a Marta a veja e compreenda que tudo o que fiz foi pensando no bem-estar do nosso filho e dos futuros que viriam e que virão, se Deus quiser!*

— *Tem razão. Deve fazer isso mesmo. Ao menos, já está falando em Deus. Isso é um bom começo. Acredite que Ele está ao seu lado e que tudo será resolvido da melhor forma.*

— *Estou começando a acreditar, mas Ele podia ter me dado essa pedra, antes que tudo aquilo acontecesse. Receio que agora seja tarde demais...*

— *Tudo tem sua hora e momento. Tudo será como tem que ser. Não imagine o que vai acontecer. Apenas vá, no mínimo, deixará a sua família muito feliz...*

No dia seguinte bem cedo, saí no jipe, que antes pertencia ao Alan e que agora era meu. Durante a viagem, ia pensando:

O Isaías tem razão. Se a Marta não estiver lá, ao menos vou rever a minha família. Farei com que se mudem daquele lugar. Agora, eles poderão viver na cidade, sem depender da chuva para sobreviver. Tenho dinheiro suficiente para que todos possam viver muito bem. Espero, de todo o meu coração, encontrar a Marta e conseguir convencê-la a voltar comigo.

Parei, à noite, em um pequeno hotel na estrada. Estava cansado, havia dirigido o dia inteiro, parando apenas para abastecer o jipe e comer um pequeno lanche. Senti que não conseguiria dirigir durante a noite. No dia seguinte, reiniciaria a viagem. A pedra seguiria colada ao meu corpo. Vestia-me simplesmente, como todos, ninguém poderia imaginar que eu carregava comigo uma fortuna como aquela. Entrei no hotel, dirigi-me até o bar, perguntei se havia algo para comer. Eu queria comer comida mesmo. O lanche que comi na estrada não me satisfez, precisava de algo com muita sustância. O dono do bar me prometeu que a comida seria muito boa e que jamais a esqueceria. Realmente, era boa mesmo. Após jantar, fui logo para o quarto. Estava cansado e a viagem ainda seria muito longa. No dia seguinte logo cedo, levantei, tomei um café rápido e caí na estrada. Durante a viagem, ia olhando aquela estrada; quanta pobreza existia ali. As poucas casas existentes eram feitas de barro e cobertas com folhas. Ali, sozinho, vendo no horizonte a estrada que continuava e parecia não ter fim, eu me lembrei do Deus de que Isaías falava:

Será que Ele existe mesmo? Se Ele existe, por que permite que haja tanta pobreza neste mundo? Como pode permitir que essas pessoas vivam dessa maneira? Que futuro tem essa gente? Que sonhos?

Continuei dirigindo. Finalmente, avistei, ao longe, a minha casa. Levava comigo muita esperança de reencontrar Marta e conseguir convencê-la a voltar e viver ao meu lado. Eu, agora, era um homem rico e tinha também encontrado a minha pedra. Cheguei nos limites da propriedade, parei o jipe e fiquei olhando. Ainda restava algum verde, mas, com certeza, a seca, em breve, chegaria e tudo aquilo se transformaria em terra, pura terra, como tinha acontecido durante toda a minha vida. Acelerei, entrei. De longe, vi, na varanda, uma mulher que correu para dentro da casa, assim que viu o jipe entrar na estradinha. Da distância em que eu estava, não conseguia reconhecer quem era, mas, pelos cabelos negros, só podia ser ela, Marta. Meu coração disparou. Acelerei mais, a pequena estrada era de terra e com muitos buracos, mas nada daquilo importava. Estava chegando junto da mulher que amava mais que tudo, mais até do que a minha tão sonhada pedra. Em seguida, vi a mulher voltando, acompanhada por um homem. Não havia como não o reconhecer: era meu pai. Sua altura e o modo de

147

usar o chapéu eram inconfundíveis. Caminhei em direção a eles, que me reconheceram e eu os reconheci. Começaram a gritar e a abanar as mãos. Eu fazia o mesmo. Com uma mão no volante e a outra abanando. Percebi que a mulher não era a Marta, mas minha prima Nalva, irmã dela. Mesmo assim, eu estava feliz, voltava para casa e, como havia prometido, com a minha pedra, que tiraria todos daquele lugar. Com os gritos, os demais membros da família também vieram, alguns correram ao meu encontro. Nós nos abraçamos com muita emoção e saudades. Entrei em casa, tudo continuava como sempre fora. Nada mudara. Vi todos, menos ela. Sem esconder a minha emoção perguntei:

— Onde está a Marta?

Eles me olharam com ar de surpresa. Meu pai perguntou:

— Ela não está com você?

— Não! Ela me abandonou há mais de dois meses, pensei que estivesse aqui!

— Abandonou? Por quê, Paulo? E a criança? Ela teve a criança, não teve?

— É uma longa história, pai, mas se ela não está aqui, onde estará?

Minha tia, mãe de Marta, foi quem falou:

— Desde que o pai a expulsou daqui, quando soube que ela estava esperando criança, e o pior, que essa criança era sua, do próprio primo, nunca mais tivemos notícias. Eu fiquei desesperada ao ver minha filha partindo daquela maneira, mas você sabe como seu tio era, não consegui evitar!

— Era? O que está me dizendo? Onde está o meu tio?

— Ele morreu dois meses após a ida dela. No fundo, não se conformou por ter feito aquilo. Morreu de repente, foi tomar café na cozinha, caiu, quando chegamos perto, ele já estava morto. Embora, preocupada com a minha filha, sempre tive a esperança que ela tivesse encontrado você, que estivessem juntos.

Fiquei desolado com a notícia da morte do meu tio, mas muito mais preocupado com a Marta. Onde ela estaria? O Brasil é muito grande, embora eu agora tivesse dinheiro, não sabia por onde começar. Pensei:

Será que ela foi para os Estados Unidos atrás do filho? Não! Ela não conseguiria. Por mais dinheiro que tenha guardado, não conseguiria, em tão pouco tempo, juntar o necessário para pagar a passagem. Além do mais, não sabia ler. Não! Ela está no Brasil e eu vou encontrá-la.

Logo estava rodeado por toda a minha família. Meus pais, irmãos e primos. Todos estavam lá, felizes, e eu, apesar de tudo, estava feliz também. Eu os amava. Luiz, o irmão que trabalhou ao meu lado no garimpo e que não quis continuar ali, perguntou:

— E aí mano velho! Disse que só voltaria quando encontrasse a pedra grande! Você a encontrou?

Eu desabotoei a camisa, tirei a pedra que estava embrulhada em um pano preto e colada ao meu corpo com esparadrapos, coloquei em cima da mesa. Todos se aproximaram e se espantaram com o tamanho e o brilho. Sorrindo, disse:

— Encontrei, mano... encontrei... aí está ela...

Ele, como os outros, também se admirou, mas percebeu que eu não estava bem. Afastou-me dos outros, perguntando:

— Que aconteceu? Parece não estar feliz por ter encontrado a pedra? Por ter realizado o seu sonho?

— Claro que fiquei e estou feliz, só que paguei um preço muito alto por ela...

— Não estou entendendo! Que preço?

— O amor da Marta, receio tê-la perdido para sempre. O meu filho está distante, talvez nunca mais volte a vê-lo...

— Que está dizendo, não estou entendendo, Paulo!

— Vou lhe contar, vamos sair, quero andar por aí e ver tudo. Ver o que mudou após eu ter saído daqui.

— Vamos, sim! Quero que me conte tudo. Quanto ao lugar, continua como antes, nada mudou.

— Eu sei, já percebi quando cheguei, mas, mesmo assim, quero rever tudo.

Saímos e começamos a andar. Contei a ele em detalhes tudo o que havia acontecido. Ele me ouviu sem acreditar, mas não me interrompeu. Quando terminei, lhe disse:

— Foi tudo isso que aconteceu. Encontrei a pedra, tenho hoje muito dinheiro, mas perdi a Marta e o meu filho...

— Por tudo o que me disse, pode ter perdido a Marta, mas algum dia

ela poderá reaparecer. Quanto ao seu filho, sabe onde ele está e poderá ir até lá e trazê-lo de volta!

— *Não posso fazer isso! Para todos os efeitos, meu filho está enterrado. Eu deixei que o americano o registrasse em seu nome. Não posso nunca reclamar os meus direitos. Não posso provar que aquele menino é meu filho! Não posso fazer nada, a não ser continuar procurando pela Marta. Sei que vou encontrá-la.*

— *Espero que consiga. Eu vou ajudar na procura.*

— *Obrigado, mano, só podia esperar isso de você, mas voltei também para cumprir a minha promessa. Vou tirar vocês todos daqui! Vou comprar uma casa grande na cidade. Mandarei dinheiro todos os meses. Todos estudarão e viverão tranqüilos, sem o medo da seca. Nunca mais sofrerão!*

— *Isso vai ser muito bom, desde que consiga convencer a todos. Sabe o quanto os velhos gostam daqui. Vamos ver? Falar com eles?*

— *Vamos, sim, sei que vou convencê-los. Por mais que gostem daqui, sabem que viverão melhor na cidade.*

Entramos, abraçados, em casa. Todos ainda continuavam olhando a pedra. Ela passava de mão em mão. Sorri ao ver a felicidade no rosto deles. Peguei a pedra que estava na mão da minha prima, e disse:

— *Esta pedra vai nos dar a todos maior conforto. Uma vida melhor! Vou comprar uma casa na cidade! Todos mudarão para lá. Todos poderão estudar e sonhar com o futuro! Não vamos mais ter medo da seca, pois ela nunca mais nos atingirá! Estamos livres!*

Os mais jovens se empolgaram. Gritaram e dançaram de alegria, mas, como o previsto por meu irmão, os mais velhos ficaram calados, um olhando para o outro.

Aos poucos, todos foram notando o silêncio deles. Eu me aproximei do meu pai e perguntei:

— *Que foi, meu pai? Não ficou feliz com a pedra e com tudo o que ela pode nos dar?*

— *Fiquei! Vocês vão conseguir mudar de vida, vão ter a oportunidade de estudar e sonhar com um futuro melhor, mas nós estamos velhos. Crescemos aqui nesta terra, nós a amamos e não vamos sair. Eu, ao menos, não vou. Quem quiser, pode ir, tem a minha bênção, mas eu não. Vou continuar aqui, onde é o meu lugar.*

Não acreditei no que estava ouvindo:

— Meu pai! Não diga isso! Sei que gosta daqui, mas durante toda sua vida sofreu muito, esperando a chuva que não vinha, vendo sua roça e animais morrendo! Não precisa mais disso!

— Você tem razão, meu filho! Sempre esperei a chuva chegar e ela sempre chegou. Não vou saber viver em outro lugar.

Minha mãe e minha tia se aproximaram. Minha mãe disse:

— Meu filho, estou feliz por ter encontrado um caminho melhor para sua vida. Sei que seus irmãos e primos também estão felizes. Eles vão ter a oportunidade de alcançar tudo com o que sonharam, mas seu pai tem razão, nós estamos velhos. Vamos continuar aqui, cuidando de tudo. Tem razão quando diz que não precisamos mais nos preocupar com a chuva. Quando a seca chegar, vamos ter um lugar na cidade para esperar que ela vá embora, mas retornaremos junto com a chuva para recomeçar tudo. Nossa vida tem sido assim e assim será para sempre. Você não pode tirar a nossa felicidade, se sairmos daqui, com certeza, seremos infelizes.

— Não entendo o porquê de tanto amor por esta terra que só nos trouxe tristeza e sofrimento, mãe?

— Você jamais vai entender, mas tem que respeitar a nossa vontade. Pode ajudar aos jovens e a nós também, deixando-nos aqui. Agora, não estamos na seca. Nossa roça está verde e produzindo. Continuaremos aqui. Assim que ela chegar, lhe prometo que não passaremos dificuldades. Iremos para a cidade e ficaremos na casa que você comprar, mas, enquanto esse dia não chegar, nos deixe aqui, vivendo da maneira que sempre vivemos.

Percebi que não havia um modo de fazê-los mudar de idéia. Não entendi, mas tive que dizer:

— Está bem, mãe, se é assim que querem, assim será, mas vão me prometer que não passarão mais necessidades. Comprarei a casa. Os jovens vão estudar e assim poderão se livrar de toda esta miséria.

Fiz exatamente isso. Junto com meu irmão, compramos a casa bem no centro da cidade. Os jovens mudaram e começaram a estudar. Hoje estão todos muito bem. As moças estudaram, casaram e têm filhos. Meu irmão mais velho, agora, é um bom advogado. Temos, em nossa família, advogados, engenheiros, professores e alguns nem sei em que se formaram. Alguns continuaram morando no Piauí, outros se espalharam por este

Brasil. Tenho sempre notícias deles. Combinei com meu irmão que, todos os meses, seria depositado, no banco, uma quantia para que eles não se preocupassem com nada. Queria apenas que os velhos tivessem toda assistência e os jovens estudassem. Após ter cumprido a promessa feita, que ao encontrar a minha pedra, eu deixaria todos bem, a minha missão ali naquele momento terminou. Precisava voltar para o garimpo e tentar encontrar a Marta. Fiquei lá por uma semana, não poderia ficar mais. Embora soubesse que o Isaías estava cuidando de tudo, eu tinha responsabilidades no garimpo. Me despedi de todos, prometendo e recebendo promessas de que íamos nos corresponder todos os meses. Entrei no jipe e, abanando as mão, reiniciei o caminho de volta. Voltava feliz por ter deixado todos bem, mas muito triste por não encontrar Marta. Assim que cheguei ao garimpo, fui recebido por Isaías:

— Senhor Paulo! Ainda bem que chegou! Está tudo bem com a sua família? Encontrou a Marta?

— Com a minha família está tudo bem. Quanto à Marta, não a encontrei e ninguém sabe dela...

— Sinto muito, mas não se desespere, tudo tem hora certa para acontecer!

— Queria ter essa esperança, mas, por mais que queira ser otimista, acredito ser difícil, ou quase impossível, encontrá-la.

— Nada é impossível para Deus! Tenha fé! Tudo caminha da mesma maneira que nós próprios estamos caminhando, sempre para o melhor. Não sei se está disposto ou muito cansado, mas precisamos conversar sobre alguns pedidos que recebemos. Preciso que assine alguns papéis para que eu possa enviar.

— Está bem, vou acreditar nesse seu Deus e continuar a minha vida, mas vou colocar alguns anúncios em jornais do país, fazer um comunicado nas rádios que existam aqui por perto. Quem sabe receba alguma notícia.

— Boa idéia, faça isso! Só não pode desanimar! Agora, tem em suas mãos um negócio muito grande! Precisa tomar a frente de tudo!

— Seu otimismo me contagia. Vou trocar de roupa, descansar e comer um pouco, depois, conversaremos.

— Está bem. Estarei no escritório esperando pelo senhor.

Entrei no hotel, fui para o meu quarto. Assim que entrei, vi esse retrato que está agora em meu criado- mudo. Se não o viu, sugiro que peça ao Isaías para lhe mostrar. É o retrato de Marta, sua mãe. Olhei para o retrato, lembrei-me dos momentos bons que tivemos juntos. Novamente, uma enorme saudade me envolveu. Tomei um banho, me deitei. Estava cansado, adormeci em seguida. Quando acordei, já era noite. Levantei, fui para o salão. Era meio da semana, tudo ali estava calmo. Ismênia estava na cozinha, conversando com a cozinheira. Fui até ela. Ao me ver, abriu um sorriso:

— Que bom que o senhor voltou! Estávamos preocupados!

— Sei que demorei mais do que esperava, mas tinha muitas coisas para resolver. Como está tudo aqui, Ismênia?

— Aqui está tudo bem, mas e o senhor, como está? O Isaías já me contou tudo! Não desanime, vai encontrá-la!

— Espero que sim!

— O Isaías pediu que eu o avisasse, quando o senhor acordasse. Se quiser falar com ele, está lá no escritório.

— Obrigado, irei agora mesmo.

Conversei com Isaías. Ele me contou todas as novidades do garimpo. Disse que haviam sido encontradas muitas pedras e que vários pedidos chegaram. Terminou, dizendo:

— O senhor tem muita sorte. Os negócios para o americano não estavam muito bons. Fazia já algum tempo que não eram encontradas pedras de um bom tamanho. Após encontrar a sua, muitas outras surgiram, mas nenhuma com o tamanho da sua. Se continuar assim, vai ganhar muito dinheiro! Preciso que assine estes papéis.

Assinei os papéis que ele me deu. Saímos do escritório e nos dirigimos à sala para jantar. Conversamos sobre muitas coisas. Contei a ele tudo o que havia feito na viagem e como deixei a minha família. Ele me contou o que fez na minha ausência. Fomos dormir. No dia seguinte, mandei um dos garimpeiros até a cidade, colocar anúncios procurando por Marta nos jornais e nas rádios das cidades vizinhas. Os dias foram passando, entrei na rotina do trabalho, mas como não chegava notícia alguma, aos poucos fui me desesperando. Uma manhã, acordei muito nervoso e desalentado. Não via mais motivo para continuar vivendo. Levantava todos os dias muito cedo, mas, naquele dia, não tive vontade de me levantar. Fiquei ali na cama, pensando:

O que me adianta ter tudo hoje? Para que serve o dinheiro? O que fazer com ele, se não tenho ao meu lado aqueles a quem amo? E tudo por minha culpa!

No garimpo, existiam pessoas de toda espécie, boas e aventureiras, que vinham ou para descobrir o lugar onde as pedras ficavam guardadas, ou ver quem as encontrava para, depois, segui-los e roubá-los. Por isso, todos andavam armados, inclusive eu. Levava sempre na cintura um revólver. Todos sabiam que eu atirava muito bem. À noite, quando ia dormir, colocava o revólver sobre uma cômoda. Já há alguns dias eu vinha pensando na inutilidade da minha vida. Levantei, olhei para o revólver. Uma idéia passou pela minha cabeça. Peguei-o, segurei em minhas mãos. Pensei um pouco, o coloquei em minha cintura, resolvi descer. Lá embaixo, procurei por Isaías. Ismênia me informou que ele havia ido bem cedo até o armazém. Perguntou:

— O senhor está bem?

— Estou... por quê?

— Demorou muito para descer e não me parece bem. Está sentindo alguma dor? Está doente?

— Não, não estou doente nem sentindo dor, só não dormi muito bem esta noite.

Ela se retirou, eu entrei no escritório. Sentei na cadeira e comecei a mexer nos papéis que estavam sobre a mesa. Olhava para eles, via números, mas não conseguia me concentrar. Aquela idéia voltou a minha cabeça. Tirei o revólver da cintura, fiquei segurando em minha mão e pensando:

Do que adianta continuar vivendo? Antes, quando tentava encontrar a pedra, tinha um sonho; hoje, tenho a pedra e muito mais do que sonhei, para quê? Minha família está toda bem, mas a Marta sumiu e com certeza não voltará mais... meu filho está perdido para sempre... estou sozinho nesse mundo... para que trabalhar? Para que viver? Estou cansado e desiludido desta vida...o melhor é morrer e acabar com tudo...

Quando terminei de pensar, peguei o revólver e o levei até o meu ouvido. Sabia que um tiro, naquele local seria fatal e rápido, eu nem sentiria. Estava assim, quase apertando o gatilho, quando Isaías entrou. Ao me ver naquela situação, parou na porta e falou:

— *Por favor, não faça isso! Esse não é o caminho nem a solução para nenhum problema...*

Eu, ainda com o revólver no ouvido, respondi:

— *Pode não ser o caminho, mas é a única solução para a minha vida! Não agüento mais! Tenho tudo e ao mesmo tempo não tenho nada! Se morrer, tudo terminará!*

— *Está enganado! Nada terminará! A vida continua após a morte... Se chegar do outro lado através do suicídio, terá um sofrimento ainda maior... Pelo amor de Deus, não faça isso....*

Percebi que lágrimas caíam de seus olhos enquanto falava. Não acreditava no que ele dizia, mas sabia que ele acreditava, e muito, em tudo aquilo. Também não podia me matar na sua frente. Ele era um bom homem, não merecia assistir a uma cena como aquela. Baixei a mão, coloquei o revólver sobre a mesa. Ele andou até onde eu estava e, chorando, me abraçou.

— *Obrigado, senhor, por ter desistido de fazer essa loucura. Esse não é o caminho. Deus existe! Não está no céu, não. Ele está aqui, neste momento, ao nosso lado, ou melhor, dentro de cada um de nós! O senhor tem que acreditar nisso!*

Abraçado a ele, chorei muito. Não conseguia me conter. Os soluços saíam altos de minha garganta. Depois de algum tempo, fui me acalmando. Olhei em seus olhos, dizendo:

— *Obrigado, amigo... Após tudo o que aconteceu aqui, por favor, não me chame mais de senhor. Não sou o patrão, nem você é meu empregado. Você é meu amigo. E um amigo não chama ao outro de senhor.*

Ele não respondeu, apenas sorriu. Continuei falando:

— *Sei que acredita nesse Deus, mas como pode acreditar, se você mesmo veio para cá, fugindo da seca, da miséria? Que Deus é esse que permite tanto sofrimento a pessoas inocentes, que só querem ter um pedaço de terra para sobreviver? Que Deus é esse?*

— *O mesmo Deus que o fez encontrar a pedra, que lhe deu dinheiro para ter tudo o que quiser! Que fez com que pudesse ajudar sua família!*

— *Em troca do quê? Em troca da distância dos que amo? Aliás, disso Ele não teve culpa, o único culpado sou eu mesmo. Fui eu quem os afastei, só eu! Sou o único culpado de tudo. Por isso, não tenho mais nada para fazer... prefiro morrer a que continuar vivendo com essa culpa...*

— *Deus é bom e generoso, perdoa-nos sempre e, para Ele, não existem culpados ou inocentes, somos todos caminhantes rumo à perfeição.*

— *Como não existem culpados? Eu sou culpado e sei disso!*

— *Nem você nem eu sabemos nada. Entrei correndo aqui porque o carteiro me entregou esta carta que chegou para você!*

— *Carta? Quem mandou?*

— *Não sei, mas acredito que tenha sido Deus!*

Peguei o envelope de suas mãos. Olhei o remetente. Era da Geni. Olhei para Isaías, dizendo:

— *Você sabe que não é de Deus, já deve ter lido o remetente e viu que é da Geni.*

— *É da Geni, mas chegou pelas mãos de Deus na hora certa! Abra logo, veja o que ela diz!*

Abri, havia uma carta e um retrato seu. Olhei o retrato, você estava lindo! Olhei atrás e estava escrito:

Este é o Walther. Não está lindo?

Com lágrimas, entreguei o retrato para que Isaías pudesse ver.

Comecei a ler a carta em voz alta:

Estimado Paulo:

Espero que aí esteja tudo bem e que tenha convencido a Marta, que o que fez, foi o melhor para o menino. Como pode ver na foto, ele está forte e bonito. Estou lhe mandando este retrato e mandarei muitos outros para que possam acompanhar o seu crescimento. Estamos muito bem e felizes. Como lhe prometi, vou ensiná-lo a falar, ler e escrever em português para que, se um dia quiser voltar para o Brasil, não encontre problemas com a língua. Você prometeu que nunca tentaria entrar em contato conosco e que ele nunca saberia não ser o nosso filho. Espero que cumpra essa promessa para o bem de todos nós e, principalmente, dele. Prometo-lhe que, quando achar que chegou a hora, avisarei você. Vou falar com o Walther, contar tudo e pedir que procure vocês. Espero e desejo de coração que estejam bem e felizes. Por favor, embora tenha no remetente o meu endereço, não escreva. O Alan me proibiu de manter correspondência com vocês. Ele tem medo de que, com o dinheiro, vocês possam se arrepender e queiram tentar recuperar o menino. Peça perdão a Marta por não ter dito nada a ela e por tudo ter sido feito de uma maneira não muito leal, mas eu os amo muito.

Com carinho Geni.

Assim que terminei de ler, olhei para Isaías. Ele estava de olhos fechados e posso até dizer que rezava. Ele abriu os olhos, dizendo:

— Não disse, Paulo, que Deus é poderoso e que nos ama e perdoa sempre? Essa carta chegou no memento exato para impedi-lo de fazer uma loucura!

— Você pode até ter razão nisso, Isaías, mas ainda não me conformo com as diferenças deste mundo, com a pobreza das pessoas...

— Vou lhe dar um livro para que leia.

— Não gosto de ler, aliás nem sei ler direito.

— Este você vai ler, aquilo que não entender, me pergunte, responderei tudo o que puder e souber. Posso lhe garantir que assim que terminar de ler, entenderá muitas coisas desse nosso Deus e como Ele é maravilhoso!

Ele me deu "O Evangelho segundo o Espiritismo." Comecei a ler. Confesso que foi muito difícil entender, mas Isaías foi me ensinando, respondendo as minhas perguntas. Depois, ele me deu "O Livro dos Espíritos". Discutimos muito a respeito de tudo. Com o passar do tempo, fui entendendo que Deus nos dá sempre uma nova chance através da reencarnação. Vivemos muitas vidas e ainda viveremos tantas outras quantas forem necessárias para a nossa evolução. Nada acontece por acaso. Tudo tem sempre um motivo. Não sei qual foi o motivo que me separou de você e de sua mãe, mas sei que deve existir algum. Após ler aqueles livros, li muitos mais. Em cada um eu encontrava mais ensinamentos do grande amor de Deus por nós, seus filhos. Aprendi que, durante a vida, temos que fazer muitas escolhas, nem sempre fazemos as escolhas certas, mas o importante é que as façamos. Se for a escolha certa, tudo bem, mas se porventura, fizermos a escolha errada, paciência, após feita, não há como mudar. Se der para se arrumar o estrago, tudo bem, mas se não der, não adianta ficarmos para o resto da vida nos culpando. Erramos aqui, acertamos ali, assim *vamos evoluindo. Outra coisa que aprendi foi que devemos aceitar nossos companheiros de caminhada como são. Cada um está em um estágio da estrada. Não somos melhores nem piores que qualquer um. Somos todos caminhantes e aprendizes do bem. Não devemos guardar ódio nem mágoa em nossos corações. Jesus veio para a Terra só para nos ensinar que o perdão é o caminho para se chegar até Deus. Por isso, agora que estou voltando para o Pai, volto tranqüilo. Sei que errei, mas sei também que foi tentando acertar. Sei que você hoje é um homem de bem, instruído e pronto para a vida. Sei também que amou e foi muito amado pelo Alan e pela Geni.*

Walther largou a carta sobre o colo e ficou pensando:

Que homem foi esse? Não sei se o odeio ou admiro! Será que isso que escreveu sobre Deus é verdadeiro? Reencarnação? Minha mãe, antes de morrer, falou qualquer coisa a respeito disso, não dei muita atenção. Hoje, sinto que deveria ter me interessado mais pelo assunto. Agora, preciso terminar de ler a carta, vamos ver o que mais tem para me contar.

Pegou a carta e continuou lendo.

Aquela carta me deu um novo ânimo. Sabia que você estava bem e que dali para frente teria sempre notícias suas. Sabia que embora fosse por retratos eu iria acompanhar o seu crescimento e, quando encontrasse Marta, mostraria para ela a carta e os retratos. Ela veria que você estava bem. Daquele dia em diante, a minha vida mudou. Continuei procurando sua mãe, não a encontrava, mas como o sonho da minha pedra, tinha certeza que um dia eu a encontraria, do mesmo modo como encontrei a pedra. Geni cumpriu a sua promessa. Durante todos estes anos, tem me mandado seus retratos. Nunca escrevi, atendendo a seu pedido. Queria evitar qualquer coisa que pudesse lhe causar problemas.

Como o Isaías disse, sou um homem de sorte. Os negócios prosperaram. Ganhei muito dinheiro. Trabalhei, sempre, pensando que um dia tudo seria seu. Essa foi a forma que encontrei de lhe pedir perdão. A esta altura dos acontecimentos, já deve saber da quantia que tem hoje em dinheiro. Espero que esse dinheiro lhe traga muita felicidade. Já deve saber, também, que me desfiz de tudo o que tinha e transformei em dinheiro para que possa decidir o que fazer com a sua vida. Quero lhe dizer, também, que a casa de nossa família no Piauí está no mesmo lugar. Ali ainda moram minha mãe, meu pai e minha tia. Eles continuam na sua vida de sempre. Já estão bem velhos, mas, mesmo assim, insistem, até hoje, em viver naquele lugar, onde nasceram e tiveram seus momentos de tristeza e felicidade. Se os quiser conhecer, estão lá e lá ficarão até que resolvam sair. Meu irmão mais velho cuidou deles esse tempo todo e ainda continua fazendo isso. Gostaria muito que, se puder e sentir vontade, fosse até lá para conhecê-los. O Isaías tem o endereço. Quanto a sua mãe, embora a tenha procurado durante toda a minha vida, não a encontrei. Sinto muito, não sei se ela está viva ou morta. Aliás, quando estiver lendo esta carta, eu já saberei. Essa pequena chave que está com você é de uma caixa de segurança no banco. Com ela, poderá pegar a minha pedra! Sim ! Eu não a vendi! Sempre tive a esperança de encontrar a sua mãe e poder mostrar-lhe que a havia achado. Queria que ela a pegasse em suas mãos, sentisse o seu peso e visse o seu brilho. Agora, ela é sua. Faça com ela o que quiser. Um dia, eu troquei você como se fosse uma pedra. Hoje, devolvo-lhe esta pedra. Vou terminar esta, pedindo-lhe, se for possível, que me perdoe. Como todo ser humano, não sou perfeito, mas pode ter certeza de que sempre o amei mesmo à distância. Continuarei amando você do outro lado da vida. Que Jesus o proteja e o ajude a fazer as escolhas certas e a me perdoar. Um beijo do fundo do meu coração.

Seu pai, Paulo

Walther, com aquela carta na mão, sentia que flutuava, estava confuso e indeciso. Não sabia o que pensar daquele homem e da sua própria vida:

Não posso dizer que ele tenha sido bom ou mau. Neste momento, percebo que minha vida toda foi uma mentira. Ao me lembrar da minha criação, não tenho o que me queixar, sempre tive tudo o que um ser humano precisa para ser feliz... nunca me faltou nada em termos materiais, muito menos carinho e amor, tanto por meu pai, como por minha mãe. Eles sempre me trataram como um pequeno rei. Mas e a minha verdadeira mãe? Quanto deve ter sofrido e, quem sabe, até hoje ainda sofra? Onde ela estará? Será que ainda está viva? Será que se eu a encontrar, sentirei algo por ela?

Pegou o retrato que sabia agora ser de sua mãe, a doce Marta. Falou em voz alta:

— Minha mãe... sei que abandonou tudo por minha causa... sei que, cruelmente, fomos separados, mas onde a senhora estará agora? Desde que cheguei a esta terra, tenho notado minha vida mudar a cada minuto. Não sei o que fazer... nunca fui pobre, mas hoje tenho muito mais dinheiro do que um dia pudesse imaginar... não sei o que fazer com todo esse dinheiro... já não tinha mais sonhos, pois pensava e ainda penso que tenho tudo para ser feliz... com ele poderei comprar uma casa melhor do que a que tenho, talvez um carro melhor, mas e daí? Essas coisas não me fazem falta. Descubro que, ao me levarem desta terra, me transformaram em um americano... descubro que sou um brasileiro, pois tenho raízes aqui... sempre pensei que não tinha mais ninguém no mundo, descubro hoje que tenho uma família imensa! Descubro que tenho ainda avós, tios e primos. Não sei o que fazer. Não sei se volto agora, ou se procuro por todos eles, inclusive pela senhora...

Ficou ali no quarto com o retrato de Marta nas mãos. Olhou para aquele rosto e imaginou o quanto ela havia sofrido por ele, sem que ele mesmo soubesse. Olhava para aquele rosto que parecia lhe sorrir. Sabia que havia sido amado muito por Paulo, mesmo à distância. Ouviu uma batida na porta. Disse:

— Entre.

A porta se abriu e por ela entrou Isaías. Ao ver Walther com o retrato nas mãos, perguntou:

— Terminou de ler a carta?

— Sim...

— Quer falar a respeito?

— Pode imaginar que sim, Isaías. Estou em estado de choque...

— Sei disso, mas não seria melhor irmos para fora, está já há muito tempo neste quarto.

— Acho que tem razão. Lá fora, respirando ar puro, talvez consiga colocar meus pensamentos em ordem.

— Isso mesmo, vamos?

Walther acompanhou Isaías, levando em suas mãos o retrato de Marta..

A Decisão

Saíram do quarto. Passaram por Ismênia, que estava na sala, sentada em um sofá. Isaías olhou para ela. Pela expressão do rosto de Walther, ela percebeu que ele não estava bem. Não disse nada, apenas os acompanhou com o olhar.

Já lá fora, sentaram em um banco perto da piscina. Isaías foi o primeiro a falar:

— O que está pensando a respeito de tudo o que leu?

— Não sei... estou ainda muito confuso... sinceramente, não sei...

— Não se preocupe, acredite sempre que Deus é nosso Pai, e Ele guia nossos caminhos e no final sempre há uma solução.

Walther voltou a olhar para o retrato, dizendo:

— Será que a Marta, minha mãe, pensa dessa mesma maneira? Será que ela entendeu por que fomos separados? Será que esse Deus de que você fala foi justo com ela? É muito difícil acreditar em um Deus que não hesita em permitir que coisas como essas aconteçam!

— Tudo está certo sobre o céu e a terra. A folha de uma árvore não cai sem a permissão de Deus.

— Não acredito nisso. Esse Deus está muito distante, lá no céu, mas nós estamos aqui, na Terra. Minha mãe verdadeira sofreu e, ainda, se estiver viva, deve estar sofrendo muito pela atitude deles três! Não sei nem se ela está viva ou morta!

— Deus não está lá no céu! Ele está aqui neste momento! Ele está dentro de cada um. Ele está fazendo sempre o melhor para o nosso bem.

— Fazendo tudo para o nosso bem, Isaías? Acredita mesmo nisso? Acredita que Ele queria que eu fosse afastado de minha mãe, que me amava?

— Esse afastamento não foi tão ruim assim. Você foi bem educado e bem criado. Pelo que sei, nunca lhe faltou nada, nem mesmo amor. Agora, é um homem muito rico, talvez não se tenha dado conta do quanto.

— Sei de tudo isso. Sei também que sou um homem muito rico. Muito mais do que um dia sequer pensei. Mas, e a minha mãe, onde está?

— Isso não posso lhe responder, pois Paulo a procurou a vida toda.

Colocou anúncios em jornais e rádios. Contratou pessoas para que tentassem encontrá-la, mas foi tudo inútil.

— Será que ela está morta, Isaías?

— Paulo nunca quis aceitar essa idéia, mas lhe confesso que há muito tempo já acreditei nessa hipótese.

— Está vendo? Como posso acreditar nesse seu Deus? Como posso perdoar esse homem que se diz ser meu pai? Ele não só me afastou da minha mãe, mas de toda uma família! Fui criado com tudo, como você diz, mas sempre sozinho. Sem um irmãos ou parentes. Como posso acreditar e perdoar?

— Fique calmo. Sei o que está sentindo a respeito de tudo isso. Sei o que está pensando do Paulo, mas ele pagou muito caro pelo erro que cometeu, embora acreditasse que lhe estivesse fazendo um bem. Levou o resto da sua vida procurando por Marta. Nunca se casou, sempre na esperança de encontrá-la. Fui até o seu quarto para lhe dizer, que o jantar está pronto. Apesar de tudo o que está sentindo, não pode deixar de se alimentar. Agora, com todo o dinheiro que tem, pode ter tempo de pensar no que vai fazer com a sua vida. Se quiser, pode continuar aqui no Brasil, não precisa mais voltar.

— Ficar aqui? Nem pense nisso! A minha vida está toda lá! Minha casa, meu trabalho e meus amigos.

— Você tem razão, mas agora precisa se alimentar. Dormirá e amanhã será outro dia. Como todos os dias, o sol vai nascer novamente e, com ele, novos pensamentos e oportunidades. Deixe por conta desse meu Deus, como você diz. Ele sabe de tudo e encaminha nossos passos. Vamos jantar?

Walther estava com fome. Havia ficado muito tempo dentro daquele quarto. Olhou para Isaías e disse:

— Vamos, sim. Estou com fome. Tenho muito para pensar e pouco tempo para decidir. Estou confuso, mas a minha vida não pode parar. Tenho que decidir rápido o que vou fazer...

— Isso mesmo! Assim é que se fala! Você tem muitas maneiras de tocar a sua vida daqui para frente. Não terá mais problemas com dinheiro.

Saíram do quarto, foram para a sala de jantar. Ismênia já estava com a mesa colocada. Ela estava agora na cozinha. Leo estava sentado no chão, tentando montar um quebra-cabeça com pequenas peças. Enquanto Isaías foi até a cozinha avisar Ismênia de que já estavam prontos para o jantar, Leo viu Walther entrando. Falou:

— Seu Walther, não quer me ajudar a montar? Não estou encontrando uma peça que caiba aqui neste lugar.

Walther olhou para o menino que lhe sorria. Ele ainda não se sentia à vontade na presença daquele garoto, embora soubesse que era uma criança alegre, feliz e muito amado por Isaías e Ismênia. Para ele, ainda era um negro. Mas não conseguiu dizer não diante daquele sorriso de criança. Sentou ao lado de Leo e ficou olhando para o quebra-cabeça. Era a paisagem de uma montanha com árvores e neve. Aquela paisagem era muito conhecida. Havia crescido com a neve e com o frio que ela produzia. Sentiu muita saudade da sua casa, dos amigos e daquele país que havia aprendido a amar como se fosse seu. Enquanto procurava com Leo a peça que precisava, ia pensando:

Não posso deixar de voltar. Estou aqui neste país que me é totalmente estranho. Quem diria que, um dia, estaria assim, ao lado de um negro...

— Achei! É esta aqui!

Walther voltou o olhar para Leo. Ele, feliz, lhe mostrava com suas pequenas mãos uma peça do quebra-cabeça. Iam colocá-la no lugar, quando as mãos se encontraram. Novamente, Walther sentiu aquele contato. Novamente, retirou a mão com rapidez. Leo não percebeu e, rindo muito, colocou a peça no lugar:

— Viu, é ela mesma! Agora, precisamos encontrar as outras que faltam!

— Você não vai encontrar mais nada agora! Vai lavar as suas mãos para o jantar.

Leo e Walther se voltaram, era Ismênia quem falava. Os dois se levantaram. Leo entrou para o corredor que o levaria até o banheiro. Walther olhou para Ismênia, que lhe perguntou:

— Ele não é uma criança adorável?

— É sim, pena que ele seja um...

Walther parou de falar. Ismênia não entendeu. Nervosa, perguntou:

— Um o quê?

Walther ficou sem saber o que responder, percebeu que havia começado a dizer algo que faria Ismênia ficar muito triste.

— Um órfão, Walther, não foi isso que quis dizer?

Walther se voltou. Olhou, agradecido, para Isaías que acabava de entrar na sala e respondeu a pergunta de Ismênia. Um pouco desajeitado, respondeu:

— Isso mesmo, Isaías. Pena que ele seja um órfão!

Ismênia respirou, aliviada e disse:

— Ora, Walther, não se preocupe com isso! Ele é um órfão, mas muito amado!

Isaías, percebendo a situação em que Walther se encontrava, disse:

— Vamos jantar antes que a comida esfrie?

— Vamos, sim!

Sentaram-se. Leo fez questão de sentar ao lado de Walther, que não se sentia muito bem na presença do menino, mas não teve como não permitir. Começaram a jantar. Em dado momento, Ismênia perguntou:

— Walther, terminou de ler a carta?

— Sim...

— Como está? Entendeu e perdoou o que Paulo fez?

— Não sei se ele tinha o direito de fazer o que fez, mas, ao mesmo tempo, tive uma infância muito boa. Talvez, tivesse permanecido aqui, não teria sido da mesma maneira... só penso, com muita dor, na minha verdadeira mãe e no quanto deve ter sofrido...

— Nisso você tem razão. Para ela, foi muito difícil. Sentia tanta dor que sumiu e ninguém mais a encontrou.

— O que me preocupa é não saber o que aconteceu com ela. Será que ainda está viva?

— Não posso lhe responder. Só sei que o Paulo passou a vida toda procurando por ela.

— Isaías me disse a mesma coisa, mas, mesmo assim, não sei o que fazer. Em alguns momentos, penso em procurá-la, mas se Paulo não conseguiu. Se ele, que conhecia todo este país, não conseguiu encontrá-la, como eu conseguiria? Não conheço nada! É quase impossível... se já não estiver morta...

— Já lhe disse, Walther, deixe por conta do nosso Pai maior, Ele nos encaminhará sempre para o caminho certo.

— Isaías tem razão. Entregue tudo nas mãos de Deus. Ele é justo e magnânimo, se tiver que a encontrar, com certeza isso acontecerá...

— A senhora também pensa igual ao Isaías?

— Claro que sim, vivemos um ao lado do outro há um longo tempo. Já vimos muitas coisas acontecerem, onde Deus mostrou a sua presença...

Isaías, sorrindo, continuou:

— Uma delas foi a Lorena ter parado aquele dia, bem em frente a nossa casa para que o Leo pudesse nascer e nos trazer tanta felicidade...

Walther olhou para ambos e, depois, para Leo, que lhe sorria:

— É isso mesmo, seu Walther. A minha mãe foi uma mulher muito bonita e corajosa!

Novamente, Walther olhou para Ismênia e Isaías. Ela continuou:

— Não se preocupe, ele sabe de tudo o que aconteceu com a mãe dele. Foi preciso, pois assim que começou a ir à escola, notou que as crianças brancas tinham pais brancos. As negras tinham pais negros e que só ele era diferente. Por isso, contamos toda a história. Dissemos, também, que ele nos tinha sido enviado por Deus para que fôssemos felizes.

Walther ficou sem saber o que dizer. Estava um pouco envergonhado por sentir dentro de si aquele preconceito, mas aprendera que o negro era e sempre seria diferente do branco. Calou-se.

Terminaram de jantar. Ismênia foi para o quarto ouvir sua novela no rádio. Leo voltou para seu quebra-cabeça. Walther disse para Isaías:

— Vai me desculpar, Isaías, mas hoje foi outro dia de muitas emoções. Eu já devia estar acostumado, pois desde que cheguei a este país, estou tendo uma emoção atrás de outra, mas confesso que não consigo. Está difícil acompanhar as mudanças que estão acontecendo. Por isso, se me der licença, gostaria de voltar para o quarto. Estou cansado e quero ver se durmo cedo.

Isaías, sorrindo, respondeu:

— Fique à vontade, Walther. A casa é sua. Entendo que tem muito para pensar e muito mais para decidir. Boa-noite e procure dormir bem.

— Obrigado e boa-noite.

Walther se afastou. Isaías ficou olhando para ele. Assim que a porta do quarto foi fechada, Isaías fechou os olhos, pensando:

Meu Deus, que esse moço seja iluminado para que encontre o melhor caminho a seguir. Que o meu amigo Paulo possa estar, neste momento, em um lugar feliz. Que a nossa casa seja iluminada por sua Luz Divina.

Dentro do quarto, Walther olhou para os papéis que estavam sobre a cama. Olhou para o retrato de Marta que estava em suas mãos. Olhava, ora para um, ora para outro, enquanto pensava:

Como gostaria de acreditar nesse Deus de que o Isaías e a Ismênia tanto falam. Mas como acreditar? Ele permitiu que eu fosse afastado da minha verdadeira mãe. Não sei onde ela está e gostaria muito de tê-la conhecido...

Retirou os papéis de cima da cama, colocou o retrato de volta ao criado-mudo. Ajeitou a cama e o travesseiro, deitou. Ficou ali olhando para o teto. Estava mesmo muito confuso. Começou a pensar novamente:

Meu Deus! Se é que realmente existe, assim como eles dizem... se realmente é justo e conhecedor de todas as verdades... nesta hora confusa em que estou vivendo sem saber o que fazer, mostre-me um caminho a seguir e o que devo fazer com a minha vida e com todo esse dinheiro que recebi...

Adormeceu, mas seu sono não durou muito. Acordou assustado, parecia que caía. Sonhou com algo. Sentou na cama, por mais que tentasse, não conseguia se lembrar do sonho que o assustara tanto, nem de onde havia caído. Levantou, foi até a cozinha, tomou um pouco de água. Na sala, olhou por entre as cortinas, o céu estava claro, havia muitas estrelas. Sentiu um aperto no coração, não sabia se era de admiração por ver aquele céu tão lindo, ou pela solidão e tristeza que sentia. Por mais que tentasse, não conseguia esquecer tudo o que havia lido e acontecido em sua vida. Sua cabeça rodava, sentiu necessidade de sentar. Sentou em um sofá, abriu a cortina, ficou olhando o céu e pensando:

Este belo céu pertence ao Brasil, minha terra natal, mas, que no fundo, não a reconheço como tal. Não adianta eu ficar aqui, não vou encontrar a minha mãe... se o Paulo não a encontrou e teve todas as condições, como eu vou encontrar? Já decidi, assim que o dinheiro for liberado, de acordo com o advogado não vai demorar muito, vou embora. Com todo esse dinheiro, poderei ter uma vida muito melhor do que aquela que tinha. Encontrarei uma mulher que ame e, dessa vez, terei tempo de me dedicar a ela. Será diferente do que aconteceu com a Ellen. Com todo esse dinheiro, muitas portas se abrirão, talvez eu entre em algum negócio só meu... tenho muito tempo ainda para viver... agora tudo será mais fácil. Quer saber de uma coisa? Está decidido, vou dormir e amanhã bem cedo ligo para o advogado e verifico quanto tempo vai demorar para que todo o dinheiro seja transformado em dólares. Aí eu poderei ir embora. Vou esquecer tudo o que descobri a respeito da minha história de vida. Ela não tem importância alguma, não vai mudar em nada o que sou. Não pertenço a este lugar. Sou Americano e me orgulho muito disso. Como diz o Isaías, se Deus assim o quis, assim seja...

Levantou, voltou para o quarto, tornou a deitar. Não conseguia dormir, por mais que tentasse, o rosto de Marta não saía do seu pensamento. Nervoso, virou o porta-retratos de cabeça para baixo, assim não veria mais aqueles olhos ou aquele sorriso.

Preciso me esquecer dela e de tudo que descobri. Meu pai foi um canalha. Com sua atitude descabida, mudou a minha vida, mas não posso negar que sempre fui uma criança feliz. Tudo foi feito e nada poderá ser mudado. A única coisa que vai mudar é a minha vida com todo esse dinheiro. Vou voltar para o meu país, meus amigos e tudo com que me acostumei durante a vida. Sou Americano!

Ficou pensando, pensando, até que, finalmente, sem perceber, adormeceu.

Sonhou que estava chegando a algum lugar. Ao longe, via uma casa muito grande, com muitas janelas. Assim que se aproximou, viu em uma delas uma mulher, que balançava muito os braços. Parecia que gritava. Correu até ela. Assim que chegou, viu que a mulher era Marta. Percebeu que ela estava chorando. Começou a bater na janela para que ela o visse, mas foi em vão. Ela olhava, mas parecia não o ver. Ele batia cada vez com mais força. Ela não o enxergava, mas estava chorando. Ele batia, batia, batia...

Acordou mais uma vez, assustado, mas desta vez lembrava perfeitamente o que havia sonhado. Via aquela mulher chorando, desesperada, por trás da janela. Olhou para a foto e pensou:

Tenho certeza de que era ela, não esqueceria este rosto nunca. Que sonho estranho!

Desviou seus olhos para o relógio. Ele marcava nove horas e quarenta minutos. Não acreditou:

Será que esse relógio está certo? Nunca dormi até tão tarde! Por que o Isaías ou a Ismênia não vieram me acordar?

Vestiu-se rapidamente, saiu em direção à sala. Isaías lia tranqüilamente um livro, Ismênia devia estar na cozinha, a mesa do café estava colocada para uma pessoa. Assim que chegou à porta da sala, Isaías lhe perguntou:

— Bom-dia, Walther! Então? Dormiu bem?

— Bom-dia, Isaías! Nunca dormi tanto como hoje, não me lembro de um dia sequer da minha vida em que tenha dormido tanto, mas por que não me acordou?

— Percebi que você perambulou pela casa quase a noite toda. Deduzi que não dormiu até muito tarde, por isso não fui acordá-lo. Pode sentar, vou avisar a Ismênia que acordou, ela lhe trará um café bem quente.

— Não precisa! Você percebeu que eu andei pela casa? Procurei não fazer barulho.

— Só percebi porque eu mesmo não estava conseguindo dormir, tinha também muito para pensar. Não levantei, porque sabia que você precisava pensar muito e decidir o que vai fazer com a sua vida. Decidiu alguma coisa?

— Durante a noite, realmente, eu pensei muito e decidi que iria hoje telefonar para o advogado e perguntar quando o meu dinheiro estaria livre para que eu pudesse ir embora. Para que eu pudesse voltar, mas...

— Mas o quê?

— Tive um sonho muito estranho. Esse sonho talvez me faça mudar de idéia.

— Nossa! Que sonho foi esse?

Walther contou em detalhes o que havia sonhado. Assim que terminou, Isaías lhe disse:

— Não deve se preocupar com isso. Esse sonho não foi nada mais do que reflexo de tudo o que ficou sabendo.

— Pode ser, mas me pareceu tão real, Isaías. Ela estava ali! Chorava muito e parecia não me ver!

— Você não deve se impressionar com um sonho, embora eu saiba que, quando dormimos, nosso espírito se liberta do corpo e vai para muitos lugares. Talvez até tenha ido a algum lugar, mas também pode ter sido apenas reflexo do que descobriu. Não sei nada mais o que dizer a respeito.

— Se o que disse a respeito do sonho for verdade, pode ser que eu tenha estado com a minha mãe?

— Não sei...talvez...

— Sabe que não acredito em nada disso, mas o sonho foi muito real. Não preciso mais ir embora. Na carta, Paulo dizia que tenho avós, tios e primos espalhados pelo Brasil.

— Sim, isso é verdade. Tem uma família muito grande.

— Por isso, resolvi, vou até o Piauí visitar meus avós e conhecer a casa em que eles moram. Quem sabe ela seja a casa do meu sonho. E se for a mesma casa, é porque a minha mãe também está lá. Vou para saber.

— Não sei se é uma boa idéia, mas, se quiser, poderá ir. É só comprar uma passagem de avião.

— Não... já que este país é meu, quero conhecê-lo. Vou viajar de carro, percorrer todos os caminhos, conhecer tudo.

— De carro? É muito longe! Eu nunca estive lá, nem imagino como são as estradas.

— Prefiro andar de carro, quero lhe confessar que odeio andar de avião.

— Mas viajou muitas horas até chegar aqui!

— Foi uma exceção. Confesso, também, que não gostei da viagem, mas o que desejo mesmo é conhecer os meus familiares, ao menos todos os que morem no Piauí.

— Está bem, se assim quiser, posso acompanhá-lo. Gosto muito de viajar!

— Agradeço, mas você tem seus compromissos. Prefiro ir sozinho para poder pensar.

— Não sei se vão recebê-lo bem, não sabemos se eles sabem da sua existência.

— Paulo não falou com eles a meu respeito?

— Não. Quando viu que sua mãe não estava lá, resolveu não tocar no assunto.

— Então, se minha mãe estiver lá, ela nem imagina que eu esteja aqui?

— Isso é verdade...

— Pois bem, irei até lá.

— E a sua passagem de volta para os Estados Unidos?

— Por favor, veja o que dá para fazer. Se conseguir suspendê-la até a minha volta, tudo bem, mas se não conseguir, não tem importância! Afinal, não sou um homem rico? Posso comprar outra quando chegar a hora. Nada vai me impedir de conhecer a minha família e talvez encontrar a minha mãe.

— Você é quem sabe, mas talvez a viagem seja perigosa.

— Não se preocupe, fui criado nos Estados Unidos e lá também existe violência. Vou viajar só durante o dia. À noite, encontrarei um lugar para dormir. Fique tranqüilo, voltarei logo e em perfeitas condições de saúde. Será que tenho algum dinheiro livre?

— Claro que tem, está todo no banco. Por quê?

— Quero comprar um carro novo, não quero ter problemas durante a viagem.

— Tem o do Paulo, ele é seu também e está em perfeitas condições.

— Sei que é meu, mas prefiro outro. Esse pode ficar para você. O do Paulo é muito grande. Como não sabemos em que condições estão as estradas, acredito que seria melhor um jipe. Que acha?

— Você é quem sabe. Vamos ligar para o advogado e ver como pode ser feito.

— Isso mesmo, pretendo sair amanhã bem cedo. Você tem um mapa rodoviário?

— Deve ter um na biblioteca, mas isso quem sabe é a Ismênia. Vou perguntar.

— Pergunte, se não houver um, teremos que comprar. Preciso de um para chegar ate lá, como você diz, é bem longe, não é?

— É, sim... muito longe... continuo dizendo que não deveria ir sozinho...

— Não se preocupe, não vai me acontecer nada. Vai ser uma aventura, além do mais, eu adoro dirigir...

Ismênia, ao ouvir vozes, entrou na sala:

— Bom-dia Walther! Dormiu bem?

— Bom-dia, dona Ismênia, não dormi muito bem, mas acordei com uma decisão e muita disposição para enfrentar uma aventura!

— Não estou entendendo.

— Não se preocupe, minha velha, isso são coisas da juventude. Nosso jovem vai para o Piauí, ele quer conhecer sua família.

— Faz muito bem, meu filho. Não sabemos com certeza para onde vamos, mas de onde viemos é importante saber. Conhecer as nossas raízes. Quando vocês irão partir?

— Não, dona Ismênia, o Isaías não vai junto. Pretendo ir sozinho.

— Sozinho? Mas é muito longe. Você não conhece nada por aqui.

— Por isso mesmo é que quero ir sozinho. O Isaías tem obrigações com a senhora e com o Leo. Eu, ao contrário, agora que sou um homem rico, tenho muito tempo e muito para aprender desta terra. Vou ao encontro dos meus avós que moram no Piauí, talvez conheça meus tios e primos. Cresci sozinho, pensando não ter família, agora sei que eles existem, quero e preciso conhecê-los. O mais importante, tenho quase a certeza de que vou encontrar a minha mãe.

— Fico feliz que tenha essa vontade de conhecer os seus parentes, mas, quanto a encontrar sua mãe, acredito que seja uma missão quase impossível.

— Se não a encontrar, ao menos terei tentado. Não poderei voltar para minha casa sem fazer isso. Vou conhecer esta terra que me parece ser muito bonita.

— Só posso abençoá-lo e dizer: que Deus o acompanhe e abençoe o seu caminho.

— Obrigado, dona Ismênia. Sabia que a senhora ia me apoiar. Às vezes, penso que pertenço a esta casa e a vocês, parece que já os conheço há muito tempo...

— Pode ter certeza que isso é verdade, nós nos conhecemos há muito tempo...

— É verdade, vocês me conheceram quando eu ainda era criança.

— Tem razão, conhecemos você quando era muito pequeno, mas essa nossa amizade vem de muito longe, muito antes disso.

— Lá vem   a senhora com essa conversa de religião, de reencarnação.

— Pode não acreditar, Walther, mas nada acontece por acaso. Estamos sempre juntos na mesma caminhada. Se acredita ou não, isso não tem importância. Acreditando, ou não, vamos vivendo, cada um seguindo o seu caminho, mas sempre nos encontrando com amigos e, às vezes, com inimigos, mas tudo faz parte da vontade de Deus.

— Pensando bem, já encontrei em meu caminho várias pessoas assim, umas amigas, outras porém... me fizeram muito mal...

— Essa é a vida. Para isso estamos aqui, Deus nos manda os amigos para nos apoiarmos mutuamente. Os inimigos, quando aparecem em nossas vidas, são somente para que possamos nos perdoar. A Lei de Deus é justa e sábia!

— Tudo isso que está dizendo é um pouco complicado para eu entender, mas talvez tenha razão. Aprendi com minha mãe que conseguimos tudo na vida, basta querer e ser honesto, mas acredito, hoje, que não é bem assim, acho que temos sobre a nossa vida um relativo controle, mas não a controlamos inteiramente. A prova do que estou dizendo e a minha própria vida. Em poucos dias, percebi que tudo o que era não é mais... que tudo o que fui até agora, hoje não sou mais. Que minha vida foi uma mentira...

— Está certo no que diz, mas nada está errado. Tudo está certo entre o céu e a terra. Seguimos um caminho, este caminho pode sofrer desvios, mas a qualquer momento voltamos ao nosso rumo. A Lei é divina e poderosa. Não duvide nunca disso. Faça o que seu coração mandar. Siga o caminho que acreditar ser o melhor para você. Se for o certo, muito bem, mas se for o errado, é ruim, porém também será uma forma de aprendizado. O que não deve é nunca se arrepender do que fez de certo ou errado. Porque nada é certo ou errado, é apenas uma caminhada.

— Que coisas bonitas acabou de dizer. Onde aprendeu tudo isso?

— Com a vida e acreditando em um Deus que é um Pai maravilhoso, que nos ama e por isso nos dá todas as oportunidades para caminharmos em sua direção.

— Queria acreditar em um Deus como o seu...

— Ele não é só meu, é de toda a humanidade. Para Ele, não existe religião ou crença. Para Ele, somos todos seus filhos, independente de raça, cor ou religião.

— Da maneira como fala, Ele parece mesmo ser maravilhoso. Sempre acreditei que o dinheiro, sim, é que era o meu Deus. Através da minha vida, vi muitas pessoas comprarem tudo com o dinheiro. Confesso que muitas vezes invejei essas pessoas e me perguntei; por que eu também não tenho tanto dinheiro assim? Sempre tive uma boa vida, nunca me faltou nada, mas sempre quis ter muito mais.

— Deus atendeu seus desejos, hoje você tem muito.

— Só que para ter esse dinheiro, foi preciso eu conhecer que a minha vida foi uma mentira.

— Ela não foi uma mentira. Foi como devia ser. Já lhe disse que nada acontece por acaso, tudo tem seu motivo. Tudo está certo entre o céu e a terra. Tudo está sobre o domínio de uma Lei Divina. Acredite nisso e siga seu coração. O que vai acontecer? Nem você, nem eu sabemos, mas acontecerá o que for preciso para o seu aperfeiçoamento.

— Não sei... talvez tenha razão, vou pagar para ver. Vou sozinho para o Piauí. Vou em busca do meu passado, conhecer as pessoas que o viveram. Talvez encontrar a minha mãe.

— Se é isso que o seu coração pede, faça. Não devemos nunca nos arrepender do que fizemos, mas sim do que deixamos de fazer. Vá, meu filho, e que Deus o acompanhe e o ajude a encontrar a sua família, ou ao menos a você mesmo...

— Sabe que eu estou mesmo perdido? Sem identidade?

— Sei... ou ao menos imagino... vá, meu filho... siga seu destino... ele está aí lhe chamando... confie, que tudo dará certo.

Walther se levantou, foi até ela e a beijou na testa, dizendo:

— Gostaria muito de ter tido a senhora como minha mãe! É uma pessoa maravilhosa!

Ismênia, um pouco sem graça, ficou sem saber o que responder. Isaías veio em seu auxilio:

— Minha velha, não precisa ficar envergonhada, está cansada de me ouvir dizer que você é uma pessoa maravilhosa e que amo muito você...

Ela pegou no avental, enrolou nas mãos e saiu da sala, enquanto Walther e Isaías a seguiam com os olhos. Antes que ela chegasse à porta que a levaria até a cozinha, Isaías a chamou:

— Espere, Ismênia.

Ela se voltou e olhou para ele:

— Precisa de alguma coisa, Isaías?

— Sim, Ismênia, sabe se tem algum mapa rodoviário aqui em casa?

— Tem sim, lá na biblioteca, vou pegar.

— Obrigado. O Walther vai precisar dele.

Ela entrou na biblioteca, Walther olhou para Isaías, dizendo:

— Ela é realmente uma mulher maravilhosa.

— É sim, e eu a amo muito, não consigo imaginar o que teria sido da minha vida sem ela!

— Acredito. Dá para notar que vocês se amam muito, não é?

— Sim... muito...

— Que bom, já fui casado, mas nunca senti um amor como esse que vejo em vocês...

— Porque não era o verdadeiro amor, como se diz, não era a sua outra metade da laranja. Quando a encontrar, verá como é maravilhoso.

— Não acredito nisso. Tudo é muito bonito antes do casamento, mas, após isso, logo se entra na rotina e o amor não ocupa mais o primeiro lugar. Aparecem outras prioridades, no meu caso, foi o trabalho. Queria dar a ela todo bem material, para isso precisava trabalhar muito. Ela não entendeu e me abandonou.

— Gostava muito dela?

— A princípio, sim, mas, com o passar do tempo, notei que aquele amor intenso havia passado. Sentia que faltava algo, mas não sabia o quê?

— Volto a dizer que não era a sua outra metade. Quando a encontramos, como encontrei a Ismênia, nada disso acontece. O amor vai ficando cada vez maior. Nós realmente nos amamos, somos a metade da laranja do outro.

Os dois começaram a rir, Ismênia entrou na sala, trazendo em suas mãos um mapa. Entregou ao Isaías e saiu em direção à cozinha. Isaías o abriu sobre a mesa e com um lápis começou a traçar o caminho que Walther deveria seguir. Walther acompanhava com os olhos. Quando Isaías terminou, ele disse:

— É realmente muito longe, Isaías. O Brasil é grande mesmo!

— Não lhe disse que a viagem seria muito longa? Olhe, aqui está a cidade que vai procurar, fica bem no meio do sertão. Por tudo que Paulo sempre disse a respeito dela, é uma cidade muito pequena e com poucos moradores, mas veja, assim que sair da estrada principal, segue por esta. Acredito que vai ter que perguntar, mas no Nordeste brasileiro, segundo o Paulo, o sobrenome é muito respeitado. Ele dizia que as famílias eram todas conhecidas. Se conseguir chegar aqui, acredito que não será difícil encontrá-los. Não vai ser fácil essa viagem, vai passar por lugares totalmente desconhecidos.

— Já pensei em tudo isso, mas preciso fazê-la, não viveria em paz, se não a fizesse, preciso conhecer as pessoas que fizeram parte da minha vida. Só de conhecer meus avós, já será uma felicidade. Talvez não entenda, mas me criei acreditando ser só, nunca pensei em avós, tios ou primos. Isso sempre me entristeceu, muitas vezes perguntei a minha mãe:

— *Por que não tenho um irmão ou irmã?*

Ela sempre respondia:

— *Não sei, talvez foi porque Deus queria que eu me dedicasse só a você!*

— Eu aceitava aquela resposta, mas sempre ficava muito triste. Ela dizia que nascera no Ceará, que era também filha única e por isso sabia o que eu sentia.

— A Geni não mentiu. Realmente, nasceu no Ceará e era filha única. Seus pais morreram quando ela era ainda muito pequena. Não sei muito da vida dela, só sei que quando chegou no garimpo, era uma linda mocinha. O americano, quando a viu, se apaixonou, não houve outra maneira para tê-la. Foi obrigado a se casar, mas parece que realmente eles se amavam.

— Também acredito nisso. Eram muito apaixonados, só me lembro deles sempre se abraçando ou se beijando. Quando papai morreu de uma maneira estúpida, sem que esperássemos, ela ficou muito triste, acredito até que perdeu a vontade de viver.

— Do que ele morreu?

— Saiu de casa para trabalhar, caiu no meio da rua com um derrame cerebral. Não houve nada que pudesse ser feito para evitar. Ele estava muito gordo e gostava de beber cerveja. O médico já o havia prevenido, mas ele não deu atenção. Mamãe ficou muito triste e foi murchando. Parecia que ele era tudo para ela. Nessa época, eu estava casado, talvez não tenha dado a ela toda a atenção que precisava.

— Não pense assim. Não tenha sentimento de culpa. Eles morreram porque chegou a hora. Já haviam cumprido a missão deles aqui na Terra. Como a Ismênia disse, tudo está certo entre o céu e a terra.

— Espero que seja assim mesmo...

— Se eles estivessem vivos, você estaria hoje aqui?

— Acredito que não...

— Está vendo? Tudo teria que ter acontecido como aconteceu. Você precisava tomar conhecimento do que aconteceu na sua vida, era um direito seu.

— Sinto que tem razão, mas eu poderia tomar conhecimento, sem que para isso eles precisassem morrer...

— Eles nunca contariam a você. Tinham medo de perdê-lo ou que não entendesse o que fizeram. Também não morreram por sua causa. Morreram porque chegou a hora.

— Realmente, não entendo. Eles foram cruéis ao me tirarem da minha mãe verdadeira... tem razão, talvez, eu soubesse antes, não lhes perdoasse.

— E agora, já lhes perdoou?

— Não sei, Isaías. Não suporto a idéia de ter sido roubado, ou melhor, vendido. Não suporto a idéia de saber o quanto minha verdadeira mãe sofreu e, se estiver viva, deve estar sofrendo até hoje, inocentemente. No mesmo instante quero entender e perdoar, sinto muita raiva deles e, principalmente, do Paulo, que foi o maior responsável por tudo que aconteceu.

— Não vou querer desculpar o erro dele, Walther, mas embora

tenha trocado você por dinheiro, pensou mesmo que seria melhor para você. Naquele tempo, não era fácil viver. A pobreza era muito grande. Ele não tinha como o educar e até lhe dar uma boa alimentação.

— Mas ele encontrou a pedra que nos daria tudo!

— Só que, quando a encontrou, já era tarde. Você já havia ido embora e a Marta também. Por isso, ele nunca a vendeu. Queria que você e a Marta, um dia, a vissem, assim saberiam que ele tinha razão, quando dizia que um dia a encontraria.

— Não sei o que lhe dizer, Isaías. Estou tentando entender e aceitar, mas não consigo, por isso vou encontrar minha família e, quem sabe, até minha mãe. Se a encontrar, darei a ela todo o meu carinho e amor para recompensar o muito que sofreu.

— Deus ilumine o seu caminho, Walther. Se a encontrar, faça isso mesmo. Ela merece.

— Vou fazer, Isaías... vou fazer... pode ter certeza disso...

— Bem, já que decidiu, vamos falar com o advogado e comprar o seu Jipe?

Walther sorriu, levantou-se, foi até a cozinha. Ismênia estava junto ao fogão, terminando de preparar o almoço. Ele se aproximou, pedindo um pouco de água. Ela, sorrindo, lhe entregou. Enquanto tomava a água, perguntou:

— Dona Ismênia, conheceu bem a minha mãe?

— Sim, conheci.

— Como ela era, além de bonita?

— Ela era muito bonita, sim, e tinha uma vontade imensa de viver. Quando você nasceu, dizia que você seria um grande homem e que a faria muito feliz. Ela não largava você um minuto. Enquanto trabalhava, você ficava em um cercado, ou no berço, dormindo, mas ela estava sempre de olho em você. Ela o amava muito. Era corajosa e nunca deixou que o Paulo perdesse a esperança de encontrar a pedra.

— Mesmo assim, ele a traiu. Mesmo sabendo o quanto ela me amava, ele me roubou.

— Ele fez o que achou ser melhor para todos.

— Inclusive para ele mesmo.

— Talvez tenha pensado isso, mas ele sabia também que o seu futuro seria melhor longe daquele lugar. Eu gostava muito da Marta e sempre que lembro ter, mesmo sem saber, ajudado para que o roubassem, sinto um aperto no meu coração. Vi o quanto ela sofreu. Vi o desespero em que ficou, mas eu não podia fazer nada. Quando descobrimos, já era tarde. Ela ficou desesperada, foi embora e nunca mais perdoou ao Paulo. Ele sofreu por isso durante a vida toda, muito mais quando encontrou a sua pedra.

— Aí ele entendeu que não precisava ter feito o que fez?

— Isso mesmo, por isso passou o resto da vida procurando por ela, mas não conseguiu. Chego a pensar que ela morreu...

— Não sei se ela morreu, mas se estiver viva, juro que a vou encontrar. Nunca tive dinheiro mais que o suficiente para viver. Por isso não estou acostumado com a riqueza, gosto do meu trabalho, sei que sou um bom profissional, por isso gastarei até o último centavo que vou receber do Paulo para encontrá-la. Vou virar este Brasil do avesso, mas vou encontrá-la!

Ismênia ficou olhando para ele de um modo estranho. Ele notou:

— Por que está me olhando assim?

— Por um momento, parecia ver o Paulo, quando dizia que ia encontrar a sua pedra. Seus olhos pareciam os dele. O modo de falar também. Só agora noto como são parecidos, quando ele tinha a sua idade. Vocês são mesmo muito parecidos, não só na forma física, mas também no temperamento. Estou quase acreditando que vai realmente encontrar a Marta. Deus o encaminhará, meu filho. Estou muito feliz por tê-lo conhecido e ver que, apesar de tudo, em uma coisa o Paulo tinha razão, você se tornou uma pessoa muito boa.

Walther, ao ouvir aquelas palavras, se emocionou. Foi para junto dela, abraçou-a e beijou sua testa com muito carinho. Isaías entrou justamente nesse instante, perguntou, surpreso:

— Posso saber o que está acontecendo aqui?

Os dois se soltaram e olharam para ele. Ismênia, com lágrimas nos olhos, respondeu:

— Eu estava dizendo como ele se parece com o Paulo, quando ele tinha a sua idade. Não é verdade, Isaías?

Isaías ficou olhando de longe. Olhou Walther de cima abaixo:

— Não é que você tem razão, minha velha. Eles se parecem mesmo!

Walther, também emocionado, disse:

— Não sei se devo sentir orgulho disso. Ele foi muito cruel para minha mãe, foi um canalha, Isaías.

— Não diga isso, Walther. Já lhe disse que ele pensou estar fazendo o melhor. Hoje, ele já está do outro lado da vida prestando contas a Deus dos atos que aqui praticou. Você está aqui, jovem e rico, pode fazer o que quiser com a tua vida. Não guarde ódio nem rancor do Paulo, ele já pagou o que fez, com muito sofrimento. Vamos rezar para que esteja em um bom lugar, cercado de amigos...

— Às vezes, chego até a perdoar o que ele fez, mas quando me lembro do muito que minha mãe sofreu, sinto muito ódio.

— A mágoa, o ódio não fazem bem a ninguém. Quem somos nos para julgar? Jesus disse: Aquele que não tiver pecado, atire a primeira pedra. Com isso, quis dizer que ninguém é perfeito. Todos temos a nossa parte de culpa em tudo que nos acontece.

— Está dizendo que eu e minha mãe também tivemos culpa?

— Quem sabe, Walther?

— Eu era apenas uma criança, Isaías! Como poderia ter alguma culpa?

— Você era criança como ser humano, mas não como espírito...

— Lá vem você novamente com essa história de reencarnação. Isso é besteira. Mesmo que acreditasse nisso, que culpa tenho eu hoje por algo que fiz em outra vida? Ainda mais não lembrando de nada! Tudo isso é sonho. É ilusão e uma desculpa para se fazer o que quiser e colocar a culpa em outra encarnação. Não aceito isso e nunca vou aceitar. Isso não existe, Isaías!

— Está bem, Walther, não precisa ficar nervoso. Já decidiu que vai em busca das suas raízes, não é? Pois bem, vá... isso só poderá lhe fazer muito bem...

— Preciso fazer isso, não viveria em paz, se assim não agisse.

— Está bem... siga seu coração, ou seu instinto, vá em busca da sua felicidade e libertação.

— Vou fazer isso, assim, quando voltar para o meu país, irei com paz no meu coração.

— Então, após o almoço, iremos até o advogado, depois compraremos o seu carro e, juntos, planejaremos a viagem.

Walther sorriu. Em poucos dias, aprendeu a gostar daquela família. Até do Leo, embora ainda sentisse um pequeno mal-estar, mas aquilo também já estava passando.

Fizeram exatamente isso. Após o almoço, foram até o advogado. Ele disse que o dinheiro já estava no Banco do Brasil, bastava apenas que Walther se identificasse através de documentos e poderia retirar a quantia que quisesse. Walther sorriu, não havia ainda conseguindo entender o que representavam dois milhões de dólares. Sabia que era muito dinheiro, mas ainda não havia pensado seriamente no que faria com ele. Sua prioridade, no momento, seria conhecer sua família, encontrar aquela casa com muitas janelas e, o mais importante, encontrar a mãe.

Ao chegar ao banco, foi recebido pelo gerente com um sorriso:

— Tenho muito prazer em conhecê-lo. Eu era um grande amigo do Paulo. O doutor Amadeu falou comigo. Já está tudo pronto, o dinheiro está todo aí, pode retirar quanto quiser.

Walther não conhecia o valor do dinheiro brasileiro. Perguntou para Isaías:

— Quanto custa um jipe, Isaías? De quanto vou precisar para comprar um e fazer a viagem?

— Eu e o gerente vamos fazer algumas contas e logo saberemos. Pensando bem, acredito ser melhor irmos a uma agência de automóveis e ver o carro que vai querer escolher. Quanto à viagem, precisa levar uma boa quantia, pois não sabe o que vai encontrar pelo caminho...

— Vamos fazer isso. Senhor gerente, voltaremos logo, obrigado pela sua atenção.

— Ora! Isso não foi nada! O prazer foi todo meu!

Walther sorriu, enquanto pensava:

— *Todos os gerentes do mundo inteiro são iguais. Se ele não soubesse a quantia que tenho no banco, com certeza não estaria sendo tão gentil, mas enfim, fazer o quê?*

Saíram dali. Foram até a Praça da República, onde havia uma

agência de carros. Walther escolheu um jipe que ele já conhecia e sabia ser potente. O vendedor da loja ligou para o banco, falou com o gerente. Tudo combinado, foram até o banco. Walther assinou alguns documentos, pegou uma quantia que Isaías achou ser necessária para a viagem. Voltaram para a Agência. Walther saiu dali dirigindo o seu jipe novo, acompanhando Isaías que ia na frente. Não havia muitos carros nas ruas. Eram poucas as pessoas que os possuíam. Walther estava muito feliz por estar em um jipe como aquele. Enquanto dirigia, pensava:

Não sei o que estou sentindo, dirigindo este jipe. Acredito que só agora estou entendendo o que o dinheiro pode fazer. Até agora, eu ainda não estava acreditando muito que possuía todo esse dinheiro, nem o seu valor, mas agora, me vendo dentro deste automóvel maravilhoso, sinto que não haverá limites para a minha felicidade!

Isaías, pelo retrovisor, podia ver o rosto de Walther. Percebeu que ele estava feliz. Por isso, sorria e pensava:

Estou feliz por ver a felicidade estampada no rosto desse meu recém amigo.

Continuaram rodando por muito tempo. Isaías o levou até o museu do Ipiranga. Não entraram, pois já era muito tarde.

Chegaram a casa quase às sete horas da noite. Ismênia estava preocupada, pois haviam saído logo após o almoço e não telefonaram. Ao vê-los chegando, cada um em um carro, sorriu e disse:

— Eu aqui toda preocupada, ainda bem que chegaram. Walther! Que carro bonito!

— Gostou? Eu também gostei muito. Mas não é um carro. É um jipe. Estou só agora entendendo o que o dinheiro pode fazer!

— Pode mesmo! Não entendo nada a respeito de nomes de carros, mas sinto que agora você começará a ser realmente feliz e que todos os seus desejos serão realizados.

— Estou começando a acreditar nisso, dona Ismênia.

Leo, ao ouvi-los, saiu correndo de dentro da casa. Ao ver o jipe de Walther, parou e ficou olhando de longe. Seus olhos brilhavam. Walther, vendo aquela expressão no rosto do menino, perguntou:

— Leo! Quer dar uma volta no meu jipe novo?

— O senhor deixa?

— Claro que sim, venha. A senhora não quer vir também, dona Ismênia?

Ela olhou para Isaías que, sorrindo, disse:

— Também estou com vontade de andar nessa beleza vamos todos juntos?

Entraram no jipe. Estavam felizes. Leo não escondia sua satisfação. Walther estava se sentindo como se fizesse parte daquela família. Ele, a princípio, foi devagar, não estava acostumado com a potência do jipe. Aos poucos, começou a aumentar a velocidade. Leo ia na frente, junto com ele, adorou e pedia que corresse mais. Walther, através do retrovisor, olhou para Isaías que fez com a cabeça que não. Ele obedeceu, seguiram em uma velocidade normal. Andaram durante meia hora e voltaram para casa.

Durante o jantar, conversaram sobre a viagem que Walther iniciaria na manhã seguinte. Não possuía data certa para voltar, pois não sabia quantos dias levaria para chegar até o Piauí, nem o que encontraria por lá. Prometeu que mandaria telegramas e, se possível, telefonaria. Sabiam que não havia telefone, pois a casa ficava em um lugar muito pobre. Paulo conversava sempre com o irmão que morava na capital. Terminaram de jantar. Walther foi se deitar logo, pois na manhã seguinte teria que levantar muito cedo. Queria partir antes do amanhecer para aproveitar o dia. Não pretendia viajar à noite.

Assim que se deitou, pegou o retrato de Marta em suas mãos, dizendo com voz calma:

— Minha mãe... vou tentar encontrá-la... sei o quanto sofreu por minha causa, enquanto eu vivia uma vida feliz e tranqüila. Espero que não tenha morrido, para poder abraçá-la e lhe mostrar o homem em que me tornei. Sei que não vai se decepcionar.

Adormeceu, abraçado ao porta-retratos.

Reavaliando Conceitos

Na manhã seguinte, assim que levantou, pegou o porta-retratos, a caixa com as fotografias e a carta de Paulo, colocou tudo dentro da maleta. Ele já havia guardado as roupas na noite anterior. Tomou um banho e foi para a sala. Isaías já o esperava. Os dois se dirigiram até à mesa e sentaram. Ismênia terminou de servir, sentou e os três tomaram café juntos. Ficaram calados, cada um preso em seus pensamentos. Isaías e Ismênia, preocupados com a viagem de Walther, não entendiam por que insistira em viajar sozinho. Não sabiam o que ele encontraria quando chegasse ao seu destino. Walther, nervoso e ansioso por chegar e conhecer a sua família.

Assim que terminaram de tomar o café, Walther disse:

— Bem, está na hora de iniciar a minha viagem. Vou com o meu coração feliz por saber que tenho uma família, mas com medo de não encontrar a minha mãe, embora, após o sonho que tive, tenho certeza de que ela está lá naquela casa com muitas janelas me esperando.

Ismênia o abraçou e beijou seu rosto, dizendo:

— Que Deus o acompanhe nessa viagem. Espero, de coração, que encontre a Marta, se isso acontecer, sei que finalmente ela será feliz. Mas não esqueça que Deus é o nosso guia e que para Ele nada é impossível. Deus o abençoe...

Walther retribuiu o abraço e o beijo:

— Obrigado, dona Ismênia, uma coisa eu sei, chegarei lá. Sinto realmente que minha mãe estará lá também. Obrigado pelo modo como me recebeu. Quando voltar, trarei um presente para cada um de vocês e também boas notícias, quem sabe voltarei com a minha mãe!

— Quem sabe. Se depender da minha vontade, voltarei a ver a minha amiga.

— Como o combinado na noite anterior, Isaías saiu com seu carro na frente, iria acompanhar Walther até que chegassem à estrada. Assim que chegaram perto da estrada, Isaías parou o carro e saiu. Walther também saiu do jipe e foi ao encontro do amigo. Isaías disse:

— Daqui para frente, vai continuar sozinho. Espero que Deus o acompanhe e que encontre o que procura. Estaremos ansiosos por notícias. Dirija com cuidado e não corra muito. Devagar ou depressa chegará, não se esqueça disso.

— Não se preocupe, Isaías, tomarei cuidado e, por enquanto, obrigado por tudo. Sei que tem muita força junto a esse seu Deus. Peça a Ele que me ajude...

— Eu, você e todas as pessoas temos a mesma força junto a Ele. Não se preocupe, tenho certeza de que Ele estará ao seu lado durante toda a viagem.

Abraçaram-se, Walther entrou no carro e, abanando a mão, foi para a estrada que o levaria ao seu destino.

Entrou naquela estrada com o coração cheio de ansiedade e esperança de encontrar sua família e, principalmente, Marta, sua mãe. Enquanto o jipe corria pela estrada, ele ia pensando:

Hoje, eu deveria já estar em casa e amanhã, trabalhando. Ao invés disso, estou aqui, nesta estrada, tão distante da minha casa, em busca do desconhecido.

Viajou durante algumas horas, notou que a gasolina estava terminando. Parou para abastecer. Pelos cálculos feitos com Isaías, ele estaria no Rio de Janeiro pela noitinha, onde deveria pernoitar. Pensando nisso, parou só quando percebeu ser necessário abastecer o jipe. Aproveitou esses momentos para comer lanches. Não sentia fome, estava muito ansioso para chegar ao seu destino. Pensava:

Preciso resolver tudo por aqui para poder voltar e recomeçar a minha vida. Quando recebi aquela carta do Paulo, nunca pensei que minha vida mudaria tanto, mas mudou e, muito! Preciso começar a pensar o que farei com tanto dinheiro!

Ia olhando a paisagem, muito verde, morros de pedras. Aquela paisagem enchia seu coração de paz. Não havia muitos carros na estrada, apenas caminhões e alguns ônibus. Parava, comia, seguia a viagem. Estava começando a ficar cansado, quando viu uma placa na estrada que dizia:

"Rio de Janeiro-quarenta quilômetros."

Não sabia o que significava aquilo, pois não conhecia muito bem o sistema métrico. Em seu país, a distância era marcada por milhas. Calculou em milhas. Estava ainda muito longe e já começava a anoitecer.

Antes do que pensava, percebeu que já estava no Rio de Janeiro. Entrou na cidade. Isaías havia lhe dado o nome de um hotel e a rua em que ficava. Perguntou a uma pessoa, depois a outra e outra, finalmente, encontrou o hotel. Estacionou o jipe em frente. Entrou. Isaías já havia feito a sua reserva por telefone. Preencheu o papel na recepção, foi levado por um rapaz até o seu quarto. Entrou, jogou a maleta no chão, foi para a janela, abriu as cortinas e ficou prestando atenção no que via lá do alto. Ficou encantado ao ver a sua frente aquele imenso mar. As ondas, com o reflexo da lua, se tornavam sombras brancas que se apagavam e acendiam, umas após as outras. Olhando aquela beleza natural, pensava:

Durante toda minha vida, estudei e trabalhei tanto que nunca tive muito tempo para apreciar a natureza, muito menos uma beleza como esta. Minha mãe, aliás, a Geni, tinha uma verdadeira obsessão para que eu me formasse. Hoje, entendo o porquê? Ela havia prometido que eu teria tudo, prometeu e cumpriu, me fez um profissional. Não médico ou advogado, como ela queria, mas um especialista em finanças. Posso trabalhar em qualquer lugar e ter sempre um salário muito bom, mas será que se eu permanecesse aqui, teria estudado? Teria tido a mesma vida que tive? Claro que teria! O Paulo encontrou a pedra!

Ligou para a recepção, pedindo que o acordassem às seis horas. Tirou a roupa, foi para o banheiro tomar um banho. Estava mesmo muito cansado. Nunca havia dirigido um carro por tantas horas seguidas. Muito menos um jipe. Colocou o pijama e se deitou. Antes disso, pegou o porta-retratos, olhou para aquela linda moça que agora sabia ser a sua mãe. Ela parecia lhe sorrir, foi o que ele fez, sorriu e o colocou sobre o criado-mudo. Não pensou muito, adormeceu imediatamente.

Sonhou novamente com aquela casa e suas janelas. Viu a mesma moça na janela, só que, ao chegar perto, desta vez ela sorria.

Acordou com o barulho do telefone. Atendeu. Era da portaria, acordando-o e perguntando-lhe se ele ia querer o café no quarto. Ele respondeu que sim. Logo depois, ouviu uma leve batida à porta. Levantou, abriu, uma senhora lhe sorria e entrou no quarto com um carrinho, onde estava uma bandeja do café da manhã. Colocou sobre uma pequena mesa que havia no canto do quarto. Walther acompanhou seus movimentos sem nada dizer. Ela saiu, mas, antes, ele lhe deu algum dinheiro, agradecendo. Assim que ela saiu, ele olhou para a bandeja, ficou encantado com tudo o que viu. Havia não só o café, mas leite, frutas, manteiga, queijos e biscoitos de várias qualidades. Disse em voz alta e admirado:

— Puxa! Aqui, o hóspede é muito bem tratado!

Sentou em uma cadeira, começou a comer. Deliciou-se com as frutas. Comeu tudo o que havia na bandeja. Não sabia como seria o resto da viagem, sabia que aquele café serviria quase como um almoço. Terminou de tomar o café, desceu em direção à recepção. Pagou a conta, pediu instrução de como sair da cidade e seguir viagem rumo ao Piauí. O rapaz lhe ensinou de uma maneira que não conseguiria errar.

Assim que saiu do hotel, à sua frente estava o mar que havia visto à noite pela janela. No alto do morro, encontrava-se o Cristo Redentor, o qual já havia visto quando ali chegara. Do outro lado, muitas casas, umas sobre as outras, no morro. Pensou:

Essas devem ser as favelas, não entendo como as pessoas conseguem viver dessa maneira, mas elas são uma realidade aqui no Rio de Janeiro.

Ao dar algumas voltas pela cidade, foi apreciando tudo o que via. Não eram ainda oito horas da manhã, mas já havia movimento, pessoas iam e vinham, ônibus lotados. Lembrou-se de Nova York, onde havia sido criado. A cidade era totalmente diferente, mas as pessoas pareciam iguais, todas correndo em busca dos seus sonhos. Embora o rapaz da recepção do hotel houvesse lhe ensinado muito bem como sair da cidade, ele se perdeu várias vezes, até conseguir, finalmente, chegar à estrada.

Novamente, entrou na estrada cheio de confiança, sabendo que conseguiria encontrar sua mãe, quando chegasse àquela casa com muitas janelas. Foi dirigindo e apreciando a paisagem, viu muitos morros, algumas plantações, algumas vacas que pastavam calmamente. Cada vez que parava para abastecer, olhava o mapa para ver onde estava e quanto faltava para chegar ao seu destino. Por mais que corresse, parecia que o seu destino estava cada vez mais longe e que nunca chegaria.

Percebeu que já ia anoitecer novamente, parou na primeira cidade que encontrou. Era muito diferente do Rio de Janeiro, uma cidade pequena, talvez até uma pequena vila. Na rua, que lhe parecia ser a principal, perguntou se havia algum hotel. Indicaram-lhe uma casa onde uma mulher alugava quartos por uma noite. Dirigiu-se até lá. Bateu à porta e uma senhora negra o atendeu. Ele levou um susto, pois embora houvesse convivido alguns dias ao lado do Leo, ainda sentia um certo constrangimento na frente de um negro, mas sabia que não havia outra alternativa. Perguntou:

— Boa-noite, a senhora tem algum quarto vago para que eu possa dormir esta noite?

A senhora o olhou de cima abaixo. Perguntou:

— De onde o senhor vem? Para onde vai?

— Estou vindo de São Paulo e pretendo ir até o Piauí.

— Esse carro que está aí na frente é seu?

— Sim, estou viajando nele...

— Está bem, pode entrar.

Walther, um pouco acanhado com a secura da mulher, entrou em uma pequena sala. Notou que, apesar de pequena, era muito limpa. A senhora disse:

— Vai dormir só esta noite?

— Sim, pretendo sair amanhã bem cedo, tenho ainda uma longa viagem...

— Está com fome?

— Não, vim comendo alguma coisa durante a viagem.

— Alguma coisa não é comida. Estou terminando o jantar, o senhor vai comer junto comigo...

— Não precisa se preocupar, senhora, só preciso dormir e acordar cedo...

— Não estou preocupada, mas parece que além de cansado, está com fome. Vamos jantar juntos, garanto que não vai se arrepender. Não se preocupe com o dinheiro, o preço do quarto é o mesmo com comida ou sem. Ali naquela porta fica o banheiro, se quiser tomar um banho, fique à vontade. No armário, tem várias toalhas, pode usar sem medo, elas são muito bem lavadas e passadas. Enquanto toma o seu banho, vou terminar o jantar.

Ele não conseguiu dizer não para aquela senhora que poderia ser sua avó e que falava com tal firmeza. Não encontrou alternativa. Entrou no banheiro e novamente percebeu que, embora fosse pequeno, como a sala, também estava muito limpo. Tomou um banho. Estava mesmo muito cansado, tudo aquilo para ele estava sendo uma aventura, mas cansativa. Quando saiu do banheiro, a mesa já estava colocada. Sobre ela havia duas panelas, sentou em uma cadeira que a mulher lhe mostrou. Em uma panela, havia feijão, na outra, arroz e, em uma travessa de louça, carne ensopada com batatas. Walther não estava acostumado a comer em uma mesa com panelas sobre ela. Sua mãe, às vezes, preparava arroz e feijão, mas carne com batatas, ele nunca havia comido. A senhora sentou a sua frente e, com um sorriso, disse:

— Pode comer, meu filho. A comida é simples, mas feita com muito carinho, vai lhe fazer muito bem. Como é o seu nome?

— Meu nome é Walther. E o da senhora?

— Zulmira, mas todos me chamam de vó Zu. Prefiro que também me chame assim.

— Está bem, vó Zu! Não estou resistindo ao aroma da sua comida, posso comer?

— Claro que sim, fiz para nós dois!

Começou a comer em silêncio. Enquanto comia, pensava:

Em meu país, isto jamais aconteceria, um branco sentado e comendo ao lado de uma negra... ela me parece tão doce... por que lá existe tanto preconceito contra os negros?

— Em que está pensando, meu filho?

Ele voltou de seus pensamentos e respondeu:

— Em como a sua comida está mesmo muito boa!

Ela sorriu:

— Não lhe disse que foi feita com carinho? Diga uma coisa, por que está indo para o Piauí? É muito longe...

Walther olhou para ela. Havia passado o dia todo calado, só com seus pensamentos, agora estava diante de uma negra que lhe tratava como se fosse um filho. Sentiu vontade de falar.

Contou a ela tudo o que havia acontecido desde que chegara ao Brasil. Só não contou da herança e do dinheiro que possuía. Ela ouviu em silêncio. Quando ele terminou de falar, ela disse:

— A sua história é muito triste, mas não é diferente da de muitas pessoas que vivem no Nordeste brasileiro. Muitas famílias são obrigadas pela seca a se separar. Muitas mulheres são obrigadas a se afastar de seus maridos que vão em busca de trabalho em outros lugares. Muitos filhos são doados ou, simplesmente, abandonados. O Brasil é um país imenso e rico, mas muito mal conduzido por seus políticos. Como você disse, seu pai o trocou você por muito dinheiro. Outras crianças são dadas só para ter alguém que lhes dê comida. Está indo em busca da sua família e da sua mãe. Talvez os encontre, talvez não, mas de uma forma ou outra, muito vai encontrar nesta viagem.

— Não entendo. O que está querendo dizer?

— Estou lhe dizendo que todos os caminhos nos levam a Deus, ao nosso autoconhecimento.

— Se não encontrar a minha mãe, vou voltar para o meu país e vou continuar a minha vida como antes.

— Vai poder voltar, mas não vai ser nunca mais o mesmo. Sinto que durante essa viagem vai aprender muito sobre a vida e sobre você mesmo. Tudo está sempre certo entre o céu e a terra.

— A senhora me fez lembrar agora de outras pessoas que me disseram essas mesmas palavras...

— Essas pessoas que lhe disseram isso devem ter muito conhecimento da vida e de Deus.

— Se tudo está certo entre o céu e a terra, por que fui separado da minha mãe? Embora, durante todo esse tempo, não sofri, ao contrário, fui muito bem tratado e muito amado, mas, minha mãe? Como viveu?

— Quero completar o que as pessoas talvez não tenham lhe dito. Não existem vítimas ou agressores, todos colhemos aquilo que plantamos... todos, mais cedo ou mais tarde, respondemos por nosso livre-arbítrio.

Walther, ao ouvir aquilo, ficou furioso:

— Eu era apenas uma criança! Minha mãe, apenas uma jovem! Como eu poderia exercer o livre-arbítrio, ou ela? Não teve chance! Foi enganada!

— Para Deus, não existem crianças ou jovens, todos são espíritos muito antigos, que estão sempre caminhando... nós não conhecemos os nossos erros anteriores.

— Já percebi que a senhora tem a mesma religião de outras pessoas que encontrei aqui. Será que todo brasileiro pensa assim?

— Não... nem todos, aliás, são muito poucos, mas, acreditando ou não, todos estamos na mesma estrada. Você diz que não entende por que tantas pessoas lhe disseram as mesmas coisas? Deve ser, porque neste momento é o que você está precisando ouvir. Já pensou, por que você, nessa sua viagem, veio parar justamente na minha casa? E ouvir essas coisas?

— Porque era a única que possuía um quarto para que eu pudesse dormir.

— Poderia ter parado em uma cidade mais atrás, ou em outra mais à frente. Por que parou justamente nesta cidade e em minha casa?

— Não sei... tenho ouvido muito a respeito de reencarnação, e outras coisas, mas me é difícil entender e aceitar tudo o que me falam e o que aconteceu com a minha vida...

— Acredita em Deus?

— Não sei se acredito. Às vezes, penso que Ele não existe. Não tenho ainda, com certeza, uma opinião formada...

— Muito bem, continue a sua viagem, só posso desejar que Deus o acompanhe e que consiga encontrar a sua mãe e o seu destino.

Sorrindo e se sentindo muito bem com aquela senhora, disse:

— Gostei muito de conversar com a senhora, mas não me contou nada sobre a sua vida. Mora aqui sozinha?

— Moro... meu marido morreu já há dez anos, tenho dois filhos, mas moram na capital. Uma ou duas vezes por ano eles vêm me visitar. Estão casados, tenho três netos, as crianças estudam, por isso não podem vir mais vezes, mas me mandam dinheiro todos os meses, fora o que recebo de pensão do meu marido. Dá para viver muito bem.

— Por que não vai morar com um deles?

— Não! Eu não quero sair da minha casa, sabe como é, morar com noras sempre causa problemas. Gosto daqui.

— Por tudo isso que me contou, não aluga os quartos por que precisa de dinheiro?

— Não é pelo dinheiro. Gosto de conhecer pessoas novas, aprendi muito com as que por aqui passaram e quase todas se tornaram minhas amigas. Sempre que estão por perto, passam por aqui, nem que seja apenas para conversar. Outros mandam cartas. Nem imagina quantos amigos eu tenho por todo esse Brasil.

Walther sorriu:

— A senhora é mesmo muito agradável, é difícil não se tornar seu amigo. Já estou me considerando um também! Quando voltar, vou passar por aqui e vai conhecer a minha mãe!

— Tem mesmo certeza que a vai encontrar, não é?

— Após o sonho que tive, sei que, quando encontrar aquela casa com muitas janelas, eu a encontrarei.

— Mesmo que não a encontre, não fique triste. Deus sabe o porquê das coisas.

— Gostei mesmo muito da senhora. Nem imagina o que significa para uma pessoa como eu ouvir isso.

— Estou feliz por ter gostado e por tê-lo conhecido. Agora, vá dormir, amanhã será um longo dia e que Deus o acompanhe, mostrando-lhe o caminho que deve seguir...

Walther, sorrindo, dirigiu-se ao quarto. A cama estava bem arrumada. Retirou o lençol e o cobertor que estavam sobre o travesseiro, abriu a maleta, pegou o porta-retratos, sorriu e o colocou sobre o criado-mudo. Aquilo já havia se tornado uma rotina, desde que conheceu toda a verdade e descobriu que aquela linda moça era sua mãe. Conhecia todos os contornos do seu rosto. Ficou olhando para ela por algum tempo, mas, cansado da viagem, adormeceu.

Acordou com o reflexo do sol entrando através da cortina. Lembrou-se de onde estava e que deveria seguir viagem. Levantou, saiu do quarto. A casa estava em silêncio. Pensou:

Ela ainda deve estar dormindo, não vou fazer barulho, vou deixar o dinheiro sobre a mesa.

Entrou no banheiro, fazendo o mínimo de barulho. Tomou um banho rápido. Não sabia se encontraria outro lugar igual àquele, por isso não dispensou o banho. Saiu do banheiro, voltou para o quarto. Vestiu-se, pegou a maleta. Assim que abriu a porta do quarto, pôde sentir o cheiro de café que vinha da cozinha. Sorriu e se dirigiu para lá.

— Bom-dia, vó Zu! Pensei que estivesse dormindo! Ia deixar o dinheiro sobre a mesa, antes de sair.

— Achou que eu ia deixar você partir antes de tomar café? Fui até lá fora no galinheiro pegar alguns ovos. A viagem vai ser longa, precisa se alimentar bem.

— Muito obrigado. A senhora é mesmo uma bela pessoa.

— Fiquei, à noite, pensando na história que me contou. Sei que para você é difícil entender, mas, quem sabe, tendo vindo para esta terra que também é sua, não aprenda outras coisas.

— Que coisas?

— Ontem, quando me disse que para uma pessoa como você, era muito difícil dizer que havia gostado de alguém como eu. Percebi sobre o que dizia. Gosto muito de ler jornal e ouvir rádio. As notícias demoram a chegar, mas chegam. Sei que, em seu país, o preconceito racial é muito grande, por isso entendo o seu conflito. Aqui, conhecerá muitos negros e mulatos. Talvez até você seja um descendente deles. No Brasil todo, eles existem, principalmente no Nordeste para onde está indo. Verá que eles não são diferentes em nada dos brancos. Como acontece com qualquer branco, poderá encontrar alguns negros ruins e sem caráter, mas a maioria, é gente muito boa.

— Desculpe-me, não quis ofendê-la!

— Não ofendeu! Estou feliz por me considerar sua amiga. Mais feliz ainda por saber que, embora não encontrando sua mãe, está reavaliando os seus valores e tudo o que aprendeu durante toda a sua vida. Sem perceber, está sendo orientado e ajudado por Deus. Esse mesmo Deus que você não sabe se existe.

Walther sentou em uma cadeira junto à mesa. Ela terminava de preparar os ovos e passar o café em um coador de tecido. Ficou olhando para os cabelos brancos daquela mulher que, mesmo sem o conhecer, havia-o recebido com tanto carinho e tinha tanta sabedoria. Enquanto olhava, pensava:

Por que fui ensinado a ficar longe dos negros? Esta mulher é maravilhosa!

Ela sentou do outro lado da mesa e começaram a tomar café juntos. Quando terminaram, ele levantou, foi até ao jipe, voltou trazendo o mapa. Estendeu sobre a mesa, e olhou o caminho que deveria tomar e o quanto faltava.

Ela acompanhava seu dedo que corria sobre o mapa. Disse:

— Ainda está muito longe, não?

— Está sim, nem imagino quantos dias demorarei para chegar.

— Não se preocupe com o tempo, ele não existe, apenas passa.

— Não entendi o que disse!

— Estou dizendo que o tempo passa com a nossa vontade, ou sem ela. Estou dizendo que tudo tem hora certa para acontecer. Por isso, não se preocupe com o tempo, chegará na hora exata em que tiver que chegar.

Ele não resistiu. Deu a volta, pegou aquele rosto negro e enrugado em suas mãos e beijou sua testa com muito carinho. A velha senhora se emocionou, deixou cair uma lágrima:

— Muito obrigada, meu filho. Vá em paz e que Deus o acompanhe, que consiga realizar todos os seus desejos. Não esqueça de passar por aqui na volta.

— Não esquecerei, pode ter certeza... não a esquecerei nunca enquanto viver e, como os outros que por aqui passaram, mesmo estando longe daqui, vou escrever sempre para saber como está.

Ela o acompanhou até o jipe, ele entrou, sorriu. Ela disse:

— Vá com Deus!

Ele abanou a mão e saiu dirigindo. Sentia-se muito bem:

Gostei realmente dessa senhora... aliás, desde que aqui cheguei só encontrei pessoas hospitaleiras e alegres, até essa senhora com toda humildade em que vive...

Seguiu viagem por vários dias. Dormiu e comeu mal. Notou que a paisagem havia mudado. Agora, via poucas árvores, a vegetação era baixa, mas tudo estava muito verde. Em alguns lugares, não havia vegetação. Só agora entendia, quando lhe disseram sobre a seca. Aquele lugar mais parecia um deserto, igual aos que conhecia nos Estados Unidos. Mas nada importava, sabia que, assim que encontrasse aquela casa com muitas janelas, encontraria sua mãe, e toda a sua família de cuja existência nunca soubera.

Sempre que ficava cansado e até desanimado lembrava-se disso e recuperava seu ânimo. Sabia, também, que se não os encontrasse, não conseguiria mais viver em paz. Continuava sempre, com a certeza de que, como disse a vó Zu, ele chegaria.

A casa com muitas janelas

Estava parado em um posto de gasolina. Pela placa que havia visto na estrada, sabia que não faltava muito para chegar. Suas roupas estavam sujas, pois fora trocando-as e não trouxera muitas. Perguntou ao rapaz que estava colocando a gasolina:

— Conhece a família Almeida?

— Conheço! Eles são muito antigos aqui na região.

— Sabe como posso chegar até eles?

— Na próxima saída, o senhor vira à esquerda e entra em uma estrada de terra, vai andar uns cinco quilômetros, assim que avistar uma casa toda branca com muitas janelas, é ali!

Ao ouvir aquilo, Walther sentiu seu coração disparar. Agradeceu ao rapaz, deu-lhe uma boa gorjeta, entrou rápido no carro e saiu em disparada. Olhou para o relógio, eram duas horas da tarde:

Agora estou perto, a casa com muitas janelas existe mesmo! Acredito que vou encontrar a minha mãe, foi ela que me apareceu em sonhos. Ela está me esperando, finalmente vou poder fazer a felicidade dela e a minha. Assim que a vir, antes de dizer alguma coisa, vou abraçá-la e beijá-la muito. Depois, vou levá-la comigo para os Estados Unidos. Lá, ela terá tudo o que não teve aqui. Vou recompensá-la por tudo o que sofreu.

A estrada de terra chegou, era estreita e com muitos buracos. Mas Walther não se importou, havia comprado um jipe, justamente para enfrentar estradas ruins. Queria, mesmo, era chegar o mais rápido possível. Desviava de alguns buracos, de outros não. Quando entrou naquela estrada, olhou para o marcador. Por seus cálculos, os cinco quilômetros já haviam passado e até agora não via a casa com muitas janelas. A estrada estava deserta, não passou por ninguém. Preocupado, pensou:

Será que estou no caminho certo? Será que aquele rapaz sabia mesmo de quem eu estava falando?

Parou o carro, pegou o mapa, seguiu a linha que Isaías havia traçado:

Por este mapa estou no caminho certo, mas onde está a casa?

Continuou rodando, só que agora prestando mais atenção em tudo. Já estava há muito tempo naquela estrada, quando viu ao longe a casa.

Seu coração começou a bater com mais força. Essa mesma força ele colocou no acelerador, precisava chegar logo. A casa estava ficando cada vez próxima. Encontrou uma pequena estrada que o levaria até onde ela estava. Devagar e com cuidado, virou o carro à direita. Entrou na estrada. Dirigiu com cuidado, porque a estrada possuía muitos buracos, teve que desviar várias vezes, mas não parou por um minuto. Sabia que estava chegando. Quanto mais se aproximava, mais certeza tinha de que era a casa dos seus sonhos:

Finalmente, cheguei. Minha mãe deve estar aí me esperando. Que vou dizer a ela? Como vai me receber?

Estava desviando de um buraco, quando percebeu que um cavaleiro se aproximava. Continuou sem parar. O cavaleiro parou o cavalo em frente ao jipe, fazendo com que Walther freasse. O cavaleiro perguntou:

— Onde o moço está indo? Aqui é uma propriedade particular.

Walther saiu do jipe, respondendo:

— Meu nome é Walther. Estou aqui para conhecer a minha família.

— Que está dizendo? — o cavaleiro perguntou, intrigado.

— Sou filho do Paulo e da Marta.

— Nunca soube que eles tivessem um filho...

— Não duvido disso, pois eu próprio fiquei sabendo só agora. Mas tenho aqui comigo uma carta que pode explicar tudo.

— Está bem, me acompanhe, vamos até em casa. Lá poderá contar essa história.

O cavaleiro se voltou e começou a andar devagar. Walther o seguiu, pensando:

Quem será esse rapaz? Deve ser algum parente...

Chegaram. Walther parou o jipe ao lado do cavalo e desceu. Assim que chegaram, uma porta se abriu e por ela saiu uma senhora com cabelos muito brancos. O cavaleiro, disse:

— Vovó, este moço disse que é filho do tio Paulo!

A senhora ficou olhando para Walther, que um pouco desajeitado. Disse:

— É isso mesmo, senhora, sou filho dele e da Marta... a senhora quem é?

Ela ficou olhando, de seus olhos começaram a cair lágrimas. O cavaleiro correu para a amparar. Walther fez o mesmo. Calados, entraram na casa. Lá dentro, Walther encontrou outra senhora e um senhor, que ao verem aquele estranho e a senhora chorando, se assustaram. O homem perguntou:

— Que está acontecendo? Branca, por que está chorando?

A senhora olhou para ele, respondendo:

— Esse moço é o filho do Paulo com a Marta...

Os dois também levaram um susto. Sentaram em um sofá. A outra senhora disse:

— Que está dizendo? Não pode ser. O Paulo nunca disse nada a respeito de um filho.

Walther se aproximou do senhor e da senhora que estavam sentados, pegou na mão de cada um. Com os olhos cheios de lágrimas. Disse:

— Sou, realmente, filho deles, não estranho e entendo o que estão sentindo, pois eu mesmo só tomei conhecimento disso há pouco tempo. Fiquem calmos, vou contar tudo. Tenho aqui uma carta que o Paulo me deixou.

— Sente aí nesse outro sofá e conte tudo. Faz muito tempo que o Paulo não escreve. Ele está bem?

Walther percebeu que eles até agora não sabiam que Paulo havia morrido. Lembrou-se de tudo o que Isaías havia lhe dito sobre a vida pós a morte. Respondeu:

— Ele está muito bem, não se preocupe.

— Por que não veio com o senhor?

— Por favor, senhora, não me chame de senhor. Mas desde que nos encontramos lá fora, não sei quem a senhora é? Sei que deve ser mãe do Paulo ou da Marta. De qual deles é a mãe?

— Tem razão, não me apresentei. Eu sou Branca, mãe do Paulo. Esta é Maria, minha irmã e mãe da Marta e este é o Antônio, pai do Paulo. Como deve saber, somos todos parentes.

Walther cumprimentou a todos. Olhou para o cavaleiro, antes que perguntasse seu nome. Ele estendeu a mão, dizendo:

— Meu nome é Lula, aliás, Luiz, sou filho do irmão mais velho do tio Paulo. Não sei se sabe, o nome dele também é Luiz.

— Muito prazer, sei o nome dele sim, li na carta. Então, somos primos?

—Isso mesmo! Bem, gente, não precisam ficar tristes. Vamos receber com carinho esse nosso parente que a gente não conhecia.

Walther se abaixou, pegou a mão de Maria e a beijou, dizendo:

— Sua bênção, minha avó, estou muito feliz por estar aqui e poder conhecer a todos.

— Deus o abençoe, não se incomode com nossas lágrimas. Gente velha é assim mesmo, chora à toa.

Walther sorriu e fez o mesmo com os outros avós, que também o abençoaram e lhe deram as boas-vindas. Estava realmente feliz por encontrar aquelas pessoas, que embora fossem estranhos para ele, naquele momento o levavam para bem perto de todo o seu passado. Olhou para uma porta, tentando ver se sua mãe saía por ela, mas não saiu ninguém. Lula disse:

— Eu moro aqui com nossos avós. Eles se recusam a sair daqui e, para ser sincero, gostei muito disso. Por isso, não faço sacrifício algum, não gosto da vida da cidade. Mas, seja bem-vindo. Acredito que vai ficar aqui ao menos alguns dias. Não trouxe bagagem?

Walther sorriu, fazendo com a cabeça que sim. Acompanhado por Lula, foi até o jipe, tirou a maleta, entrou novamente na casa. Abriu-a, pegou o porta-retratos e a carta, entregou à sua avó Branca, mãe de Paulo. Ela olhou para aquele rosto. Walther percebeu que ela ficou muito emocionada. Após olhar por alguns instantes, passou para Maria que, ao ver o rosto da filha, recomeçou a chorar. O avô também se emocionou. Walther ficou sem saber o que dizer, mais uma vez Lula veio em seu auxílio:

— Eles estão assim, porque faz muito tempo que não têm notícias da tia Marta.

— Ela não está aqui?

Foi Maria quem respondeu:

— Não, meu filho, desde aquele dia que o pai a expulsou, nunca mais tivemos notícias dela. O Paulo veio aqui em busca dela, mas não falou nada a seu respeito.

Walther sentiu uma desilusão imensa. Não conseguiu evitar a expressão de tristeza. Após alguns instantes, disse:

— Vim até aqui na esperança de encontrar minha mãe, mas, infelizmente, isso não vai acontecer.

— Não fique triste, meu primo. Não encontrou sua mãe, mas encontrou seus avós, eu, e logo vai conhecer outros parentes que moram na cidade. Não sei se sabe, mas sua família é muito grande.

Walther sorriu novamente.

— É, meu primo, você tem razão. Estou muito feliz por saber que não estou só nessa vida. Essa carta que está nas mãos do nosso avô explica tudo.

Antônio, o avô, entregou-a para Lula dizendo:

— A gente não sabe ler. Lula, quer ler para a gente?

Lula pegou a carta, assim que passou os olhos, percebeu que era uma carta de despedida. Percebeu que, para que ela estivesse nas mãos de Walther, era porque Paulo havia morrido. Emocionado, disse:

— Mais tarde, vou ler, porém, agora, está muito calor e o primo deve estar cansado. Por suas roupas, percebo que está precisando de um banho e de roupas limpas. Na estrada, tem muita poeira.

Walther entendeu que ele não quis dizer aos avós que Paulo havia morrido. Disse:

— Lula, você tem razão. Estou mesmo cansado e precisando de um bom banho. Se permitir, vou fazer isso agora, só que não tenho roupas limpas. Todas estão sujas.

— Não se preocupe, primo, temos o mesmo corpo, acho que as minhas irão servir em você. Venha comigo, vou lhe mostrar o banheiro e onde dormirá. Vou também lhe dar algumas roupas, depois a Leda vai lavar e passar as suas.

Walther agradeceu ao primo em pensamento. Queria sair dali naquele momento. Sabia que teria que contar tudo, mas não estava preparado. Eles eram muito velhos, teriam que ser preparados para receber a notícia. Acompanhou Lula, que o levou até o banheiro. No corredor, Walther notou que havia muitos quartos, por isso a casa possuía tantas janelas. Sentiu novamente um aperto no coração. Lembrou-se do sonho. Pensou:

Tinha tanta esperança de encontrar minha mãe. Infelizmente, não aconteceu. Ao menos, encontrei uma família. Este meu primo parece ser uma pessoa de bem. É muito gentil. Eu, por minha vez, gostei dele. Nem parece que nos conhecemos só agora...

Lula abriu a porta de um quarto. Enquanto entravam, ia dizendo:

— Nesta casa, já moraram muitas pessoas, a família era muito grande. Quando o tio Paulo voltou, estava muito feliz, disse que encontrou a pedra e que mudaria a vida de todos. Eu ainda não era nascido, mas nossos avós sempre contam a história. Nossos tios foram embora, alguns estudaram e hoje estão muito bem. Meu pai se casou, mudou para a cidade, mas sempre ficou ao lado dos pais, nunca deixando faltar nada.

— Por que você está aqui? Do modo como fala, parece ser uma pessoa com instrução?

— Quando criança, vinha passar as férias aqui e adorava. Meu pai, com o dinheiro que tio Paulo mandou, estudou e se tornou advogado. Sempre acreditou que todos os seus filhos deveriam estudar. Fiz a vontade dele, me formei, sou advogado, mas nunca me senti como tal. Nunca suportei a idéia de ficar de paletó e gravata o dia inteiro. Entreguei o diploma para meu pai dizendo:

— *Agora, já sou um doutor, só que vou para o sítio dos meus avós. Quero viver lá para sempre!*

— Meu pai não entendeu o porquê daquilo, mas, diante da minha atitude e percebendo que eu já havia decidido, só lhe restou aceitar. Foi assim que vim para cá e nunca mais quis ir embora. Cuido de tudo e estou perto dos meus avós, cuidando deles. Já deu para você notar que eles continuam aqui de teimosos.

— Realmente, já estão muito velhos. Sem você por perto, seria difícil continuarem aqui.

— Por isso, estou aqui, dou a eles tudo aquilo de que precisam, além disso, gosto muito deles. Para ser sincero, consegui unir o útil ao agradável.

Walther colocou a maleta sobre um sofá, ficou olhando por todo o quarto. Havia uma cama de casal, um guarda roupa, uma cômoda, e no canto, um sofá. Após olhar por alguns segundos, disse:

— Talvez não vá acreditar no que vou lhe dizer, mas eu sonhei com esta casa.

— Acredito, sim. Quando dormimos, nosso espírito sai para passear. Vai a muitos lugares.

Ao ouvir aquilo, Walther quase gritou:

— Não! Você também, não!

Lula não entendeu a reação de Walther.

— Eu também não o quê?

— Você também vem com essa história de espírito? Parece que todos com quem converso pensam da mesma maneira! Neste país, todos acreditam nessas coisas?

Lula começou a rir:

— Quer dizer que já ouviu falar sobre isso?

— Com todas as pessoas que conversei por mais de dez minutos. Todos aqui acreditam mesmo nisso?

— Não! Nem todos! Aliás, a maioria acredita que espíritos são coisas do diabo. E quem estuda sobre isso é o próprio diabo! Este país é muito católico, principalmente aqui no Nordeste. Essa doutrina ainda é muito nova. Nem todos aceitam. Eu aceitei e acredito fielmente, mas agora não e hora de falarmos sobre isso. Vamos até o meu quarto, vou pegar algumas roupas para que use até as suas serem lavadas.

Saíram do quarto, Lula abriu uma porta que ficava ao lado, entraram. Como o outro quarto, este também era muito simples. Enquanto Lula pegava algumas roupas no armário, Walther notou que no criado-mudo havia um porta-retratos com uma foto de uma moça muito bonita. Não resistiu à curiosidade. Perguntou:

— Quem é a moça da fotografia?

Lula pegou o porta-retratos nas mãos, olhou, sorriu, dizendo:

— Esta é Noêmia, foi minha esposa, se foi, mas é meu eterno amor...

— Não entendi, se é seu eterno amor, por que o abandonou?

— Não disse que ela me abandonou.

— Você disse que ela foi a sua esposa, mas que se foi!

— Não nos separamos, ela partiu para junto de Deus...

— Morreu? Você diz isso com toda essa calma? Não a amava de verdade?

— Eu a amava muito mais do que possa imaginar, mas sei que ela cumpriu o seu tempo aqui na Terra e que está agora me esperando, pois a qualquer momento também irei, aliás, todos iremos um dia.

— Por mais que me esforce, não consigo acreditar no que está dizendo. Você não a amava? Não consigo aceitar a morte com essa facilidade.

— Isso é porque não acredita que exista vida após a morte, mas eu acredito. Acredito na sabedoria Divina, acredito que Noêmia veio apenas por um tempo. Viveu o tempo necessário para me fazer feliz e entender essa nova doutrina. Sim, foi por ela que comecei a conhecer e aceitar a espiritualidade.

— Não entendo, mas preciso respeitar a sua opinião. Se é feliz assim, que posso dizer, não é?

Lula recolocou o porta-retratos no criado-mudo dizendo:

— Não precisa entender nem dizer nada. Precisa apenas tomar banho e trocar de roupas, venha.

Saíram do quarto Lula acompanhou Walther até o fim do corredor, parou em frente a uma porta, dizendo:

— Aqui é o banheiro. Graças a Deus, faz muito tempo que não temos seca por isso tem água à vontade para que possa tomar o seu banho.

Walther pegou as roupas, uma toalha, entrou no banheiro. Como todo o resto da casa, o banheiro também era muito simples. Viu um chuveiro e uma torneira, havia também uma pia. Na parede sobre ela, havia um espelho e, sobre a pia, uma navalha e um pincel de barbear. Pegou o pincel, passou em um sabonete e com a navalha fez a barba, que já estava bem crescida. Tirou a roupa, abriu a torneira do chuveiro e uma água morna começou a cair sobre seu corpo. Aquela água era como um bálsamo. Enquanto se lavava, ia pensando em tudo o que Lula havia lhe dito. Pensou naquelas pessoas que o aceitaram sem querer ver documentos ou provas de quem era e se o que estava dizendo era realmente verdade.

Se eu estivesse mentindo? Eles me aceitaram assim que me viram. Como é estranho esse meu primo. Que é isso que está acontecendo? Parece que não são estranhos... Parece que já os conheço há muito tempo...

Terminou de tomar banho, agora já se sentia outro. Vestiu a calça e a camisa que Lula lhe deu. Coube direito:

Como o Lula disse, temos o mesmo corpo. Não sei como vou contar a eles que o Paulo morreu. A carta ficou com o Lula, talvez ele tenha um modo de falar, conhece os velhos bem mais que eu.

Saiu do banheiro, percebeu que a porta do quarto do primo estava aberta. Foi até lá. Ele estava recostado na cama, lendo a carta. Bateu suavemente à porta. Lula olhou, sorriu. Walther perguntou:

— Posso entrar?

— Claro que pode, foi por isso que deixei a porta aberta. Queria falar com você a respeito desta carta. Já li um pouco. Então, o tio Paulo morreu?

Ele se aproximou, dizendo:

— Sim, mas eu o encontrei ainda vivo. Tentou me contar o que havia acontecido, mas não conseguiu, morreu antes disso.

— Por que não nos avisaram? Nem sabíamos que estava doente.

— Ele não quis, tinha a mesma crença que a sua, disse que queria ser lembrado como sempre fora. Com a doença, ficou muito magro e abatido. Foi sepultado em Campos do Jordão, uma cidade muito bonita, junto a uma montanha muito colorida. Um lugar que ele adorava.

— Você acompanhou seu sepultamento?

— Sim, ele morreu um dia após a minha chegada ao Brasil.

— De onde? Por que veio?

— Vim dos Estados Unidos, vivi lá toda a minha vida. Vim porque ele me chamou através de uma carta. Até há pouco tempo não sabia de sua existência.

— Como assim? O que aconteceu?

— Está tudo nessa carta. Ele, com medo que não tivesse tempo de me contar, deixou tudo escrito.

— É uma carta bem longa.

— Se quiser posso lhe adiantar tudo. Ele simplesmente me vendeu. Roubou-me de minha mãe.

— Agora não. Mas já estou entendendo mais ou menos o que aconteceu. Vou ler mais tarde, agora vamos até a sala, não esqueça que nossos avós estão nos esperando. Eles devem ter muitas perguntas.

— Acredito que sim, vou procurar responder a todas. Só não sei como dizer que o Paulo morreu...

— Por que se refere a ele como Paulo e não como pai?

— Porque, na realidade, não o considero como pai, fui criado por outro homem que julgava ser meu pai, a quem muito amei. Ainda não me acostumei com essa minha nova situação.

— Entendo... esta carta deve mesmo conter uma longa história.

— Sim! Muito longa e mudou a minha vida. Vamos lá para sala?

Foram para a sala. Assim que chegaram, Walther percebeu que a mesa estava posta com muita comida. Uma senhora que ele ainda não conhecia colocava a comida sobre a mesa. Os avós continuavam sentados no sofá. Lula, ao ver o espanto de Walther, disse:

— No interior é assim, acordamos muito cedo, antes de o sol nascer e por isso o jantar também é servido antes de o sol se pôr. Deve estar com fome. Quero lhe apresentar a Leda, está conosco há muito tempo. Cuida da casa e de todos nós.

Walther olhou para Leda que lhe sorria. Estendeu a mão, dizendo:

— Muito prazer, meu nome é Walther, sou o mais novo neto da casa.

— O prazer é todo meu, seja bem-vindo!

Lula se dirigiu aos avós, dizendo:

— Gente. Vamos comer? Vamos mostrar a esse primo o que é uma boa comida?

Rindo, os velhos se levantaram e se dirigiram à mesa. Walther esperou que todos se sentassem para depois sentar. Leda começou a colocar arroz, feijão e carne de sol nos pratos dos velhos. Walther seguia seus movimentos e percebeu com que carinho ela fazia aquilo. Lula, colocando a sua própria comida, olhou para Walther e disse:

— Vamos, primo. Pode se servir! A comida da Leda é muito boa, tenho certeza de que vai gostar.

— Vou sim! Já há alguns dias venho comendo a comida feita aqui no Brasil. Parece que a mulher brasileira tem um dom especial para cozinhar. Minha mãe também cozinhava muito bem, mas nunca igual às coisas que comi por aqui.

Comeram, conversando e rindo muito. Dona Maria, mãe de Marta, não tirava os olhos de Walther. Ele percebeu, mas fez de conta que não estava notando. Imaginava o que estava passando pela cabeça daquela senhora ao ver diante de si o neto que um dia permitiu que seu marido expulsasse de casa. Sentiu um certo rancor por ela. Enquanto comia diante daquela mesa imensa, tentou imaginá-la cercada por muitas crianças. Lembrou-se de Paulo contando como viviam. Estava com seu pensamento distante, quando ouviu seu avô, pai de Paulo, dizendo:

— O senhor está gostando da comida?

Walther se admirou com a pergunta:

— Estou gostando muito, mas, por favor, não me chame de senhor. Sou seu neto. Filho do Paulo e da Marta!

Lula percebeu que Walther estava nervoso por ver que o avô não havia entendido ainda quem ele era:

— Vovô, este moço é meu primo e seu neto. Lembra do filho da tia Marta?

O velho ficou calado, parecia não entender. Lula olhou para Walther, fez um sinal que entendeu e não continuou a conversa. Terminaram de comer. Levantaram e foram para a sala ao lado. Sentaram-se todos em sofás. Maria, a mãe de Marta, disse:

— Meu cunhado já há algum tempo está perdendo a consciência de tudo. Esqueceu muitas coisas. O médico disse que é esclerose, mas eu me lembro muito bem de tudo o que aconteceu. Se é filho da Marta, por que nunca apareceu aqui? Onde ela está? Não vou morrer enquanto não a ver novamente. Preciso lhe pedir perdão por não tê-la ajudado quando precisou.

Walther olhou para todos, principalmente para Lula, que parecia aflito, mas não podia esconder mais o que estava sentindo:

— Enquanto eu comia, pensava justamente nisso. Por que não impediu que seu marido a expulsasse daquela maneira?

Maria tentou secar uma lágrima que escorria por seus olhos:

— Eu tentei, mas os homens em nossa família tinham sempre a última palavra. Meu marido era muito bom e muito honesto, por isso não admitiu o erro dela.

— Pois com esse gesto feito por ele, a minha mãe ficou sozinha neste mundo, foi enganada e me separaram dela. Fui criado em outro país, com outros pais. Nunca soube disso até há bem pouco tempo.

Pergunta-me onde ela está? Também não sei. Vim até aqui na esperança de encontrá-la. Mas, infelizmente, isso não aconteceu. Estou feliz por conhecer a todos, por saber que tenho família, mas muito triste por não saber se minha mãe está viva ou morta.

— Sinto muito por tudo isso. Estou aqui nesta casa e vou ficar até o dia em que ela voltar, ou até quando Deus me levar. Tenho sonhado muito com ela, por isso sei que está viva. Ela não morreu. Acredite nisso. Agradeço a Deus por este momento, por ver que você se transformou em um homem muito bonito.

Branca, a mãe de Paulo, continuou:

— Isso mesmo, Maria. Ele não parece o meu Paulo, quando tinha a sua idade?

— Parece mesmo. O mesmo porte e até o mesmo modo de falar.

— Sabe, meu neto, seu pai sempre sonhou muito e correu atrás dos sonhos. Sabia que ia encontrar uma pedra e a encontrou. Se for igual a ele, vai encontrar sua mãe. Como a Maria disse, não acredito que ela esteja morta. Sinto que a vai encontrar quando menos esperar.

— Este é hoje o meu maior desejo, mas não sei como ou onde procurar.

— Vai encontrá-la, meu neto, sinto isso e, quando a encontrar, se eu não estiver mais aqui neste mundo, peça perdão por nós. Diga que nunca a esquecemos, que sempre estivemos aqui esperando a sua volta. Por isso não fomos embora para a cidade. O nosso medo era que ela voltasse e não encontrasse a gente.

Walther ouviu sua avó Branca dizer aquelas palavras. Olhou para ela, sentiu uma estranha ternura por aquela velhinha que falava de Marta com tanto amor e saudade. Sem perceber, aproximou-se e a abraçou com um carinho sincero:

— Vou lhe prometer, minha avó, vou procurar minha mãe por todo este Brasil e assim que a encontrar vou trazê-la até aqui. Como a senhora diz, ela tem que estar viva em algum lugar e eu vou encontrar esse lugar.

A avó também o abraçou e, chorando, disse:

— Deus o abençoe e ilumine o seu caminho.

Lula percebeu que aquela conversa estava ficando muito triste e os interrompeu:

— Nada sabemos sobre o nosso futuro, ele a Deus pertence, mas podemos mudar algumas coisas. Por exemplo, eu e o meu primo vamos sair um pouco e andar por aí, antes que o sol desapareça e surja a noite. Ainda poderemos ver um bom pedaço da propriedade. Que tal, primo? Aceita o meu convite?

Walther percebeu a intenção do primo. Com a cabeça, aceitou. Saíram.

Já fora da casa, Lula disse:

— Apesar de ter nascido aqui, você viveu fora deste país. Por isso não entende algumas coisas que aqui acontecem.

— Por que diz isso, Lula?

— Notei que você julgou e condenou nossos avós por tudo o que aconteceu em sua vida.

— Claro que sim. Eles foram os responsáveis. Se tivessem abrigado a minha mãe, eu teria nascido aqui e seria hoje como você. Não teria sido vendido como se fosse uma "pedra" ou um escravo. Minha mãe não teria sofrido tanto como sofreu. Hoje, ela estaria aqui ou em qualquer outro lugar, mas eu saberia que lugar era esse.

— Você tem razão em algumas coisas, mas não conhece a nossa cultura. Hoje, já é um pouco diferente, mas não mudou muito.

— Não estou entendendo o que está querendo me dizer.

— Assim como não conhece a nossa cultura, não conheço a sua. No país em que foi criado, talvez tudo seja diferente, mas aqui a honra sempre foi, e ainda é em alguns lugares, muito importante. Naquele tempo, era mais rígida ainda. Para um sertanejo, a honra está acima de tudo. Percebeu que nossos avós são analfabetos, não entendem nada de leis, só conhecem uma. A honra. Quando souberam que sua mãe havia ficado grávida e que o pai, era o próprio primo, houve um atentado contra a honra deles. Como a vó Maria disse, os homens dominavam e continuam dominando tudo. Ela, mesmo que quisesse, não poderia fazer nada.

— Mas não devia ser assim, Lula! Com essa ignorância, mudaram a minha vida, provavelmente, destruíram a de minha mãe!

Concordo com você, mas nada pode ser mudado. Só posso lhe dizer que nada acontece nesta Terra, sem um motivo ou vontade de Deus. Sua lei é justa e verdadeira.

— É muito fácil para você dizer isso! Foi criado por seu pai e por sua mãe, nunca foi afastado deles. Mas eu não aceito! —Walther disse, nervoso.

— Aceitando ou não, não poderá mudar o passado. Tudo aconteceu do modo que foi planejado.

— Não estou entendendo. Quem planejou?

— Poderia explicar-lhe, mas, com certeza, não acreditaria, por isso só posso lhe dizer que siga seu coração, sua intuição. Se tiver que encontrar sua mãe, isso acontecerá, do contrário, não adianta se atormentar.

— Você fala de uma maneira como se fosse tudo certo e natural.

— Por tudo que aprendi e acredito. Realmente tudo é certo e natural. Acredito que esta vida não é nada diante de uma eternidade. Acredito que estamos neste planeta por muito pouco tempo, que nosso verdadeiro lar não é aqui.

— Lá vem você novamente com essa de religião. É muito fácil acreditar e aceitar em nome de uma religião qualquer, mas a realidade é outra. Fui vendido! Não sei se minha mãe está viva ou morta!

— Fique calmo. Não se trata de religião, é a certeza que, se existe um Deus, Ele só pode ser bom, generoso e justo e não tem filhos preferidos. Ama a todos nós da mesma maneira. Não permitiria que uma injustiça fosse feita. Eu acredito nesse Deus.

— Acredita tanto que não se importou com a morte de sua mulher?

— Claro que me importei. Ficamos casados por dois anos e foi o tempo mais feliz de minha vida. Eu a amava e era amado.

— Como, então, aceita com tanta naturalidade a sua morte? Por que não questiona esse seu Deus? Não acredita que Ele foi injusto com vocês?

— Quando Noêmia morreu, eu sofri muito. Senti saudades, mas havia aprendido com ela mesma que a morte não existia. O espírito continua. Sei que ela está em algum lugar, em outra dimensão, me esperando. Isso me faz sentir que devo continuar a minha vida, até o momento que possa retornar e a encontrar novamente.

— Algumas vezes, chego até a acreditar que a religião é realmente o ópio do povo. Essa crença em Deus faz com que as pessoas não lutem por aquilo que acreditam. Por isso, continua a ignorância e a pobreza neste mundo.

— Por tudo isso que há no mundo e por acreditar em Deus é que tenho a certeza de que somos um espírito e que ele vai e volta muitas vezes, sempre se aperfeiçoando, sempre aprendendo.

— Não consigo entender isso que está dizendo, Lula. Não consigo aceitar ter sido vendido e afastado de minha mãe.

— Não sabemos de nada. Não sabemos quais foram os motivos.

— Sei muito bem qual foi o motivo! O Paulo quis ter dinheiro!

— Não estou falando do motivo que levou o tio Paulo a fazer aquilo. Estou falando do motivo que a vida lhe deu para a agir daquela maneira.

— Que vida? Que motivo? Foi só ganância, nada mais que isso!

— Não sei, não. Acredito que exista uma força maior que nos conduz...

— Quer dizer que a minha mãe precisava passar por tudo isso? Foi isso que aprendeu com a sua religião?

— Foi isso sim que aprendi, mas aprendi também que todos temos o livre-arbítrio e que podemos, através de nossas escolhas, mudar tudo.

— Cada vez o entendo menos.

— É mesmo um pouco complicado, mas por tudo que aprendi e acredito, por um motivo qualquer, que não sei qual seja, sua mãe precisava viver separada de você e do tio Paulo. O tio Paulo poderia ter usado do seu livre-arbítrio e ter mudado tudo, mas não usou. Por quê? Por dinheiro? Por acreditar que assim fazendo poderia lhe dar uma vida diferente?

Walther ficou calado, não sabia o que responder. Lula continuou:

— Se ele soubesse que iria encontrar a pedra, teria feito aquilo? Por que, assim que você foi embora, logo em seguida a encontrou? Ainda assim não acredita que existe uma força maior que conduz a tudo e a todos?

Walther permanecia calado, tentando responder aquelas perguntas.

O primo falava com tanta firmeza e sinceridade que o deixou confuso.

— Não sei... não sei o que pensar ou responder. Tudo é muito estranho.

— Sei disso, não se preocupe, tudo tem sua hora. Falando em hora, já está anoitecendo, precisamos dormir. Amanhã, vou levá-lo até a cidade, que fica a trinta quilômetros daqui. Vai conhecer meus pais e todo o resto da família que vive aqui. Você quer?

— É o que mais quero. Sabe que, apesar de tudo, estou feliz por ter uma família grande e, o melhor de tudo, ter conhecido você.

— Também estou feliz. Você é um bom homem, um pouco perdido, mas vai encontrar o seu caminho. Vamos entrar?

— Vamos sim, mas, antes, me responda, você leu toda a carta do Paulo?

— Não, não deu tempo, li só até quando ele começou a contar que tinha trocado você por dinheiro e encontrado a pedra. Aí você terminou de tomar banho e veio para o meu quarto.

— Está bem, continue lendo, garanto-lhe que vai ter muitas surpresas.

Entraram. Os avós estavam tomando chá. Lula disse:

— Eles fazem isso todas as noites antes de dormir. Tomam o chá e se despedem.

Ele ia continuar, mas a avó Branca disse:

— Está na hora da gente se deitar. Podem ficar conversando aqui, mas não se esqueçam de tomar o chá. Com ele, vão dormir melhor. Boa-noite!

Os três se aproximaram e beijaram Lula e Walther, que, espantado, retribuiu os beijos.

— Boa-noite... durmam bem...

— Você também, meu neto, durma bem. Esta casa é sua.

— Obrigado...

Walther e Lula seguiram com os olhos até que eles se afastaram. Assim que entraram em seus quartos, Walther disse:

— Não sei por que, mas me sinto estranho na presença deles. Estou feliz por tê-los encontrado, mas não consigo esquecer que eles um dia me expulsaram desta casa.

— Eles não o expulsaram, Walther, mas sim a honra ferida! Hoje, estão velhos e já sofreram muito por isso. Não devemos julgar ninguém, pois não sabemos de nada. Vamos também nos deitar? Amanhã, você terá um dia de muitos encontros. Sei que a sua presença vai trazer muita felicidade para todos. Principalmente para meu pai, que era muito amigo do tio Paulo. Ele, como todos os outros, ajudaram a procurar por sua mãe, mas ela não quis ser encontrada.

— Ou morreu quando voltava, desiludida e triste, para esta casa.

— Talvez, mas agora precisamos dormir, vou acompanhá-lo até a porta do seu quarto. Aqui faz muito calor, a Leda deve ter deixado um short sobre a sua cama, não conseguirá usar nada além disso. Vamos?

Walther acompanhou Lula. Deu boa-noite e entrou naquele que seria o seu quarto. Lula tinha razão, sobre a cama havia um short, uma camiseta e uma toalha de banho. Olhou para sua maleta, foi pegar a fotografia da mãe, mas não a encontrou. Lembrou-se que a havia entregado a sua avó.

Ela não me devolveu. Mas não posso deixar com ela. Antes de ir embora, vou pedir de volta.

Deitou-se e imaginou:

Talvez, neste quarto, minha mãe dormiu um dia. Sinto que alguém me observa.

Levantou, foi até a janela e verificou se estava bem fechada. Fez o mesmo com porta. Após ter certeza de que tudo estava bem trancado, voltou a se deitar. Fechou os olhos, tentando dormir. A imagem de Paulo, Lula e os avós passavam por sua cabeça:

Quem poderia imaginar que estes bondosos velhinhos, um dia, fizeram uma maldade como aquela? Lula diz que é a cultura, mas não consigo aceitar. Em meu país, será dessa mesma maneira? Não sei, nunca soube de uma moça que houvesse tido um filho solteira... não sei... nunca prestei atenção a isso. Quando penso que todos são meus parentes, fico emocionado... com o Lula principalmente... me sinto muito bem conversando com ele. Essa sua crença, será verdadeira? Ele me parece bem seguro a respeito... acredita realmente que haja outra vida após a morte, que haja mesmo um Deus que comanda a tudo e a todos. Será verdade? Não, não é verdade! Quantas guerras hoje estão sendo travadas por este mundo? Sem propósito, só pelo poder! Quantos não estão morrendo por nada! Onde está esse Deus que permite que isso aconteça? Se perguntar ao Lula, saberá me responder? Com certeza, inventará uma desculpa qualquer e dirá que tudo é vontade de Deus...

Ficou pensando, mas estava cansado, não só por sua viagem que havia sido longa, mas por todas as emoções que havia passado:

Desde que cheguei aqui, sinto que minha vida está mudando cada vez mais rápido... além de descobrir que sou um homem muito rico, conheci pessoas que me receberam com muito carinho, descobri que não estou só no mundo... além dessas idéias em que o Lula e os outros acreditam. Só não encontrei minha mãe... queria tanto que isso acontecesse, só assim poderia voltar com tranqüilidade...

Pensou muito, virou-se, ajeitou o corpo e adormeceu. Sonhou que estava novamente diante daquela casa com muitas janelas. Via Marta por trás da janela. Correu para perto dela, mas acordou.

Com os olhos abertos, viu-se novamente no quarto em que dormia. Olhou para a janela, percebeu que o dia já estava nascendo. Virou-se, tentando dormir novamente, mas não conseguiu. Sentiu sede, levantou-se e foi até a cozinha beber água. Assim que entrou, percebeu que Leda estava junto ao fogão, esperando que a água fervesse para fazer o café. Assim que ele entrou, ela se assustou. Não esperava que alguém aparecesse. Walther, ao ver que a havia assustado sem querer, disse:

— Desculpe! Não quis assustar você, só vim até aqui para beber um pouco de água.

— Não tem importância. Assustei-me, mas já passou. Perdeu o sono?

— Ontem fui dormir muito cedo, não estou acostumado. Tive um sonho estranho, acordei sentindo muita sede.

— Vou lhe dar água, mas se quiser esperar um pouco, logo vai sair um café fresco.

— Vou esperar sim, não sinto nem um pouco de sono.

— Isso é bom, assim a gente pode conversar. Desculpe-me, sou só a empregada da casa, mas já vivo aqui há muitos anos. Ouço diariamente seus avós falarem da sua mãe. Eles não se esqueceram dela e carregam até hoje a culpa do que fizeram. Principalmente, sua avó Maria. Ela se culpa por não ter lutado contra o marido e impedido que ele fizesse aquilo. O que mais a atormenta é não saber o que aconteceu com a filha. Diz que vai ficar aqui até que ela volte. Como já percebeu, eles não precisariam estar mais aqui. Poderiam viver tranqüilos na cidade, junto com os outros filhos ou em uma casa própria, mas não saem daqui, dizendo que, se a Marta voltar, não os vai encontrar e não saberá onde eles estão. Esperam por ela o tempo todo. Enquanto o senhor passeava ontem com o Lula, disseram-me o quanto estavam felizes com a sua chegada. Para eles, foi como um perdão de Deus. São pessoas simples. Percebeu que eles não sabem falar muito bem e que são analfabetos, mas têm bons sentimentos. São pessoas que viveram de acordo com aquilo que aprenderam. Quando jovens, trabalharam muito para criar os filhos. Está vendo esta terra, que hoje está verde e bonita? De repente, tudo isso pode se transformar em terra pura. Quantas vezes eles viram sua plantação secar e seus animais morrerem por falta de água, mas nunca desistiram, esperavam a chuva voltar e começavam tudo novamente. São uns heróis! Uns vencedores!

Walther ouviu tudo, calado. Seguia com seu pensamento tudo o que ela estava dizendo. Imaginava seus avós moços e cuidando de todas aquelas crianças. Lembrou-se do Isaías quando lhe disse: "Não devemos julgar ninguém, não sabemos de nada". Leda parou de falar. Ele ficou olhando para aquela senhora que não tinha mais de quarenta anos, mas que falava com tanta sinceridade e defendia seus patrões com muito ardor. Após alguns instantes, disse:

— Parece que gosta muito deles!

— Gosto, e muito, foram mais que meus pais. Quando cheguei aqui, também havia sido expulsa de minha casa e trazia uma barriga. Tinha quinze anos e fui abandonada pelo homem a quem amei. Isso aconteceu logo após a vinda do senhor Paulo, quando encontrou a pedra e veio procurar a Marta. Eles me receberam como se eu fosse a filha que abandonaram. Já haviam entendido que não agiram certo com ela, mas não sabiam como a encontrar. Minha filha nasceu e foi criada aqui nesta casa. O senhor Paulo também me ajudou. Ela se formou, hoje está casada e tenho três netos. Sou uma mulher feliz e devo toda essa felicidade a esta família. Vou ficar com eles enquanto precisarem, esta é a forma que encontrei para agradecer tudo o que fizeram por mim.

— Nunca mais se casou?

— Não... aqui, uma moça solteira, com filho, dificilmente encontra um homem que a queira como esposa. Mas isso não me preocupou nunca. Sofri muito com o meu primeiro amor, fiquei com medo de ter que passar por tudo aquilo novamente.

— Obrigado por ter me contado tudo isso, Leda. Estou começando a entender a atitude deles. Não aceito, mas entendo. A única coisa que quero agora é encontrar a minha mãe, mas me parece ser impossível. O Paulo tentou, não conseguiu. Acredito que se ela não voltou para cá foi porque morreu. Não havia outro lugar para ir. Segundo Paulo, ela saiu do garimpo com pouco dinheiro.

— Não conheci a sua mãe, mas sei que foi muito amada pelo senhor Paulo e por todos aqui. Foi a ignorância que os separou.

— Dos meus avós pode ter sido a ignorância, mas do Paulo foi a ganância.

— Percebo que sente um certo rancor por ele...

— Para lhe ser sincero, não sei se rancor, ódio ou pena. Ouvi algumas idéias desde que cheguei neste país que estão me fazendo pensar muito.

— Já sei, conversou com o Lula sobre religião?

— Não só com ele, mas com muitas pessoas, chego até a pensar que aqui todos acreditam nisso! Você também pertence a essa religião?

— Deus me livre! Isso é coisa do demo! Mas gosto muito do Lula. Quando ele casou com a menina Noêmia, sabia que ela estava doente e que não viveria muito, mas mesmo assim se casou. Viveram aqui por dois anos, foi o tempo que tiveram. Eles viveram esses dois anos com muita intensidade. Nos últimos dias, quando ela ficou bem mal, ele ficou ao seu lado, cuidando e lhe fazendo carinho. Ela era muito doce e acreditava que não iria morrer, que só ia para outra dimensão. Eu não entendia muito o que ela dizia, mas ele parecia que entendia e concordava com ela, dizendo:

— *Isso mesmo, você não vai morrer, estará para sempre em meu coração e me esperando, logo mais vou ao seu encontro!*

— Ele pensava em suicídio?

— Não! Quando lhe perguntei o que queria dizer com aquelas

palavras, me respondeu:

— *Por que o espanto? Um dia, todos nós não vamos morrer? Ela foi na frente, porque era um anjo que passou rápido pela Terra; eu, ao contrário, devo ter algo para fazer. Não se preocupe, não vou fazer loucura alguma. Vou viver e esperar a minha hora. Nessa hora, eu a encontrarei novamente. Temos toda a eternidade para nos amar...*

— Ele me pareceu muito feliz e tranqüilo. Nunca pensei que poderia ter passado por um drama como esse!

— Ele não só parece, como é feliz e tranqüilo. Adora tudo aqui. Levanto mais cedo, porque logo mais chegarão alguns homens que o ajudam na plantação e a cuidar dos animais. Assim que chegarem, terão café e bolo para comerem antes de começar o trabalho. Lula o ajuda, plantando e cuidando dos animais. Vive em cima do cavalo, indo de um lado para outro. Está sempre rindo e feliz.

— Não acha, que essa reação não está certa?

— Por que pergunta isso?

— Depois de tudo que me contou, ele deveria ser uma pessoa triste e infeliz. Eu, ao menos, seria.

— Ele acredita nessa religião, por isso está vivendo a vida com felicidade. Também não entendo muito bem, mas é verdade. Ele não está mentindo, vive realmente feliz.

— Quantos anos ele tem?

— Uns vinte e cinco ou vinte e seis, não sei bem. Casou assim que se formou e veio para cá. Não sei se o senhor sabe, mas ele é advogado.

— Sei sim, isso ele me contou.

— Bom-dia! Que é isso, primo? Caiu da cama?

— Bom-dia, Lula. Ontem fui dormir muito cedo, acordei com sede vim até a cozinha, encontrei a Leda, ficamos aqui conversando.

— É bom que já esteja acordado. Assim que os empregados chegarem e após tomarmos o nosso café, se quiser, poderemos ir conhecer o resto da família que está na cidade.

— Quero sim. Preciso voltar para casa, por isso não poderei ficar aqui muitos dias.

— Terminei de ler a carta do tio Paulo. Sei agora o que quis dizer com as surpresas que eu teria. Sei que hoje é um homem muito rico, nunca pensei que ele não havia vendido a pedra e que ela existe até hoje.

— É verdade, ele queria que eu a mostrasse para minha mãe, quando a encontrasse.

— Mesmo assim, com tanto dinheiro, ainda quer voltar para os Estados Unidos?

— Quero, pois embora eu tenha nascido aqui, não me sinto brasileiro. Tudo me é estranho e diferente. Fui criado de uma outra maneira, com outra cultura. Tenho lá minha casa e meus amigos, além do meu trabalho.

— Entendo o que sente, mas com todo esse dinheiro que herdou, poderá vir para cá sempre que quiser. Será sempre bem vindo a esta casa e a nossa família!

— Sei disso, voltarei muitas vezes. Apesar de não me sentir brasileiro, estou gostando muito deste país, principalmente das pessoas. São todas muito afetuosas. Gostam de abraçar e beijar. Não estou acostumado com essa forma de atenção. Em meu país, só as pessoas muito chegadas e algumas, têm esse comportamento. Aqui não, todos se abraçam e se beijam.

Lula não respondeu, apenas sorriu. Leda os interrompeu:

— Se quiserem, já podem tomar o café. Está pronto e fiz um bolo de fubá que vão adorar.

Lula se aproximou dela, beijou sua testa, dizendo:

— Toda a comida que você faz é muito boa, porque coloca nela muito carinho e faz de boa vontade. Sabe, Walther, essa mulher está nesta casa há muito tempo. Eu a adoro! Faz uma das melhores comidas deste mundo.

— Nisso você tem razão. Adoro cozinhar e fazer pratos diferentes. Nem imaginam o que vou preparar para o almoço.

— Prepare com carinho e sirva meus avós. Eu e o Walther vamos para a cidade, não sei quando voltaremos, pois todos vão querer conhecê-lo.

— Se ele for em todas as casas, Lula,voltarão só daqui a quinze dias.

— Não posso ficar tanto tempo.

— Não se preocupe, meu primo. Voltará quando quiser. Iremos para a casa do meu pai e avisaremos aos outros que você está aqui.

Quem quiser, virá visitá-lo.

Sentaram-se Walther experimentou o bolo de fubá e realmente gostou muito. Estavam comendo, quando apareceram na porta cinco homens. Assim que Lula os viu, disse:

— Entrem, sentem e tomem café. Quero que conheçam o meu primo, ele está nos visitando. Seu nome é Walther.

Walther se levantou, estendeu a mão para aqueles homens simples e se apresentou.

Eles, com um pouco de vergonha, próprio do homem nascido no interior, também estenderam as mãos e disseram seus nomes. Depois, entraram e se sentaram ao lado de Lula. Leda os serviu. Walther ficou vendo aquela cena, pensando:

Nunca eu veria em minha casa uma cena como esta. Meu pai jamais permitiria que um empregado se sentasse à mesa junto conosco. Este povo é realmente muito estranho...

Lula, sem perceber o que Walther estava pensando, disse:

— Josias, eu e meu primo vamos, daqui a pouco, para a cidade. Vou levá-lo para conhecer o resto da família. Vou deixar tudo nas mãos de vocês. Sei que cuidarão muito bem de qualquer problema que surgir.

Josias balançou a cabeça. Leda disse:

— Pode ir tranqüilo, não vai acontecer nada, mas, se acontecer mando chamá-lo.

Lula sorriu. Walther terminou de tomar seu café. Olhou para ele, dizendo:

— Estou pronto, Lula, se quiser, poderemos ir agora mesmo. Mas, e meus avós, não vão tomar café? Preciso me despedir deles.

— Eles acordam mais tarde, sabe como é, velho demora muito para dormir à noite e por isso acorda tarde. Vamos embora, a viagem não é muito longa, mas você tem muito para ver e pouco tempo. Eles sabem que vamos para a cidade. Não se preocupe com as despedidas. Vai ainda ficar por aqui alguns dias. Terá tempo para isso.

Saíram, acompanhados pelos empregados. Lula deu as últimas instruções e entrou no jipe de Walther. Após se acomodar ao seu lado, enquanto Walther ligava o motor e saía, ele disse:

— Este jipe é mesmo uma beleza, Walther! Um dia, ainda teremos, aqui no Brasil, indústrias automobilísticas com carros iguais a este.

— Acredito nisso, Lula, mas penso ainda estar longe esse dia. De São Paulo até aqui, a viagem foi muito longa, passei por vários estados, vi muitas cidades, umas grandes, outras menores, mas vi também muita pobreza e terras sem plantação. Acredito que este país tem um grande futuro, só dependendo dos homens que o governarem, pois seu povo é muito bom e afetuoso.

— Trabalhador também! Por isso, sei que ainda seremos uma grande nação! Pelo menos, espero.

Walther dirigia com cuidado, dizendo:

— Quando vi lá de longe a casa com muitas janelas, fiquei tão ansioso que nem percebi que havia tantos buracos. Pensava encontrar minha mãe por detrás de uma das janelas, como no meu sonho. Agora, já mais calmo, sabendo que ela não está aqui, a ansiedade passou. Por isso, estou vendo os buracos da estrada com mais clareza.

— Sua mãe não está aqui, mas você me conheceu. Sabe, agora, que tem muito do seu sangue espalhado por aqui. Conheceu seus avós...

— Tem razão e, para ser sincero, estou muito feliz por tê-lo conhecido. Nem parece que nos conhecemos, só ontem. Assim que o vi, pensei já tê-lo visto em algum lugar, mas isto é impossível.

— Para você, pode ser impossível, mas eu acredito piamente que já nos encontramos várias vezes.

— Impossível. Cheguei ao Brasil há poucos dias.

— Não estou falando desta vida, mas de outras. Antes que me contradiga, não me contou sobre o sonho que teve. Pode contar?

Walther pensou por um instante. Respondeu:

— Posso lhe contar, mas não foi um sonho, foram dois.

— Conte, estou curioso.

Contou os sonhos que tivera e nas condições em que estava quando sonhou. Lula ouviu, sem interromper. Quando ele terminou de contar, Lula disse:

— Foram dois sonhos incríveis, Walther. Foram como um aviso. Ou pode ter sido somente resultado de tudo o que estava vivendo. De tudo o que havia descoberto.

— O Isaías também me disse isso, mas foi muito real. Foi por causa deles que resolvi vir até aqui para encontrar a minha mãe.

— Quem sabe a encontre. A viagem ainda não terminou.

— Não acredito mais, perdi as esperanças. Mas, como dizem na sua religião, Deus é quem sabe, não é?

Lula soltou uma gargalhada. Disse:

— Está aprendendo, primo! Está aprendendo...

O confronto

Chegaram à estrada principal que os levaria até a cidade. A estrada era asfaltada, o que deu mais tranqüilidade para que Walther dirigisse. Assim que entraram na estrada, Lula continuou a conversa:

— Será que veio para cá só por esse motivo, Walther? Só por causa do sonho?

— Claro que foi. Quando terminei de ler a carta do Paulo, só pensei em ir embora. Estava muito chocado com tudo o que descobri. Não pode imaginar o que senti, ao ver que a minha vida toda havia sido uma mentira. Mas por que está perguntando isso?

— Não sei, mas acredito que esse não tenha sido o verdadeiro motivo. Você não encontrou sua mãe.

— Tem razão, mas ao menos poderei voltar sem peso na consciência, eu a procurei. Vou deixar o Isaías, amigo do Paulo, encarregado de contratar alguém para que faça isso. Se ela estiver viva, eu a encontrarei, mas não adianta eu continuar aqui. Esse trabalho tem que ser feito por uma pessoa que entenda muito bem. Não sou investigador. Meu trabalho, é só com os números.

— Nisso você está certo.

A viagem continuou, foram conversando sobre outras coisas. Lula mostrava para ele a paisagem e falava sobre ela. Walther notava que havia casa simples, perdidas no meio de pequenas plantações. Outras eram grandes e pareciam pertencer a fazendas.

Respondia às perguntas de Lula, mas seu pensamento estava muito distante dali.

Não estou entendendo como, de repente, a minha vida mudou. Eu, que vivia tranqüilo, sem saber de nada, apenas vivendo uma vida normal como tantas outras, hoje estou aqui em um lugar tão longe da minha terra, conhecendo pessoas que, ao mesmo tempo em que sei serem meus parentes, são também completos estranhos. Não entendo como o Lula pode viver em uma situação tão simples, sendo advogado e podendo ter uma vida melhor. Vive aqui no meio do nada e parece muito feliz... perdeu a esposa ainda jovem, mas parece não sentir essa perda. Não se lastima nem reclama...

Chegaram à cidade. Como todas as outras cidades grandes que ele já havia conhecido, tinha muito movimento de pessoas indo e vindo. Lula foi mostrando o caminho que Walther deveria seguir. Durante esse caminho, ele abanava as mãos para algumas pessoas que passavam. Fez com que Walther parasse o Jipe em frente a uma casa. Walther olhou a placa que estava na parede e que dizia:

Dr. Luiz de Almeida.
Advogado

Desceram do Jipe, entraram na casa. Entraram em uma sala, decorada de modo austero, mas confortável. Lula olhou para uma porta que estava fechada. Disse:

— Meu pai deve estar com algum cliente. Quando aquela porta está fechada, é sinal de que ele não deve ser interrompido. Vamos nos sentar aqui e esperar até que fique livre.

Sentaram. Walther ficou olhando tudo à sua volta. Em um quadro, pendurado na parede, viu uma foto com muitas pessoas. Perguntou a Lula:

— Quem são aqueles?

— São todos os nossos tios e avós. Essa foto foi tirada por tio Paulo, quando voltou após ter encontrado a pedra.

Walther se levantou e foi para mais perto. Ficou olhando o rosto de cada um, querendo reconhecê-los. Reconheceu apenas seus avós, os outros eram totalmente estranhos. A porta se abriu, um senhor saiu da sala, acompanhado por um outro senhor. Luiz, enquanto acompanhava o seu cliente, ia dizendo:

— Ficamos assim, vou entrar com toda a papelada e assim que houver uma novidade eu mando avisá-lo.

— Está bem, doutor, estarei esperando notícias.

Assim que o cliente saiu, Luiz se voltou para o filho, dizendo:

— Bom-dia, meu filho. A que devo esta visita tão cedo? Aconteceu alguma coisa com seus avós? Está me trazendo um cliente?

Lula se aproximou do pai e o beijou, dizendo:

— Bom-dia, pai, não aconteceu nada com meus avós e não estou lhe trazendo um cliente. Este é o Walther, filho do tio Paulo.

Luiz olhou para Walther, ficou branco, quase caiu. Aquilo assustou aos jovens. Lula ajudou seu pai a sentar-se, dizendo:

— Que aconteceu papai? Por que ficou assim?

Luiz ficou sem falar, apenas olhava para Walther. Após alguns segundos, se recompôs, respondendo:

— Muito prazer, meu sobrinho. Desculpe a minha reação, mas sei que a sua presença aqui significa que meu irmão morreu...

Lula não entendeu. Olhou para Walther e depois para o pai:

— Como sabe? Por que meu tio estaria morto?

Luiz se levantou, aproximou-se de Walther, abriu os braços. Um pouco desajeitado, abraçou-se ao tio. Este começou a chorar compulsivamente.

Os jovens estavam preocupados com aquela reação.

Luiz se acalmou e pediu que sentassem. Sentaram, olhando para ele com curiosidade. Lula perguntou:

— Papai! Que aconteceu? Por que ficou e está tão nervoso?

— Recebi, há dois meses, uma carta do meu irmão Paulo. Nela ele pedia que eu fosse visitá-lo. Estava em uma clínica. Pedia também que eu não comentasse com ninguém. Não entendi, mas fiz o que me pedia. Encontrei-o muito magro e abatido. Assim que me viu, sorrindo, disse:

— *Olá, meu irmão! Estou feliz que tenha atendido ao meu pedido. Como pode notar por meu aspecto, já percebeu que não estou bem e que logo voltarei para o Pai.*

— Não queria admitir, mas sabia que ele estava com razão:

— *Que aconteceu com você, meu irmão?*

— *Não sei... estava bem, mas, de repente, comecei a tossir sem parar. O médico pediu alguns exames e foi constatado que tenho tuberculose. Ela está em um estágio muito adiantado. Embora os médicos queiram me enganar, sei que não há como detê-la, mas isso não me preocupa, já há muito tempo sinto que não existe mais nada para fazer neste mundo.*

— *Que bobagem está dizendo, mano? Você ainda é jovem e tem muito para fazer.*

— *Não, não tenho. Encontrei a minha pedra, tenho muito dinheiro, mas a minha consciência não me deixa em paz. Não consigo esquecer o mal* que cometi contra a Marta. Sei que meu filho está muito bem, tendo uma vida normal, mas e a Marta? O que fiz com ela? Onde estará?

— Não deve se atormentar com isso. Talvez tenha errado, mas já resgatou seus erros. Ajudou-nos a todos nós! Hoje, a nossa família vive totalmente diferente daquela maneira que vivíamos. Nossos filhos e sobrinhos estão todos muito bem de vida, com seus diplomas, e tudo graças a você.

— Era o mínimo que poderia fazer. Estou feliz por eles e por todos nós. Vou partir em breve, não quero que comente nada com a família. Quero que pensem que estou muito bem e que a qualquer momento aparecerei. Principalmente com os velhos. Não quero que venham me visitar. Prefiro que guardem na lembrança, aquele Paulo cheio de saúde e alegria, não este em que me tornei. Estou nestes últimos dias pensando em algo. Preciso da sua opinião.

— Pode falar, mano. Vou fazer tudo o que me pedir.

— Recebi uma carta do Walther.

— Seu filho? O que ele queria?

— Nada, apenas me comunicar que a Geni morreu e que ela pediu que ele me contasse.

— Será que ela contou tudo a ele?

— Acredito que não. Na carta, ele foi muito educado, mas não muito longo. Apenas me comunicou o acontecido.

— O que pretende fazer?

— Já sei que a minha vida aqui na Terra vai terminar em breve e que o meu filho está só. Vou mandar uma carta, pedindo que venha. Quero eu mesmo contar tudo, como e por que aconteceu. Você sabe, possuo hoje uma enorme fortuna e tudo é dele. Vou pedir perdão. Só assim poderei partir em paz...

— Acredita mesmo que a sua doença não tem mais cura?

— Acredito, tenho visto muitas pessoas morrerem desde que aqui cheguei. Quando descobri, já estava muito adiantada.

— Não sei o que lhe dizer, mas você foi sempre muito obstinado em tudo que queria. Por isso, conseguiu realizar o seu sonho. Encontrou a sua pedra e fez fortuna. Não quis nos acompanhar quando voltamos para casa. Acreditou que encontraria a pedra e realmente a encontrou.

— Tem razão, consegui tudo com o que sonhei, só que para isso, fiquei afastado da mulher que amava e ainda amo e do meu único filho. Procurei *por ela durante todos estes anos, mas foi em vão. Sei que meu filho teve uma vida normal, que cresceu sendo muito amado e feliz, mas e a Marta? Que aconteceu com ela? Estará viva ou morta? Estas dúvidas não saem da minha cabeça. Queria tanto encontrá-la para pedir que me perdoasse.*

— *Meu irmão, não deve se preocupar com isso. Não acredito que vá morrer. Esta clínica me parece ser muito boa, eles encontrarão um meio de curá-lo.*

— *Não se engane. Conheço o meu corpo, sei que ele está cansado, mas não é a minha morte que me preocupa. Tenho conhecimento dos meus erros e acertos, sei que terei que prestar contas. Estou preparado, pois hoje sei, também, que existe um Deus que é bom e generoso, que nos dá sempre novas chances e que perdoa sempre.*

— *Não sei não, mano, mas acho que o meu filho Lula, acredita nessas mesmas coisas. Perdeu a esposa que amava muito, mas até hoje nunca se desesperou, diz que vai encontrá-la, que ela não morreu, apenas vive em outra dimensão.*

— *É isso mesmo, meu irmão. Não vou morrer, o que vai morrer é este meu corpo velho e cansado, mas meu espírito, se preferir, a minha alma, estará viva em algum lugar.*

— *Tem certeza do que está dizendo?*

— *De todo o meu coração. Por isso, preciso conhecer o meu filho e vou escrever-lhe pedindo que venha. Se eu não conseguir pessoalmente contar tudo a ele, deixarei uma carta, mas preferia eu mesmo contar.*

— *Você é quem sabe como deve agir. Nós, a família, estaremos sempre ao seu lado, devemos muito a você e o amamos.*

— *Pois bem, se, um dia, meu filho for sozinho até o Piauí, será o sinal de que não estarei mais neste mundo. Caso contrário, irei com ele. Quero que o receba com muito amor e carinho. Se ele quiser encontrar a mãe, ajude no que for preciso.*

— *Jamais deixaria de atender a um pedido seu. Muito menos um tão simples como esse, mas acredito que você irá com ele, cheio de saúde!*

Enquanto Luiz ia falando, Walther lembrava de Paulo sentado naquele sofá, tentando lhe contar tudo.

Aquele homem estava ali tentando me contar seu crime e querendo o meu perdão. Hoje, talvez eu até possa lhe perdoar, após ter conhecido tantas pessoas que só falam bem dele, mas se me tivesse contado pessoalmente, não imagino qual teria sido a minha reação...

Luiz continuava falando:

— Por isso, meus filhos, quando os vi chegarem, sabia que meu irmão havia morrido. Senti um aperto no coração. Walther, meu sobrinho, o Paulo pode ter errado na sua vida, como todos nós erramos, mas se redimiu o máximo que pôde e sofreu muito, procurando a sua mãe, por isso lhe peço que lhe perdoe e não guarde ressentimento.

Walther ficou olhando para aquele estranho que, na realidade, não era tão estranho assim, era seu tio, irmão de seu pai. Para ele, tudo aquilo era novo. Não conseguia se situar muito bem com tudo o que estava acontecendo. Lula percebendo que o primo estava confuso, disse:

— Meu pai, devemos entender a situação do primo. Ele, até há pouco tempo, não sabia nada disso. Nunca imaginou que não era filho legítimo do casal que o criou. Em poucos dias, está tomando conhecimento de uma realidade nunca pensada. Vamos dar tempo ao tempo. Não podemos exigir que ele entenda e perdoe tudo assim, de repente. Esse perdão terá que nascer de dentro do seu coração. Nosso Pai Divino vai fazer com que esse dia chegue na hora certa e, quando isso acontecer, será um perdão profundo e sincero, lá do fundo do coração.

— Tem razão, meu filho. Por enquanto, vamos embora, sua mãe vai ficar feliz em recebê-lo na nossa casa. Ela está me esperando para o almoço. Vai ter uma surpresa enorme! Vamos?

Walther permanecia calado o tempo todo, só pensava e não sabia o que dizer. Lula pegou em seu braço, dizendo:

— Vamos, sim, meu pai. O primo vai comer uma comida deliciosa que só minha mãe sabe fazer.

Walther sorriu para o primo. Não entendia como gostava dele daquela maneira. Conhecera-o no dia anterior, mas parecia que o conhecia há muito tempo.

Os três saíram. Luiz pegou no braço de Walther, dizendo:

— A nossa casa é aqui perto, por isso vamos a pé. Será bom, porque poderá apreciar a cidade que deve ser bem diferente daquela em que foi criado.

— O senhor tem razão, este país é totalmente diferente do meu, não só nas suas construções, como também em seu povo. São todos muito afetuosos e não precisam ser da família. Conheci uma senhora, vó Zu, que não sabia quem eu era, mas, mesmo assim, me tratou com muito carinho. O senhor vai me desculpar se estou um pouco desajustado, como o Lula disse, é tudo muito novo. Estou tentando entender.

— Não se preocupe com isso. Após o almoço, não poderei sair com você, porque tenho alguns clientes para atender, mas o Lula vai levá-lo para conhecer o resto da família que vive aqui. Verá como ficarão felizes em ver e conhecer o filho do Paulo. Todos foram ajudados por ele. Mas, mesmo que não o tivessem sido, receberiam-no com o mesmo carinho. A nossa família é muito unida. Os que estão longe sempre escrevem para dar e receber notícias.

Walther apenas os acompanhou. Ia prestando atenção nas pessoas que passavam por ele. Como toda a cidade grande, havia muitas lojas de comércio. Lula e o pai iam conversando com ele, mas só respondia com sim ou não. Fingiram não prestar atenção, sabiam que ele estava com pensamentos e conflitos.

Em dado momento, Luiz parou em frente a uma padaria, entrou e saiu com um pacote que continha pão. Seguiram, caminhando. Andaram por uns quinze minutos. Luiz, tentando agradar ao sobrinho, disse:

— Walther, você está entendendo por que tenho essa boa saúde?

— Não! Por quê?

— Faço esta caminhada quatro vezes ao dia. Além de rever meus amigos, caminhando, faço com que meu coração ande bem.

— O senhor tem razão. Faz uma atividade física sem que seja difícil. Eu, ao contrário, nunca tenho tempo para isso, vivo correndo e sempre ando de carro.

Chegaram em frente a uma casa, não muito grande, mas que possuía uma boa aparência e um jardim muito bem tratado. Lula tocou a campainha e foram entrando. Uma senhora saiu, sorrindo, da casa. Vinha acompanhada por mais duas moças e um rapaz. Disse:

— Lula, meu filho! Assim que ouvi a campainha, sabia que era você me visitando.

Ao ver Walther, parou de falar. Lula abriu os braços, sorrindo:

— Foi por isso que toquei a campainha, precisava anunciar a

chegada do seu filho preferido!

Os irmãos fizeram uma cara de deboche. Ele continuou:

— Não adianta vocês ficarem com essa cara, sabem que sou o preferido mesmo!

Uma das moças respondeu:

— É por que não vive sempre aqui, só vem como visita.

— Ora, Neuza. Não precisa ficar com ciúme! Sabe que, no coração da nossa mãe tem lugar para todos.

Percebendo que eles estavam curiosos para saber quem era aquele estranho, continuou:

— Quero lhes apresentar o Walther, nosso primo, filho do tio Paulo!

Walther não conseguiu evitar de ficar feliz ao ver a alegria que a sua presença causou. Por momentos, esqueceu os pensamentos que o confundiam e foi abraçando a todos.

Luiz, de longe, ia notando a alegria da esposa, filhos e do próprio Walther, que parecia muito com Paulo. Sentiu uma saudade imensa do irmão.

Meu irmão querido. Ao menos um dos seus desejos está se cumprindo. Seu filho está conhecendo os primos e toda a família. Está começando a se tornar um de nós. Descanse em paz. Por aqui, tudo está muito bem.

Assim, abraçados, os jovens entraram em casa. Dona Cinira, esposa de Luiz, aproximou-se dele um pouco mais atrás, perguntando:

— Aconteceu o que estou pensando? O Paulo morreu?

— Sim. Mas, antes de morrer, conseguiu conhecer o filho. Não estranhe as atitudes desse moço. Ele está confuso com tudo o que está acontecendo em sua vida!

— Fique tranqüilo. Em breve, passará este momento e ficará feliz por saber que tem uma família imensa.

— Espero que assim seja, Cinira, mas vamos entrar? Tem comida para todos?

— Claro que sim.

Entraram, os jovens estavam sentados. Enquanto Cinira terminava de preparar o almoço, Neuza colocou na vitrola um disco de baião. Walther ficou encantado com o ritmo mais tocado naquele momento.

Enquanto Luiz Gonzaga cantava, todos dançavam. Ele não sabia dançar, ficou só olhando. Neuza o pegou pela mão e começou a lhe ensinar os passos da dança. A princípio, ele não conseguia, mas logo aprendeu e começou também a dançar, hora com um hora com outro. Naquele momento, esqueceu completamente seus sentimentos.

Cinira saiu da cozinha e se aproximou do marido que acompanhava a alegria dos jovens, Luiz disse:

— Não demorou muito para ele não negar o sangue. Olhe como já está dançando bem.

— Tem razão, Luiz, parece que já faz parte da família há muito tempo.

Ela se dirigiu até a vitrola, abaixou o volume, dizendo:

— A música e a dança estão muito boas, mas a comida já está pronta. Vamos almoçar, depois poderão dançar.

Sob protestos, os jovens a seguiram em direção à cozinha. A mesa era imensa. Todos sentaram. Lula, sorrindo, disse:

— Walther, meu primo, você agora vai conhecer a melhor comida do mundo. A da minha mãe! Ninguém cozinha como ela.

— Desde que cheguei já ouvi essa frase muitas vezes! Parece que todas as mulheres cozinham muito bem.

— Mas nenhuma igual a ela. Você vai ver.

Começaram a comer. Todos falavam, enquanto comiam. Walther demorou para pegar a comida. Sentia muita fome. Não sabia se era por causa da terra, ou por estar junto com aquelas pessoas alegres e felizes. Já havia se acostumado com o arroz e feijão. Sabia, agora, que aquela era a comida preferida de todos. Comeu com apetite e sentiu o sabor, que realmente estava muito bom. Da carne assada saía um aroma sem igual.

Terminaram de comer. Cinira trouxe em seguida um pudim feito com milho verde. Walther comeu e se deliciou.

Assim que terminaram o almoço, as moças ajudaram a mãe com a louça, os rapazes e Luiz voltaram para a sala. O primo Jeremias perguntou:

— Quer dizer que você foi criado nos Estados Unidos?

— Fui sim.

— Como é lá? Igual aqui?

— Não, existem muitas diferenças, estamos um pouco mais adiantados na tecnologia. Passei pelo Rio de Janeiro, vi muitos barracos pendurados nos morros. Lá, isso seria impossível. As construções são diferentes, porque temos neve, os telhados têm que ter uma inclinação maior para que a neve possa cair. Se não fosse assim, o telhado não suportaria o peso.

— A neve é muito bonita! Deve ser lindo ver tudo branco!

— É muito bonita, mas também muito fria e perigosa.

— É muito fria mesmo?

— Muito! Não se pode andar sem estar muito bem agasalhado.

— Gostaria muito de conhecer a neve.

— Poderá conhecer quando quiser. Moro lá e, quando quiser, terei muito prazer em recebê-lo na minha casa.

— Está falando sério?

— Claro que sim. Se estou sendo tão bem recebido por todos aqui, qual seria a razão de não os receber da mesma forma? Serão todos muito bem-vindos.

As moças terminaram de arrumar a cozinha, voltaram para sala. Neuza se dirigiu para a vitrola, ia aumentar o volume, quando Luiz falou:

— Walther, como lhe disse, não vou poder acompanhá-lo nas visitas que fará hoje à tarde. Preciso voltar para o escritório, tenho hora marcada com alguns clientes, mas, assim que terminar, voltarei. Temos muito para conversar.

— Não se preocupe. Cumpra suas obrigações. Estou muito bem acompanhado. Seus filhos são muito gentis.

— Não se iluda, logo estarão brigando. Pode não acreditar, mas brigam por qualquer coisa. Um porque o outro pegou sua roupa ou livro. Se não fosse a Cinira aqui para colocar ordem, isso viraria um campo de batalha.

— Em todas as casas onde existem muitos irmãos deve ser assim. Eu cresci sozinho, por isso nunca passei por uma experiência dessa.

— Pois aqui isso tem e muito.

Olhando para os filhos disse:

— Espero que se comportem na frente do primo. Ele tem que levar uma boa impressão de todos.

Os filhos riram, aproximaram-se do pai e o beijaram.

Walther ficou prestando atenção. Pensou em seu pai, o Alan:

Ele era muito atencioso, mas nunca permitiu uma aproximação física dessa maneira. Só quando eu era criança, mas depois que cresci, nunca mais me beijou ou simplesmente me abraçou.

Após a saída de Luiz, todos se prepararam e saíram para levar Walther para conhecer os parentes. Alguns moravam perto, por isso foram caminhando. Em todas as casas por que passou, foi sempre muito bem recebido, parecia uma festa. Ele foi tratado como se fosse alguém que todos conheciam. Durante todo o tempo, só ouviu elogios ao Paulo. Ele pensava:

Como ele conseguiu agradar a todos, após ter cometido aquele crime, separando-me da minha mãe? Claro. Comprou a todos com dinheiro, assim como está tentando fazer agora comigo, deixando-me aquela fortuna. Será que, sinceramente, eu poderei um dia perdoar-lhe?

Embora pensasse assim, não podia deixar de admirar a todos, pois o recebiam com muito carinho, sentia que estavam sendo sinceros. Visitou várias casas. Conheceu tios e primos, conversou e respondeu a muitas perguntas. Queriam saber como era o país em que ele havia sido criado. Ele respondia, mas não conseguia fazer uma comparação com o Brasil:

— Ali é muito bom para se viver. As pessoas se preocupam com suas casas e famílias. As crianças vão para a escola, os pais trabalham e as mães tomam conta da casa.

Um dos primos, irmão de Lula perguntou:

— É igual aqui?

— Acredito que sim. Como em todas as casas do mundo. A única coisa ruim é o clima. Nos estados do Centro, Norte e Nordeste, no inverno faz muito frio, cai neve e congela tudo. No verão, o calor é intenso. Lá, as estações do ano são bem definidas. Mas, de qualquer maneira, cresci ali e adoro o meu país. Estou gostando muito do Brasil. Aqui a natureza é pródiga. Já vi muitos lugares maravilhosos, o povo é agradável e, apesar da pobreza, me pareceu muito feliz. Porém não consigo me ver morando aqui para sempre.

Lula, ao perceber a tristeza no rosto do irmão que havia

perguntado, disse:

— Geraldo, não precisa ficar triste. O importante foi conhecer o Walther. Agora, ele e nós, sabemos que somos primos. Ele poderá voltar quando quiser e nós poderemos visitá-lo, não é, Walther?

Walther, um pouco desconcertado, respondeu:

— Claro que sim. Quando quiserem.

— Bem, está quase anoitecendo, papai já deve estar em casa nos esperando para o jantar. Walther, você vai ficar aqui por mais alguns dias, não vai?

— Infelizmente, não. Preciso voltar para o meu país, aliás, hoje, já deveria estar lá. Tenho compromissos.

— Sendo assim, vamos para casa. Esta noite dormiremos aqui e amanhã bem cedo voltaremos para o sítio. Você se despedirá dos nossos avós e poderá partir quando desejar. Todos sentiremos muitas saudades.

— Também sentirei. Encontrei uma família imensa e sou obrigado a confessar que são maravilhosos.

Voltaram caminhando, conversavam muito. Walther notou que Neuza era uma moça muito bonita. Ao passarem por um armazém, ele percebeu que ela olhou e sorriu de um modo especial para um rapaz que estava abaixando a porta, e que foi por ele correspondido. Lula não notou, ou fingiu não ter notado. Continuaram caminhando. Walther estava feliz, acompanhando todos aqueles jovens. Era o mais velho deles, mas sentia-se como se tivesse a mesma idade. Ao chegarem a sua casa, Luiz já havia voltado há muito tempo. Estava sentado em um sofá na sala, ouvindo rádio e lendo um livro. Assim que ouviu as vozes, saiu da sala e, da porta, ficou feliz ao ver os jovens chegando. Percebeu a felicidade estampada em seus rostos. Vinham brincando e sorrindo. Viu Walther no meio deles e mais uma vez pensou ver seu irmão chegando. Tristemente, pensou:

Meu irmão, sinto muito por você não ter conseguido viver ao lado desse seu filho. Ele é um bom rapaz. Sentiria muito orgulho dele, assim como sinto do meu Lula.

Os jovens entraram como um furacão. Todos queriam falar ao mesmo tempo, contar ao pai como haviam sido recebidos pelos parentes, principalmente o Walther. Ao ouvir aquele alarido, Cinira saiu da cozinha para ver o que estava acontecendo. Ao ver os filhos alegres, sorriu e voltou novamente aos seus afazeres. Estava terminando de preparar o jantar. Enquanto mexia com as panelas, ia pensando:

Conheci muito pouco o Paulo. Eu morava aqui quando eles moravam no sítio. Só quando o Luiz voltou da capital, após ter se formado, foi que nos conhecemos. Paulo veio algumas vezes, mas sempre com muita pressa, visitava os pais e ia embora. Almoçou e jantou algumas vezes aqui, mas nunca tivemos oportunidade de conversar sozinhos. Só sei que fez muito por esta família. Gostaria de tê-lo conhecido melhor. Gostei do seu filho assim que o vi. Espero que ele também tenha gostado de todos nós...

Na sala, Neuza já havia ligado a vitrola e colocado o disco. Walther se aproximou de Luiz, dizendo:

— Sua família é muito bonita. Estou, hoje, sentindo que a minha vida teria sido diferente, se tivesse sido criado com mais irmãos. Existe tanta alegria. Fui criado sozinho, só com meus pensamentos. Meu pai não mantinha comigo diálogo. Só falava o necessário. Minha mãe, embora me tratasse com muito carinho, às vezes ficava calada, olhando-me sem me ver. Parecia que seu pensamento estava muito distante. Aquilo me preocupava, mas hoje entendo e sei no que ela pensava...

— Talvez tenha razão. Nesses momentos, devia estar pensando no distante Brasil e no que havia acontecido com sua verdadeira mãe. Sinto que ela sempre teve um sentimento de culpa muito grande em relação à Marta...

— Entendo, hoje, o que sentia, seus pensamentos e sentimentos, pois desde que tomei conhecimento de toda essa história, não consigo deixar de pensar na minha mãe Marta e no quanto sofreu. Por isso vou fazer o possível e o impossível para encontrá-la. Quanto ao Paulo, guardo um sentimento de mágoa muito grande.

— Sei que para você está sendo muito difícil assimilar tudo, mas deve ter notado que todos da família gostavam muito dele.

— Isso não é difícil de entender. Ele comprou com seu dinheiro esse amor. Como está tentando fazer agora comigo. Deve ter acreditado que com o dinheiro que me deixou compraria o meu perdão!

Luiz ficou nervoso ao ouvir aquelas palavras:

— Não repita nem pense uma coisa dessas! Nossa família foi sempre unida e nem sempre tivemos dinheiro! Quando houve necessidade de nos separarmos para evitar a fome que a seca nos trazia, foi muito doloroso! Assim que as chuvas voltaram, retornamos para junto dos nossos!

— Menos o Paulo! Ele não voltou.

— Não voltou porque tinha um sonho e foi atrás dele. Admiro muito o meu irmão por isso. Você não sabe nada da vida! Hoje, se é quem é, foi porque ele tomou a decisão de afastá-lo da miséria em que vivia!

— Mas ele se tornou um milionário! Eu poderia ter sido criado aqui e ser feliz como meus primos! Poderia ter tido outros irmãos! Poderia estar ao lado da minha mãe! Ela não precisava ter sofrido tanto!

— Realmente se tornou milionário, mas e se isso não houvesse acontecido? Como teria sido? Quem seria você hoje? Mais um sertanejo envelhecido aos trinta anos? Desesperado, sem saber como conseguir dinheiro para alimentar seus filhos? Meu irmão Paulo, tomou a decisão que lhe pareceu ser a certa. Jesus disse:

* Quem não tiver pecado, atire a primeira pedra!*

— Com isso, ele quis dizer que ninguém é perfeito! Por isso, não devemos julgar ninguém!

— Já ouvi essas palavras muitas vezes, mas quem está sem mãe? Sou eu! Quem não sabe se ela está viva ou morta? Sou eu!

Lula à distância via, mas não ouvia o que estavam conversando, mas pela expressão dos rostos, percebeu que a conversa não estava sendo agradável. Aproximou-se, dizendo:

— Papai, estou muito triste!

Luiz se voltou para o filho, agradecendo intimamente aquela interrupção:

— Por que, meu filho?

— O primo disse que vai embora amanhã. Gostaria que ele ficasse mais tempo!

— Também gostaria, mas ele deve ter os seus motivos. Não podemos impedir. Não sabemos o que pensa a respeito de nossa família. Talvez tenha tido uma impressão errada. Ele disse que todos o receberam bem e falaram muito bem do Paulo, por causa do dinheiro que ele nos deu.

Disse que todos fomos comprados!

Lula percebeu com que tristeza seu pai repetia aquelas palavras. Olhou para Walther, que parecia desconsertado:

— Papai, não deve dar atenção. Essas palavras foram ditas sem pensar. Na verdade, o Walther é uma pessoa que foi criada em um mundo diferente do nosso. O dinheiro, para ele, talvez não tenha o mesmo valor que para nós. Ele me disse que está feliz por saber que tem uma família grande.

— Disse isso só para agradar, mas, no fundo, pensa que somos todos uns comprados.

Walther percebeu que havia ofendido muito aquele homem que o tinha recebido com tanto carinho. Olhou para Lula, depois para o tio, dizendo:

— Por favor, senhor, me perdoe. Não sabia o que estava dizendo. Como o Lula disse, estou feliz por conhecer todos. Quando minha mãe morreu lá nos Estados Unidos, pensei estar só na vida, mas hoje sei que tenho família e isso me faz muito feliz mesmo.

— Acredita mesmo, do fundo do seu coração, que somos sua família?

— Claro que sim.

— Então, por que até agora me chamou de senhor? Não sou para você um senhor! Sou seu tio! Irmão de seu pai!

Walther, mais uma vez, ficou sem saber o que dizer ou fazer. Lula interferiu novamente:

— Papai, fique calmo. Precisa entender que, para o primo, tudo está ainda muito recente. Ele precisa de um tempo para entender e aceitar tudo o que se passou com ele. Não adianta querermos obrigá-lo a nos chamar de tios ou primos. Ele poderá, daqui para frente, somente para nos agradar, fazer isso, mas no fundo não sente. Deixemos o tempo passar, um dia ele chegará e o chamará de tio. Nesse dia, será com sinceridade e do fundo do coração. Agora, acredito ser melhor mudar o rumo dessa conversa. Vamos jantar. Amanhã, ele irá embora e sozinho terá muito para pensar. Não sabemos nada sobre a vida, nem quais os motivos que nos levam a fazer ou não fazer algo. Se o primo não se sente parte da família, isso agora não tem importância. Vamos recebê-lo como uma visita muito especial. Tenho fé em Deus que, um dia, ele retornará, chamando-nos de primos e ao senhor, de tio.

Luiz, agora mais calmo com as palavras do filho, disse:

— Meu filho, como sempre, você sabe o que diz. Walther, seja bem-vindo à minha casa. Eu o recebo como filho do meu irmão muito querido. Você nos receba do modo que acreditar ser o certo.

— Só posso retribuir da mesma maneira. Estou realmente feliz por tê-los conhecido e por saber que não sou sozinho no mundo. Peço desculpas se o ofendi de alguma maneira, essa não era a minha intenção.

— Está bem, não vamos estragar o nosso jantar. Sei que vai ter muito o que pensar, mas, um dia, se Deus quiser, voltará à minha casa e me chamará de tio. Nesse dia, entenderei que compreendeu e perdoou ao Paulo. Ele era um irmão muito querido.

Walther ia responder, mas Cinira veio até eles:

— O jantar está pronto. Podem ir para a mesa, já vou servir.

Luiz, acompanhado por Walther, levantou-se, Lula, que estava em pé ao lado, acompanhou-os. As moças estavam na cozinha, ajudando a mãe. Os rapazes se sentaram e ficaram esperando, tentando adivinhar a comida que a mãe havia feito naquela noite.

Walther, embora estivesse feliz, sentia uma certa tristeza por ver toda a alegria de uma família que um dia haviam lhe roubado.

Cinira e as moças terminaram de colocar várias iguarias sobre a mesa e, em seguida, se sentaram. Começaram a comer.

Walther percebeu que seu tio estava diferente de quando o conheceu. Sentia que ele estava distante, não prestando muita atenção ao que acontecia à sua volta. Sentiu que havia sido responsável por aquilo. Os jovens, alheios à conversa difícil que Luiz e Walther haviam mantido, comiam e falavam muito. Queriam contar para a mãe como haviam sido recebidos à tarde, visitando os parentes.

Cinira tentava ouvir a todos, mas percebeu que algo havia acontecido com seu marido, pois ele não estava bem. Olhando para ele e para Walther, pensava:

Algo aconteceu entre os dois. Luiz não está bem e o Walther também parece um pouco triste. Não está participando da conversa. Não é o mesmo que aqui chegou pela manhã. Que terá acontecido entre os dois?

Apesar disso, o jantar continuou. Todos elogiavam a comida. Walther também foi obrigado a reconhecer que, embora nunca houvesse comido carne seca, era muito boa. O feijão e o arroz também estavam muito bem feitos e com um tempero especial. Percebeu que todos colocavam farinha sobre a comida. Um suco de caju acompanhava a refeição. Após terminarem de comer, os pratos foram tirados. Dona Cinira foi até a cozinha e voltou com uma bandeja cheia de quindins. Todos avançaram sobre a bandeja. Walther se encantou com o sabor daquela iguaria.

Diante da alegria dos primos, ele sentiu culpa por ter, sem querer, ofendido seu tio. Enquanto comia, olhava para ele com o canto dos olhos. Percebia que, embora se esforçasse, ele não estava bem. Não era o mesmo homem que o havia recebido com tanto carinho. Pensou em pedir perdão, mas sentiu que não adiantaria, pois na realidade ele pensava mesmo tudo aquilo que havia dito. Paulo comprou a todos com dinheiro.

Após o jantar, voltaram para a sala. Novamente, foi colocado um disco na vitrola. Os jovens dançavam e cantavam ao ritmo da música. Walther procurou ser o mais natural possível, tentou dançar, mas ele também não era o mesmo que chegara pela manhã. Ao ver toda a felicidade que Paulo havia proporcionado àquela família e às outras que conheceu, ele ficou com mais raiva por haver sido tirada a mesma felicidade: ter muitos irmãos e, principalmente, sua mãe. Pensava:

Onde ela estará? Como será sua vida?

Lula prestava atenção no primo. Podia até adivinhar no que ele estava pensando. Chegou junto a ele, dizendo:

— Se quiser, pode ir se deitar, primo. Amanhã, acordaremos cedo novamente. Logo mais, todos irão se deitar, pois pela manhã terão que ir para a escola.

Walther agradeceu em pensamento. Realmente, ele queria sair dali, queria deixar de ver aquela família feliz e deixar de pensar na sua própria, que fora sempre tão austera. Olhou sorrindo para o primo, enquanto dizia:

— Estou um pouco cansado. Hoje, andamos muito, não estou acostumado. Queria mesmo dormir.

Lula, sorrindo, foi até a vitrola, baixou o volume, dizendo:

— Bem, pessoal! Se quiserem, podem continuar, mas eu e o Walther vamos nos deitar. Precisamos dormir. Quero que todos se despeçam dele, pois amanhã, quando sairmos, ainda estarão dormindo.

Foram se aproximando e se despedindo com abraços calorosos, demonstrando afeição sincera. Todos desejaram que ele voltasse em breve. Walther também os abraçava e, sinceramente, recebia aqueles abraços. Cinira se aproximou e, emocionada, disse:

— Fiquei muito feliz por tê-lo recebido você em minha casa. Espero que volte em breve ou nos escreva.

— Muito obrigado por tudo, escreverei, sim.

Luiz permanecia sentado em uma cadeira com o rosto virado para a janela. Olhava o céu muito estrelado e a lua crescente. Estava com o pensamento tão distante que não percebeu que o volume da vitrola havia abaixado, nem que os filhos estavam se despedindo do primo. Seu pensamento estava voltado para o passado, e em tudo o que ouviu de seu sobrinho. Lembrava-se de seu irmão, dizendo-lhe:

Não vou com vocês. Vou ficar aqui, encontrar a minha pedra e vou mudar a vida de todos nós. Não vamos mais ter que nos preocupar com a chuva ou com a seca!

Cinira se aproximou, tocou com carinho no ombro dele:

— Luiz, o Walther vai se deitar, quer se despedir de você.

Luiz, ao ouvir aquilo, voltou dos seus pensamentos. Levantou da cadeira. Olhou para Walther, que também o olhava com um sentimento de culpa, por involuntariamente tê-lo ofendido.

Luiz o abraçou, dizendo:

— Fiquei muito feliz em conhecê-lo e perceber que, apesar de tudo, se transformou em um homem de bem. Vejo em você a imagem do meu irmão. Principalmente em seu olhos. Desejo, de coração, que tenha as respostas que procura e que um dia possa compreender e perdoar o meu irmão, e quando voltar aqui consiga me chamar de tio e ao Paulo, de pai. Faça uma boa viagem e não nos esqueça.

— Obrigado por tudo. Quero lhe pedir perdão se, de alguma forma, eu o magoei. Tenha certeza de que estou muito feliz por conhecê-los. Estou um pouco confuso, mas logo me encontrarei e, quem sabe, talvez entenda tudo com mais tranqüilidade.

— Não tenho nada para lhe perdoar. Disse o que sentia. Essa é uma prova de que realmente tem um bom caráter. Vá em paz.

Abraçaram-se. Lula acompanhava a cena. Sabia que tanto um quanto o outro estavam dizendo o que realmente pensavam. Assim que se separaram, Dona Cinira, disse:

— Walther me acompanhe, vou levar você ao quarto em que vai dormir.

Ele a acompanhou, ela abriu uma porta. Walther entrou. Ela mostrou a cama, dizendo:

— Este quarto era do Lula antes que ele fosse morar no sítio. Deixei sempre do mesmo modo, pois, de vez em quando, ele vem passar alguns dias conosco.

— Mas onde ele vai dormir?

— Não se preocupe. Temos muitas camas. Ele dormirá muito bem. Aqui tem toalhas, se quiser pode tomar um banho. Já sabe onde fica o banheiro.

— Obrigado por tudo. Sinto ter ofendido seu marido. Falei algo sem pensar e parece que ele sentiu muito. Sinceramente, não queria que isso acontecesse. A senhora e todos aqui são maravilhosos.

— Não se preocupe com o Luiz. Ele ficará bem e posso lhe garantir que está muito feliz por tê-lo conhecido. Ele adorava o irmão e você é muito parecido com ele. Ele não está estranho por algo que você tenha dito, só está se lembrando do irmão, triste por saber que ele morreu e que nunca mais o verá.

— O Lula não pensa dessa maneira.

— Sei disso. Ele tem outras idéias, outra religião, que, aliás, foi sua fortaleza. Percebi que tudo aquilo em que acreditava lhe fazia muito bem. Li alguma coisa. Agora, vá se deitar. Quando acordar amanhã, estarei em pé para me despedir e com um bom café fresco.

— Não se preocupe. Já fez muito para me agradar.

— Você é quem não deve se preocupar. Levanto cedo todos os dias. As crianças vão para a escola na parte da manhã. Boa-noite.

— Boa-noite e, mais uma vez, muito obrigado.

Ela não respondeu, apenas sorriu e saiu. Ele ficou sozinho. Pegou a toalha e se dirigiu ao banheiro. Era verão e o calor fez com que suasse muito. Embora estivesse muito quente, havia sempre uma brisa. Abriu a torneira do chuveiro. A água caía morna, quase fria, mas fez com que ele se sentisse muito bem. Enquanto se banhava, pensava em todos os rostos que havia conhecido. Todos eles eram seus parentes. Ao mesmo tempo que pensava na felicidade por tê-los conhecido, sentia também um vazio por não ter tido uma família como aquela, nem mesmo um irmão. Antes, a falta de um irmão nunca o preocupou, mas agora o preocupava, pois sentia que lhe fora roubada essa felicidade. Terminou de tomar banho, voltou para o quarto. Deitou-se. Procurou o porta-retratos, lembrou que havia deixado com sua avó. Pensou no rosto de Marta:

Como era bonita. Preciso encontrá-la, se não conseguir nunca mais terei paz...

Pensando em Marta, adormeceu.

Pela manhã, acordou antes que alguém viesse chamá-lo. Olhou para um relógio que havia no criado-mudo. Eram cinco e quinze. Em silêncio, foi até o banheiro. A casa estava toda às escuras e silenciosa. Fez o mínimo de barulho possível, não queria acordar as pessoas. Voltou para o quarto, pegou a sua maleta, colocou nela as roupas que havia tirado na noite anterior. Ficou deitado, esperando que alguém se levantasse. Olhava em volta, notou que o quarto era muito simples, como todos aqueles em que dormira. Percebeu que embora a casa fosse confortável, não era rica. Seus móveis eram simples, como simples eram as pessoas que ali moravam. Pessoas que o receberam com muito carinho e que eram sua família. Lembrou-se das coisa que dissera ao tio Luiz:

Fiz mesmo uma coisa horrível! Mas é o que sinto. Se Paulo não tivesse dado a eles tanto dinheiro, teriam o mesmo pensamento a respeito dele? Eu estaria aqui agora se não fosse o dinheiro que me deixou? Claro que não! Teria que estar trabalhando. Mas, por causa do dinheiro, não vou perdoar tudo o que me fez, principalmente com minha mãe Marta. De todos nós, foi ela quem mais sofreu. Eu, apesar de tudo, tive uma infância e juventude feliz ou normal. Mas ela? O que fez de sua vida? Onde estará?

Ouviu o barulho de uma porta se abrindo e alguns passos pelo corredor. Não conhecia muito bem a casa, por isso não soube identificar quem havia acordado. Olhou novamente para o relógio, marcava seis horas. Deduziu que fosse Cinira quem havia se levantado. Esperou mais um pouco. Em seguida, também saiu do seu quarto e foi em direção à cozinha. Havia acertado. Era ela mesma quem havia se levantado e estava esperando a água ferver para fazer o café. Bateu suave à porta para que ela soubesse que ele estava ali e não se assustasse.

Ela se voltou e, sorrindo, disse:

— Bom-dia! Já está acordado?

— Bom-dia! Acordei já há algum tempo. Ouvi quando a senhora saiu do quarto.

— Sente-se, o café já vai sair. Ainda é cedo para acordar os outros. Isso é bom, pois poderemos conversar um pouco a sós.

Walther se sentou. A água ferveu e ela passou no coador de tecido. Um aroma delicioso se fez presente. Ele aspirou aquele perfume. Ela colocou o café em um copo de vidro e lhe ofereceu, em seguida sentou-se em frente dele. Olhou bem dentro de seus olhos e disse:

— Entendo, ou procuro entender tudo o que está passando por sua cabeça, Walther. Ontem à noite, antes de dormirmos, o Luiz me contou o que conversaram.

— Percebi que o magoei, mas juro que não foi a minha intenção.

— Sei disso e conversei muito com ele. Você tem o direito de estar confuso e até revoltado. Vivia tranqüilo, sem imaginar que haviam mudado sua vida, seu destino, sem que lhe fosse perguntado. De repente, tomou conhecimento de tudo. Sente que, de certa maneira, foi roubado, mas não somos ninguém para julgar os atos das outras pessoas e os desígnios de Deus. Ele está presente em nossas vidas todos os momentos, antes e após a nossa morte. Quando nascemos, trazemos conosco o nosso destino traçado por nós mesmos. Poderemos mudar algumas coisas. Poderemos fazer algumas escolhas, mas o essencial, este não. Tudo será como o planejado.

— A senhora está falando como o Lula! É da mesma religião dele?

— Não! Sou católica fervorosa, mas vi com que tranqüilidade meu filho passou por momentos difíceis. Deve saber que ele perdeu a esposa muito jovem, mas a certeza que ele tem de que ela está viva faz com que viva em paz. Por mais que eu não acredite nessa religião e seja católica, não posso deixar de reconhecer que ela fez e faz muito bem ao meu filho.

— Ele não estará se alienando? Fingindo acreditar nisso para não sofrer? Para poder aceitar realmente a morte da esposa? Não gosto muito de religião. Acredito que ela faz com que o homem se entregue e deixe de lutar por aquilo que deseja. Fica pensando e pedindo a um Deus distante que está lá no céu, lugar esse que nem sabemos se realmente existe.

— Acredito que o céu e o inferno existam, sim. Deus não está lá no céu, está aqui, agora, neste momento, ao nosso lado. Quanto a se alienar, não acredito nisso, meu filho é muito feliz.

— A senhora acredita ser lógico deixar de advogar e viver lá naquele lugar, pobre e desconfortável?

— Ele nunca quis estudar, desde pequeno sempre gostou do sítio e da vida que tem lá.

— Eu gostei do Lula assim que o vi. Não posso dizer qual foi o motivo, mas senti que já o conhecia!

— Por isso estou lhe dizendo que nada acontece por acaso. Li isso em um dos livros que o Lula me deu. Pense comigo, por que você, nascendo aqui, foi obrigado a ir embora para outro país? Por que voltou agora? Só pode ter sido a vontade de uma força maior, vontade de Deus.

— Isso não foi vontade de Deus! Foi a ganância de um homem!

— Talvez tenha razão, mas muitas crianças nascem no mundo todos os dias. Naquela época, ali mesmo no garimpo, deveria haver muitas crianças, mas você foi o escolhido. Por quê?

— Não sei. Talvez porque eu estivesse mais perto. Porque outros pais não aceitaram o pedido do americano e não quiseram vender seus filhos.

— Pode ser, mas se acreditarmos naquilo que o Lula diz, tudo estava certo, havia um motivo maior.

— Não consigo acreditar nisso. Que motivo seria esse? Só sei que roubaram a minha vida. Hoje, após ter conhecido todos os meus primos, fico pensando que poderia ter sido criado como seus filhos, com muitos irmãos e uma mãe como a senhora.

— A mãe que o criou não foi boa?

— Foi, e muito. Não posso me queixar de nada contra ela. Eu a amava e sentia ser muito amado.

— Então, não tem do que se queixar. Se tivesse continuado aqui, não teria o mesmo destino. Poderia ser mais uma dessas crianças que crescem desnutridas e sem estudo, isso quando conseguem crescer. Muitas delas morrem muito cedo. Quando adultos, a maioria é analfabeta e não tem oportunidade de ter uma vida melhor. Casam-se muito cedo e seus filhos seguem o mesmo destino. Assim, vão se passando as gerações.

— A minha vida seria diferente. O Paulo encontrou a pedra e, me vendendo, nem precisou dela para conseguir uma fortuna.

— Encontrou a pedra, sim, mas se não tivesse encontrado? Ele acreditava que a encontraria, mas nunca teve certeza disso, era um sonho que talvez nunca se realizasse.

— Mas se realizou. Só que foi tarde para minha mãe. Pode mesmo imaginar o que sinto, sabendo que ela existiu e sem saber se já não morreu? Uma mulher que sofreu muito por ter sido afastada do seu filho. O que a senhora faria se um de seus filhos fosse roubado?

— Deus me livre, não quero nem pensar nisso!

— Então, como pode me dizer que tudo estava certo?

Ela ia responder, quando ouviram:

— Bom-dia! Acordaram cedo.

Olharam para Lula que entrava na cozinha, já sentava e se servia de um copo de café. Cinira respondeu:

— Assim que me levantei, o Walther veio até aqui, estamos conversando enquanto tomamos café.

— Conversavam sobre o quê?

— Sobre várias coisas, inclusive sobre a sua religião.

— Espero que não tenham falado muito mal dela. — disse rindo.

— Não! Eu estava dizendo ao Walther que você sempre diz que tudo está certo na vida. E que tudo tem sua hora. Ele estava argumentando que não acreditava nisso.

— As coisas estão sempre certas diante de Deus. Existe até o momento certo para que o homem aceite essa verdade. E esta não é a hora certa para o Walther entender. A hora, agora, é de irmos embora. Ele precisa voltar para o seu país. Quando chegar o momento certo, ele saberá. Verá que tudo acontece sempre para o nosso bem. Entenderá que aquilo que costumamos chamar de destino se faz presente e o que tem que ser, será.

Walther ouviu aquelas palavras, admirou-se, pensou que ele ia se alongar na tentativa de o convencer que a sua religião era a certa. Lula continuou:

— Mamãe, temos que ir. Vamos comer alguma coisa antes de sairmos. O Walther não conversou muito com os nossos avós. Eles são simples, embora pensem e queiram fazer muitas perguntas, não sabem como. Vou fazer o possível para que entendam o que representa o Walther em suas vidas. O vovô já não entende muito bem, mas as avós são espertas. A avó Maria, sem que o Walther percebesse, guardou o retrato da tia Marta. Vamos ter que convencê-la a devolver.

Walther olhou para o primo que sorria. Nervoso, disse:

— Que está dizendo? Ela não vai querer me devolver? Eu não dei para ela, apenas mostrei! É a única foto que tenho da minha mãe!

— É também a única foto que ela tem da filha. Será difícil tirá-la dela.

— Eu posso mandar fazer uma cópia e mandá-la depois!

— Tente convencê-la disso. Pode também deixar com ela. Prometo-lhe que mandarei tirar uma cópia e a enviarei pelo correio.

— Não posso fazer isso. Como saberei reconhecer a minha mãe se a encontrar, sem o retrato?

— Quando sua mãe tirou esse retrato, era muito jovem, hoje deve estar mudada. Mas não se preocupe, assim que a vir, saberá que é ela. Não vai precisar do retrato. Acredito que, se a encontrar, entenderá a justiça de Deus.

— Se a encontrar, realmente serei o homem mais feliz deste mundo. Se ela estiver bem, aí sim, acreditarei nessa justiça que está dizendo.

— Vamos esperar. Agora precisamos nos preparar para a viagem...

Cinira colocou sobre a mesa leite, pão e um bolo que havia preparado na noite anterior. Comeram. Walther permaneceu calado o tempo todo. Lula falava muito com a mãe, mas ele não ouvia. Pensava em sua vida e na mãe que não sabia como encontrar. Terminaram de tomar café. Walther foi até o quarto, pegou sua maleta, Lula fez o mesmo. Quando voltaram, a casa ainda continuava em silêncio. Todos dormiam. Despediram-se de Cinira. Ela abraçou Walther, dizendo:

— Vá com Deus. Fiquei feliz por ter conhecido e tê-lo recebido em minha casa. Espero que volte outras vezes e que consiga realizar o sonho de encontrar sua mãe.

— Obrigado, também gostei muito de tê-la conhecido. Após ter conhecido toda essa família, jamais vou esquecê-los e pretendo voltar muitas vezes. De preferência, com a minha mãe.

— Desejo de todo o meu coração que isso aconteça.

Lula também se despediu da mãe, abraçando-a e beijando-a:

— Até logo, mamãe. Voltarei na semana que vem. Não se preocupe com o primo, ele vai encontrar o caminho a seguir. Embora ele não acredite, Deus está ao seu lado, o encaminhando. Primo, vamos embora?

Walther sorriu. Os dois se afastaram, abanando as mãos para Cinira, que correspondia. Entraram no carro e saíram. Walther dirigia com cuidado. Lula não dizia nada, pensava na angústia que o primo estava sentindo.

Durante o caminho, conversaram sobre a paisagem e a família. Walther disse:

— Seus irmãos são muito alegres.

— Sim. Eles estão começando a vida. Todos foram criados por uma grande mulher, dona Cinira, minha mãe. Ela é fabulosa!

Mais uma vez, Walther lembrou-se de Geni, a mãe que o havia criado. Disse:

— Também fui criado por uma grande mulher. Ela também foi maravilhosa. Ensinou-me a sempre ser honesto e viver do meu trabalho. Tudo estaria bem na minha vida, se não tivesse descoberto toda essa história.

— Devemos sempre ver as coisas pelo lado bom. Descobrindo essa história, descobriu também que é hoje um homem com muito dinheiro. Poderá mudar sua vida completamente. Já imaginou o que vai fazer com todo esse dinheiro?

— Para ser sincero, ainda não. Vi alguns números, mas não consigo imaginar o quanto realmente representa. Sinto que esse dinheiro foi ganho de uma maneira não muito certa.

— O que está dizendo? O tio Paulo trabalhou muito. Deu emprego para muitas pessoas. Esse dinheiro é limpo. Pode usá-lo sem se preocupar com nada. Com ele, poderá ter tudo o que sonhou.

— Isso é que está sendo difícil. Nunca sonhei com nada que acreditava não poder conseguir com o meu trabalho.

— Mas agora pode sonhar e conseguir tudo o que quiser. Esse dinheiro é seu. Ele lhe pertence desde o início.

— Está me dizendo que se não fosse a minha venda, talvez ele não existisse?

— Isso mesmo. Tio Paulo encontrou a pedra, mas não a vendeu, isso é um sinal de que o que recebeu do americano foi multiplicado graças à sua inteligência e ao seu trabalho. Portanto, o dinheiro é todo seu e deve usar para fazer a sua felicidade!

— A minha felicidade seria encontrar a minha mãe!

— Talvez ele sirva para isso. Acredite que a vida nos conduz pelos caminhos que teremos que seguir.

— Está bem, só me resta mesmo a fazer isso.

Lula não respondeu, apenas sorriu. Chegaram ao sítio. Assim que o jipe entrou na pequena estrada, Walther viu os avós na varanda. Quando chegou perto, pôde ver o sorriso naqueles rostos enrugados. Parou o jipe, desceram. Lula correu para os avós e os abraçou com carinho. Walther o seguiu, também os abraçou, mas não com o mesmo entusiasmo de Lula. No fundo, culpava-os por terem expulsado sua mãe de casa. Enquanto os abraçava, pensava:

Se eles não a tivessem expulsado, nada daquilo teria acontecido. Hoje, eu estaria ao lado da minha mãe.

Entraram em casa. Lula, segurando a mão da sua avó Maria, disse:

— Vovó, o Walther, seu neto, tem que ir embora.

— Mas ele mal chegou.

— É verdade, mas ele tem muito para fazer, não pode ficar mais tempo. Ele vai, mas volta. Não é, Walther?

Walther não tinha intenção nenhuma de voltar, mas vendo o olhar de Lula e da avó, respondeu:

— Claro que vou voltar.

— Sabe, meu neto, ficamos alegres com a sua visita e por saber que a minha filha Marta conseguiu ter o seu filho, apesar de tudo.

— Conseguiu, sim. Estou aqui.

— Não consigo deixar de pensar nela. Hoje, após tanto tempo ter passado, não consigo me perdoar por não ter evitado que o pai a expulsasse desta casa que era dela. Peço a Deus, todos os dias, que eu tenha notícias dela antes de morrer. Preciso saber o que aconteceu com sua vida.

— Também quero muito encontrar a minha mãe. Não sei se a condeno por não ter evitado. Não sei qual era o poder de uma mulher naquele tempo.

— Não tínhamos poder algum, como ainda não temos. Os homens decidem, nós apenas obedecemos.

Walther se emocionou com o modo de a avó falar. Realmente, aquela cultura era diferente da que havia aprendido, embora, em seu país, não fosse muito diferente. Lá também as mulheres ficavam em casa só cuidando da família. Os homens traziam o dinheiro. As funções eram bem divididas.

— Vovó, quero que saiba que, embora eu já a tenha condenado por não ter ajudado a minha mãe, entendo também a sua situação. Quem sabe, um dia, a mulher consiga ter os mesmos direitos dos homens. Consiga trabalhar e ter o seu próprio dinheiro para poder decidir o que seja bom para ela.

— Deus o ouça, meu filho, Deus o ouça. Já está quase na hora do almoço. Vai almoçar antes de partir, não vai?

Lula respondeu:

— Vai sim, e precisa ser logo, ele tem uma longa viagem, já são dez horas. Precisa sair antes do meio dia. Chegará à próxima cidade grande, quando estiver escurecendo. Assim, poderá passar a noite. Mas precisa também que a senhora lhe devolva o retrato que ele trouxe.

— Que retrato?

— Vovó, não se faça de tola. Sabe muito bem do que estou falando. Sei que o retrato da tia Marta está com a senhora. Ele pertence ao Walther.

— Mas é o único retrato que tenho da minha filha!

— É também o único retrato que ele tem da mãe. Ele me prometeu que vai mandar fazer uma cópia e mandará para a senhora, mas precisa desse.

— Também preciso. Você pode mandar fazer uma cópia e mandar

para ele.

Lula olhou para Walther, que permanecia calado:

— Você é quem sabe, se quiser, eu a convencerei, mas será justo?

Walther não respondeu. Em seu íntimo, queria muito aquele retrato. Já havia se acostumado a olhá-lo todas as noites, antes de dormir. Era a única imagem que possuía de sua mãe. Temia que, se não o tivesse, não conseguiria reconhecê-la, caso a encontrasse. Lula, vendo que o primo não respondia, disse:

— Sei o valor deste retrato para você, mas sei também o quanto a vovó precisa dele. Prometo-lhe que mandarei fazer uma cópia amanhã mesmo. Vai ficar ainda alguns dias em São Paulo, não vai?

— Não pretendo ficar mais do que o necessário, preciso voltar para o meu país. Não posso simplesmente abandonar tudo o que tenho lá.

— Assim que a cópia ficar pronta, eu telefono, se ainda estiver lá, mando no mesmo dia. Pode me deixar o seu endereço nos Estados Unidos. Se não estiver mais aqui no Brasil, eu enviarei para lá. Você é quem sabe...

Walther olhou para a avó. Em seus olhos, via uma angústia muito grande. Aquele retrato, para ele, era muito importante, mas ela já estava tão velhinha. Não teve coragem de dizer não:

— Está bem, vou deixar o retrato com você. Faça uma cópia maior. Assim que estiver pronta, me mande, mas quero essa original que está com a nossa avó. Nessa, minha mãe colocou as mãos. É essa que quero.

— Pode ficar tranqüilo, eu lhe mandarei esta, assim que a cópia ficar pronta.

A velha senhora acompanhava a conversa dos dois sem interferir. Assim que Walther concordou em lhe dar o retrato, abraçou-se a ele, chorando:

— Muito obrigada, meu neto. Não imagina a felicidade que está me proporcionando. Penso nela sempre, mas agora poderei olhar para seu rosto e pedir perdão.

Walther não sabia o que responder. Não estava acostumado com aqueles abraços. Lula entendeu a situação dele, dizendo:

— Está bem, vovó, ele já entendeu tudo, mas agora vamos entrar.

Vá até a cozinha ver com a Leda como está o almoço.

A senhora entrou, mas não foi para a cozinha, foi para seu quarto. Olhou para seu criado-mudo, onde havia colocado o porta-retratos. Pegou-o em suas mãos, dizendo:

— Minha filha, não sei onde está neste momento, nem o que aconteceu com a sua vida. Só quero que saiba que nunca a esqueci e que rezarei todos os dias para que seu filho a encontre. Que Deus permita que eu a encontre também, antes da minha morte.

Colocou o porta-retratos de volta ao criado-mudo. Sorriu e saiu, indo, agora sim, para a cozinha. Lá chegando, disse para a Leda:

— Sinto que agora tudo vai ficar bem. Meu neto me deu o retrato da Marta. Vou poder olhar para seu rosto e pedir perdão todos os dias...

— Ainda bem, dona Maria, que a senhora está se sentindo assim! Agora, pode parar de ficar chorando pelos cantos. Seu neto é um moço muito bonito.

— Sei disso, mas também com ele eu faltei. Não o protegi quando ainda estava na barriga da minha filha. Se o pai não tivesse mandado ela embora, ele ia nascer aqui e os dois estariam ao meu lado. Ao invés disso, ele foi criado num lugar distante e a minha filha nem sei por onde anda. Vamos agora servir o almoço, ele quer partir hoje mesmo.

— Tão cedo? Pensei que ele ia ficar mais alguns dias.

— Ele não encontrou aqui o que veio procurar. A sua mãe.

— Mas encontrou toda sua família, Leda. Conheceu os avós! Será que não ficou feliz?

— Acredito que sim, dona Maria, mas sinto que tem uma mágoa muito grande contra nós. Sinto que culpa a gente por tudo o que aconteceu.

— Ele disse isso?

— Não, foi muito carinhoso, mas eu sinto...

— Deve ser a sua imaginação. Ele me pareceu ser muito bom.

— Deus a ouça e seja apenas a minha imaginação. Vou ajudá-la com o almoço.

Lula estava, neste momento, mostrando para Walther, onde eram beneficiadas a mandioca e o milho plantados no sítio.

— Veja, como com estes pequenos moinhos, mandioca se transforma em farinha e o milho, em fubá.

— Nunca tinha visto um moinho e nem imaginava que fosse assim. O que fazem com a farinha e o fubá?

— Usamos o necessário aqui no sítio e vendemos o resto na cidade. Esses alimentos são essenciais para o nosso povo. O feijão e arroz jamais serão comidos sem farinha. Com o fubá se fazem bolos, doces e é até servido para as crianças com leite. É um alimento muito rico em vitaminas.

Saíram do moinho, Lula mostrou a plantação de milho e mandioca. Walther, sempre criado na cidade, nunca havia visto uma plantação de perto. Apenas ia ao mercado e comprava tudo embalado. A plantação estava muito verde e viçosa:

— Parece que esta plantação vai dar resultado. Está muito bonita!

— Sim! Graças a Deus, temos tido chuva durante muitos anos. Esperamos que continue assim, pois, se não chover,a seca voltará e tudo isto se tornará um deserto...

— Não tem como planejar algum tipo de irrigação?

— Bem se vê que não sabe o que seja uma seca. A água some completamente. Com o tempo, talvez surjam meios de se conseguir água mesmo sem as chuvas, mas acredito que esse dia ainda está muito distante.

— Talvez não esteja tão longe assim. A tecnologia está evoluindo muito. Hoje, temos aviões, carros. Alguém vai encontrar um meio de trazer água para cá.

— Deus o ouça. Se isso acontecer, o Nordeste brasileiro será uma das melhores terras para se viver.

— Acredito que isso vai acontecer.

Assim conversando, voltaram para casa. A mesa grande já estava posta. Os avós somente os esperavam para começarem a comer. Walther e Lula sentaram. Os avós começaram a comer, não diziam nada. Avó Maria olhava para Walther, pensando:

Tenho tanta coisa para lhe dizer, meu neto... Mas não sei como fazer. Sei que me culpa por tudo o que lhe aconteceu, mas era e sou muito ignorante, muito covarde...

Avó Branca, mãe de Paulo, também se sentia culpada por não ter insistido mais com o cunhado na época que ele expulsou a Marta, esperando um filho. Mas pensava:

Sinto que não fiz tudo o que poderia ter feito. No íntimo, eu também culpava Marta pelo passo errado que dera, por ter se perdido, ainda mais sendo com o meu filho. Eu achava que ela o tinha enganado. Como consegui agir daquela maneira? Como consegui deixar que o meu neto fosse expulso junto com a mãe?

Terminaram de almoçar. Walther voltou ao seu quarto. Em cima da cama estava colocada toda a sua roupa, limpa e passada. Tirou a roupa de Lula que estava usando, dobrou-a e a colocou sobre a cama, no lugar em que estavam as suas. Vestiu-se, guardou o resto na maleta, voltou para a sala onde seus avós e Lula se encontravam. Despediu-se de todos, dizendo:

— Fiquei muito feliz em conhecer todos vocês e a este lugar, vou embora porque preciso, mas vou voltar assim que for possível.

Estava dizendo aquilo, mas sabia que jamais voltaria. Aquele lugar lhe trazia muitos pensamentos, num misto de raiva e de carinho. Ao abraçar Lula, disse as mesmas palavras. Só que Lula lhe respondeu:

— Sei que não quer mais voltar aqui, primo, mas não sabemos nada desta vida. Estarei esperando-o, quando voltar, será muito bem recebido.

— Por que está dizendo isso?

— Porque você conheceu este lugar e nunca mais vai esquecer. Porque aqui estão as suas raízes e elas são poderosas! Quem sabe até volte com a sua mãe!

— Sabe de alguma coisa que eu não sei? Sabe onde está a minha mãe?

— Não sei nada. Se soubesse onde está a sua mãe, claro que o levaria até ela. Só sei que Deus é um Pai misericordioso e que nos dá sempre a oportunidade de realizarmos os nossos sonhos. Sei também que o seu sonho é encontrar sua mãe, por isso sinto que a encontrará. Se não for nesta vida, será na outra, mas vamos esperar que seja nesta mesmo.

— Também espero, mas acredito que vai ser impossível.

— Para Deus, nada é impossível. Ele pode tudo! Vamos confiar e entregar a nossa vida a Ele. Continue sua caminhada. Resolva o que vai fazer com a sua vida daqui para frente. Tem, agora, condições de ser outra pessoa, dinheiro suficiente para viver muito bem. Aproveite bem esse dinheiro, você merece. Fiquei muito feliz mesmo em conhecê-lo. Seguindo o que acredito, poderia até dizer em revê-lo.

— Como me rever? Só nos conhecemos agora?

— Nesta vida, meu primo... mas sinto que nos conhecemos há muito tempo e que sempre fomos amigos.

— Lá vem você novamente com essa conversa.

— Tudo bem, não precisa acreditar, mas não pode impedir que eu acredite. Vá com Deus, tenha certeza de que, independente da religião que seguimos, nunca estamos sós, Deus está sempre ao nosso lado, mostrando-nos o caminho que devemos seguir. Vou acompanhá-lo em meu cavalo até a estrada.

Walther, sorrindo, entrou no jipe e disse:

— Será uma honra! Vamos?

Olhou para a varanda, lá estavam os avós e Leda. Abanou o braço, dando adeus, no que foi correspondido. Lula montou no cavalo e seguiu na sua frente.

Novamente estava voltando naquela estradinha cheia de buracos, nem notados quando chegou, devido à ansiedade. Dirigiu com cuidado. Sabia que aquele jipe era potente, só não sabia se haveria peças para trocar, caso alguma quebrasse, por isso tomou todo cuidado. Sabia que a viagem de volta para São Paulo seria longa, mas agora sabia também onde pernoitar. Dormiria na casa de vó Zu. Contaria a ela que não conseguiu encontrar a mãe. Assim que chegaram na estrada principal, Lula desmontou e veio até o jipe. Disse, sorrindo:

— Bem, meu primo, aqui estamos. Esta estrada levará você de volta, basta apenas seguir as placas. Não se esqueça de escrever, quero saber tudo o que fizer com a sua vida. Vá com Deus! Procure tirar do seu coração toda a mágoa que sente. Recomece sua vida em paz. Jesus o abençoe.

Walther sentiu um aperto no coração por se despedir daquele que até poucos dias era um estranho, mas por quem tinha um sentimento desconhecido. Apertou a mão do primo, dizendo:

— Estou emocionado por me despedir de você. Tenho certeza de que encontrei um amigo, mas nesta vida mesmo, não em outra. Espero revê-lo antes de partir para a outra. Se quiser me visitar e conhecer o meu país, será muito bem-vindo!

— Seu país é este, mas se eu quiser conhecer os Estados Unidos, irei sim. Pode me esperar. Quanto à outra vida, não se preocupe, é ainda muito jovem e tem muito para viver. Estou feliz por tê-lo conhecido, ainda mais, por sentir que, apesar de tudo o que descobriu, está fazendo o possível para entender e está tentando nos aceitar como a sua família. Siga seu caminho, lembre que a nossa caminhada, embora às vezes não pareça, é sempre para o melhor.

Walther sorriu, soltou a mão do primo, acelerou o jipe, saiu com um aperto na garganta.

Estava novamente na estrada. Sabia, agora, por todos os lugares que teria que passar. Voltava triste, por não ter encontrado sua mãe. Sentia em seu coração que não a encontraria. Lembrou-se de Paulo:

Todos falaram muito bem dele. Os daqui até pode se dizer que tiveram motivo para isso, mas o Isaías, quando me falou a seu respeito, ainda não sabia que ele havia lhe deixado a casa. A vó Zu, também não o conheceu, mas disse que eu devia perdoar, porque tudo estava certo em cima desta Terra. Não sei o que pensar. Não vou mesmo conseguir encontrar a minha mãe. Se Paulo não conseguiu durante todos estes anos, como eu conseguiria? O melhor que tenho a fazer é, como disse o Lula, recomeçar a minha vida. Ver o destino que vou dar a todo esse dinheiro. Quem sabe posso ter até o meu próprio negócio de seguros. É isso mesmo que vou fazer. Assim que chegar a São Paulo, verei se o dinheiro está liberado. Já deve estar, vou pegar o primeiro avião que houver e vou voltar para minha terra. Lá, recomeçarei.

O acidente

Já estava há algum tempo na estrada. Ela estava praticamente vazia. Passou por algumas carroças, um ou outro cavaleiro e algumas pessoas que seguiam andando pela margem. Não havia visto até agora nenhum carro. Desviou os olhos para ver o relógio que estava no braço esquerdo. Ele marcava doze horas e cinqüenta minutos. Fazia mais de uma hora que havia saído do sítio. Quando voltou novamente os olhos para a estrada percebeu que alguém a estava atravessando. Pisou no freio com toda força, mas não conseguiu evitar a batida. Percebeu que alguém caiu. Apavorado, desceu do carro e foi ver o que havia acontecido. Quando chegou, uma moça estava deitada, tentando se levantar. Chegou ao seu lado e a ajudou a sentar:

— Desculpe, quando a vi, tentei frear, mas não consegui evitar a batida!

A moça levantou a cabeça. Ele pôde notar que era muito bonita. Morena, com longos cabelos negros e uns olhos grandes e assustados. Seus olhos se cruzaram. Ficaram assim por alguns segundos, olhando-se calados. Ele, desesperado, voltou à realidade:

— Você está bem? Está sentindo dor?

Ela tentou levantar e ficar em pé, mas não conseguiu. Sua perna doía muito:

— Minha perna está doendo, mas não se preocupe, o senhor não teve culpa. Eu atravessei a estrada sem olhar. Estava distraída.

— Por aqui deve ter algum hospital. Vamos até lá para ver se tudo está bem com a sua perna?

— Não, estou bem. Preciso ir para casa, meus irmãos estão sozinhos. Foi só uma batida, não quebrou nada.

Walther olhou para a perna da moça. Percebeu que não havia quebrado:

— Onde você mora?

Ela, apontando com o braço, respondeu:

— Ali naquela casa.

Ele olhou e viu outra estradinha igual à do sítio e uma casa pequena e muito simples. Percebeu que a distância era longa:

— É muito longe, será melhor que entre no jipe e eu a levarei até lá.

— Não precisa! Não é tão longe assim! Já estou acostumada a andar.

Tentou andar, mas não conseguiu. Encostou no jipe:

— Acho que o senhor tem razão. Com essa dor, vou demorar muito para chegar...

— Vamos até um hospital. Deve haver algum aqui por perto.

— Tem sim, na cidade, estou voltando dele agora. Fui visitar minha mãe, ela está lá já há seis dias. Por isso preciso voltar logo para casa, meus irmãos estão sozinhos se eu não voltar, ficarão assustados.

— Vamos fazer o seguinte. Você entra no jipe, vamos até a sua casa, contamos para seus irmãos o que aconteceu, depois iremos até o hospital. Se quiser, pode levar um deles com você. Quantos são?

— Doze.

— Doze? Você tem doze irmãos?

Ela, vendo o espanto dele, sorriu e respondeu:

— Não, tenho onze. Somos doze comigo!

Ele percebeu que ela estava mais calma e que sorrindo ficava mais bonita ainda. Também, sorrindo, disse:

— Não consigo imaginar uma casa com doze irmãos. Sou filho único, fui criado sozinho. Deve ser uma atrapalhação. Como uma pessoa pode ter doze filhos?

Ela, sorrindo, disse:

— Na realidade, meus pais só tiveram três filhos. Eu e mais dois irmãos, os outros são crianças que minha mãe foi acolhendo e cuidando.

— Disse minha mãe. Seu pai onde está?

— Ele morreu quando eu era ainda criança, não me lembro dele. Desde então, minha mãe tem cuidado de todos nós e de muitas outras crianças.

— Sua mãe cuida de doze filhos? Como ela faz?

— Meu pai deixou um sítio, onde plantamos mandioca, milho e feijão. Lá, tem várias galinhas e duas vacas que garantem o leite, manteiga e queijo. Algumas pessoas da cidade ajudam. Meus dois irmãos, assim que fizeram dezoito anos, não encontrando emprego aqui, foram para

São Paulo. Hoje, estão casados, trabalham em uma empresa e todos os meses nos mandam dinheiro. Outras crianças que minha mãe criou também cresceram e foram embora, mas sabem que ela precisa de dinheiro para dar a outras crianças o mesmo que deu a elas, por isso também mandam dinheiro.

— Isso é suficiente?

— Vivemos muito bem, não nos falta nada. Mamãe costura para algumas pessoas na cidade, eu a ajudo cuidando da casa e das crianças. Nossa! Nós nos conhecemos há poucos minutos e já lhe contei quase tudo da minha vida!

— Por que está a pé? Não tem uma condução?

— Temos uma carroça, mas ontem quebrou, meu irmão a está consertando. Precisava ir ao hospital ver a minha mãe.

Walther ficou calado. Ela tentou dar um passo, mas não conseguiu. Ele a amparou, dizendo:

— Entre no jipe, vou levá-la até em casa. Vamos falar com as crianças e depois vamos até o hospital.

Ela percebeu que não poderia andar, só lhe restou entrar no jipe. Após tê-la acomodado, ele recolheu uma sacola, onde havia alguns alimentos que estavam esparramados pelo chão. Pegou tudo, colocou na sacola, deu a volta e entrou também. Ligou o jipe, fez uma manobra e entrou na pequena estradinha.

Dirigia devagar, pois havia muitos buracos que faziam com que ela soltasse alguns gemidos. Chegaram a um pequeno riacho, onde havia uma ponte feita com dois troncos de árvore e algumas madeiras. Walther passou por ela com cuidado. A casa era um pouco distante da ponte. Para se chegar até ela, havia mais uns dez metros. Walther disse:

— Não vai conseguir chegar andando até a porta de entrada.

— Consigo, sim. Só precisa me amparar de um lado. Irei pulando.

Ele, com ar de quem não estava acreditando, abriu a porta do jipe e a ajudou descer. Ela, com dificuldade, desceu. Ele a segurou pela cintura, ela passou o braço por suas costas e começou a pular em uma perna só. Andaram por alguns metros. Ele era bem mais alto do que ela, precisava ficar curvado, logo estava com as costas doendo. Ela também se cansou rapidamente. Pararam. Walther olhou em direção da casa e notou que ainda faltavam muitos metros. Na porta, apareceu um rapazinho. Ela começou a gritar, abanando as mãos. O rapaz, quando a viu, veio correndo em sua direção. Logo apareceram mais crianças que o seguiram.

Assustaram-se primeiro, com aquele carro e um homem desconhecido. Depois por vê-los abraçados. O rapazinho, que parecia ser o mais velho, sem perceber que ela estava machucada, disse:

— Laura! Que aconteceu? Quem é esse homem?

Ela olhou para Walther sem saber o que responder, pois até agora, não sabia o seu nome. Ele, percebendo que realmente não haviam se apresentado disse:

— Meu nome é Walther, houve um acidente e Laura está com a perna machucada. Estávamos tentando chegar em casa para avisar você, mas parece que vai ser impossível.

— Está machucada?

— Estou, e está doendo muito. Acho que vou precisar ir até o hospital. Não sei quanto tempo vou demorar, por isso, quero que volte para casa e cuide de tudo. Dentro do carro tem uma sacola com carne e algumas frutas. Leve e prepare alguma coisa para as crianças comerem, mas não chegue perto do fogão.

Walther estava abismado com tantas crianças, que, admiradas, olhavam para ele e para o jipe. Percebeu que eram de todas as idades, alguns morenos, outros louros e negros. Ele acompanhou Denilson até o jipe, abriu a porta, retirou a sacola e lhe entregou. Laura, preocupada, perguntou:

— Quem ficou tomando conta dos bebês?

— A Lurdinha e a Tea. Não se preocupe, estamos todos bem. É melhor que vá logo para o hospital, sua perna está inchando.

Ela e Walther olharam para sua perna e notaram que estava mesmo vermelha e um pouco inchada. Walther, imediatamente ajudado por Denilson, cada um de um lado, levou-a até o jipe e a colocou no banco traseiro com a perna estendida sobre ele. Com muito custo, pois a estrada era estreita, Walther conseguiu manobrar o jipe e colocá-lo de frente para que conseguisse sair.

Laura fez mais algumas recomendações para Denilson que, sorrindo, abanou a mão despedindo-se. Bem devagar, Walther colocou o jipe em movimento.

Ao chegarem no hospital, ele entrou e pediu uma cadeira de rodas. Laura sentia muitas dores. Uma enfermeira o acompanhou. Ficou abismada ao ver aquele carro que era muito bonito. Por aqueles lados, era muito difícil se ver um carro, muito menos como aquele. Ficou mais abismada ainda ao ver Laura..

— Laura! Que aconteceu?

— Sofri um acidente, minha perna está doendo muito...

— Vamos logo lá para dentro. O doutor Morais vai atender você.

— Com muito carinho, Walther retirou-a do carro e colocou-a na cadeira. A enfermeira conduziu-a com cuidado, mas com rapidez para dentro. Levou a cadeira até um consultório. O médico, ao vê-la, perguntou espantado:

— Laura! Que aconteceu? Acabou de sair agora mesmo daqui!

Antes que Laura respondesse, Walther disse:

— A culpa foi minha, eu a atropelei com meu jipe, quando ela atravessava a rodovia.

— Não! A culpa não foi dele! Eu estava distraída, pensando em minha mãe e como ia fazer para cuidar das crianças sozinha e atravessei sem olhar. Ele não teve como desviar.

— Isso agora não importa, precisamos ver essa perna. Vai tirar uma radiografia para ver se está quebrada, depois conversaremos.

A enfermeira a conduziu até outra sala, onde iria tirar a radiografia. Walther ficou esperando, sentado em um banco. Enquanto esperava, seu pensamento corria solto:

Como isso foi acontecer? Embora ela diga que não, sei que a culpa foi minha. Estava envolvido em meus pensamentos e não prestei atenção na estrada. Tomara que não tenha sido nada grave. É uma moça tão bonita. Não é mais uma menina, mas seus olhos são como se fosse. Estranho o que senti quando a olhei pela primeira vez, quando nossos olhos se encontraram. Ela não me pareceu ser uma estranha, parece que já a conheço de algum lugar...

Ficou assim pensando por algum tempo, até que a porta se abriu e Laura saiu, sentada na cadeira, sendo conduzida pela enfermeira, que disse:

— Vamos esperar um pouco até a radiografia ficar pronta. Quer que avise a sua mãe que está aqui?

— Não, por favor. Ela ficaria muito nervosa ao saber que sofri um acidente. Vamos ver o que o doutor Moraes diz, depois falarei com ela. Você a conhece, sabe como é preocupada com todos nós.

— Tem razão e, no momento, o que ela menos precisa é se preocupar.

Enquanto as duas conversavam, Walther olhava em sua volta, pensando:

Como a Laura pode dizer que isto aqui é um hospital? Em meu país, não seria mais que um pequeno centro médico. Tudo é tão pobre, embora seja muito limpo. Este país é tão diferente, dentro dele mesmo. São Paulo, Rio de Janeiro, lugares onde passei e vi tanta riqueza, enquanto neste lado existe só pobreza. Qual será o motivo de ser assim?

Não parava de pensar, querendo entender e conhecer a terra na qual havia nascido. Seus olhos corriam por tudo, de repente, pararam em Laura, que ainda conversava animadamente com a enfermeira, sem prestar atenção nele. Ele a olhou, mas desta vez a viu diferente:

Por que tudo isto está acontecendo? Só vai me atrasar. Preciso voltar para o meu país. Mas, só agora, após ter passado o susto e saber que ela está sendo atendida, foi que comecei a prestar mais atenção nela. É mesmo muito bonita.

Realmente, Laura possuía lindos cabelos negros, levemente ondulados. Estavam presos para trás por uma presilha. Seus olhos eram castanho-escuros e muito brilhantes. Sua pele morena, não chegava a ser escura. Dentes e boca perfeitos. Ela formava um conjunto muito bonito. Ele a ia olhando, sem conseguir desviar os olhos. Sua saia estava levantada até a altura dos joelhos. Ele pôde notar que suas pernas também eram bem feitas e bonitas.

Estava distraído, olhando, quando viu o médico se aproximando: Disse:

— Por esta radiografia não tem nada quebrado, foi apenas uma luxação, mas, mesmo assim, será preciso imobilizar por alguns dias.

— Imobilizar? Não pode! O senhor sabe que lá em casa há muitas crianças! Minha mãe está aqui! Como vou fazer para cuidar delas?

— A Eunice, terá que ficar aqui por mais alguns dias. Não está bem, alimenta-se muito mal e trabalha muito. Ficando aqui, poderá descansar e se alimentar. Quando voltar, estará como nova.

— Quantos dias mais ela terá que ficar?

— Deveria ficar no mínimo mais dois dias, mas diante da situação. Estou dando um medicamento através do soro. Depois disso, poderá ir embora, mas terá que continuar o tratamento em casa, se não, da próxima vez em que tiver outro ataque como aquele, poderá ser fatal.

— Deus me livre! Não fale isso, doutor. Não posso imaginar a minha vida sem ela. Por isso mesmo é que não posso ficar imobilizada.

— Mas precisa, embora não tenha quebrado. Se não imobilizar, sentirá muitas dores e poderá complicar.

— Não sei como vou fazer...

— Vai ter que se organizar. As crianças maiores a ajudarão com os menores. Amanhã bem cedo, poderá vir buscar a Eunice, mas, mesmo assim, ela terá que ter muito cuidado e se alimentar bem.

Walther prestava atenção na conversa dos dois. Percebeu que Laura estava mesmo muito aflita. Pensou um pouco e os interrompeu:

— Com licença. Sei que sou o culpado por toda esta situação. Quero e preciso ajudar. Posso ficar durante o dia com vocês, ajudar de alguma maneira e, à noite, dormirei em algum hotel. Assim que sua mãe voltar, eu irei embora.

O médico e Laura se olharam e não conseguiram evitar um sorriso. Foi ele quem disse:

— O senhor não deve ter prestado muita atenção na cidade. É muito pequena, praticamente tem três ou quatro ruas. Não temos um hotel, nem sequer uma pensão!

— Realmente, estava tão aflito que não prestei atenção, mas precisamos encontrar uma maneira de eu ficar e ajudar no que for preciso.

Laura olhou para ele e percebeu que estava nervoso. Pensou um pouco. Sabendo que precisava de ajuda, disse:

— Embora não o considere culpado, preciso de ajuda. Se quiser, pode ficar lá em casa, é muito simples, mas arrumaremos um modo de o acomodar.

— Boa idéia, Laura! Garanto ao senhor que ficará muito bem. Embora garanta também que terá muito trabalho. Aquelas crianças são um terror.

Laura sorriu:

— Nem tanto, doutor. São apenas crianças que querem brincar e viver.

Walther pensou mais um pouco. Aquilo não estava em seus planos. Queria chegar logo a São Paulo, terminar de arrumar sua vida e voltar o mais rápido possível para os Estados Unidos. Muita coisa havia acontecido desde que chegara ao Brasil. Sua cabeça estava muito confusa. Sabia que agora tinha dinheiro para recomeçar uma vida nova em seu país. Sabia também que, sozinho, não conseguiria encontrar sua mãe. O que mais desejava era voltar. Esquecer tudo o que havia se passado em sua vida, a sua origem e usufruir do dinheiro que lhe pertencia por direito. Dinheiro que sua mãe havia pago com muitas lágrimas e sofrimento.

Tudo isso passou por sua cabeça, mas sabia também que aquela jovem precisava de sua ajuda. Olhou para os dois, dizendo:

— Tenho que viajar, mas posso adiar por alguns dias. Vou ficar o tempo que for preciso.

Laura e o médico sorriram. No íntimo, ela ficou feliz. Precisava de ajuda e ele, com certeza, a ajudaria. O médico disse:

— Assim está muito bem. Vou imobilizá-la. Irão embora e amanhã voltarão para levar a Eunice.

Assim fez, logo Laura estava com uma tala que pegava a perna toda, desde a coxa, envolvendo os pés. Walther acompanhou a enfermeira até o jipe. Ela empurrava a cadeira de rodas. Assim que chegaram, ele, com muito cuidado, colocou Laura no banco de trás. Após acomodá-la, entrou no jipe, se despediram, ele foi dirigindo bem devagar. Laura o olhava por trás:

Ele é um moço bonito! Quem será? De onde terá vindo?

Walther, agora, prestava atenção à cidade. Realmente, era muito pequena. Pelo retrovisor, olhou para trás.

Laura, no mesmo instante, também olhou, seus olhos se encontraram. Os dois sentiram como se um raio os houvesse atingido. Uma corrente elétrica passou por seus corpos. Ficaram calados, olhando-se por alguns segundos, sem conseguirem desviar os olhos. Depois, meio sem graça, viraram o rosto para o lado. Ficaram calados, não sabiam o que dizer. Sentiam que o coração batia mais forte. Walther respirou fundo, querendo voltar ao seu normal. Laura ficou olhando para fora, apreciando a paisagem, tentando não demonstrar o que estava sentindo. Foi um momento mágico para os dois, cada um de seu modo tentava disfarçar. Ficaram assim calados por alguns minutos. Walther interrompeu o silêncio:

— O doutor tinha razão, não percebi como a cidade era pequena!

Ela, ainda um pouco encabulada, disse:

— O senhor ficou muito assustado com tudo o que aconteceu, por isso não deve ter notado.

— Com certeza, foi isso mesmo que aconteceu, mas, por favor, não me chame de senhor. Não sou tão velho assim. Meu nome é Walther. O seu é Laura. Um bonito nome.

— Obrigada, também gosto dele. Estou pensando que não devia ter aceitado a sua ajuda, parece ser muito ocupado e deve estar com pressa de voltar para o seu destino.

— Não sou muito ocupado, aliás, no momento, não sei muito bem quem sou. Preciso, sim, voltar logo ao meu destino.

Ela não disse nada, apenas sorriu. Logo chegaram à pequena estrada que os levaria até à casa de Laura. Com cuidado, ele entrou e foi dirigindo bem devagar, tentando, ao máximo, evitar os buracos, mas isso era quase impossível. Chegaram à pequena clareira, onde existia um pequeno corredor cercado por uma cerca baixa de madeira:

— Daqui para frente, acredito que vai ser preciso que eu a carregue.

— É muito longe! Sou pesada! Deve ter uns dez metros! Será que vai conseguir?

— Não é tão longe assim, também não precisa se preocupar, as crianças já nos viram e estão correndo para cá. Vou pegá-la em meus braços, é magrinha, não deve pesar muito, mas, se me cansar, paramos um pouco.

— Está bem, vamos tentar. De qualquer maneira, não vou poder andar mesmo.

Logo as crianças chegaram. Todos estavam curiosos e preocupados com Laura. Denilson se aproximou:

— Parece que quebrou mesmo. Como vai fazer para chegar até em casa?

— Vou carregá-la. Vamos demorar um pouco, mas vamos chegar.

Saiu do jipe, deu a volta, abriu a porta. Laura se esforçou e conseguiu ficar mais perto da porta. Ele a segurou pela cintura e vagarosamente a retirou. Com ela em seus braços, seguiu, sendo acompanhado pelas crianças que corriam à sua volta. Laura segurava em seu pescoço, dizendo:

— Para elas, tudo o que é diferente se transforma em festa. É muito bom ser criança.

— Tem razão. A criança não se preocupa com nada. Só com o que vai comer e onde vai dormir.

Ele continuou andando por alguns metros, mas logo se cansou. Parou e, com ela nos braços, vagarosamente se ajoelhou, colocando-a no chão. Enquanto fazia esses movimentos, os rostos se encontraram. Por um segundo, as peles se tocaram e novamente aquela corrente elétrica percorreu seus corpos. Novamente tentaram disfarçar um do outro o que estavam sentindo. Mas foi uma tarefa quase impossível. Seus rostos ficaram vermelhos, seus olhos se encontraram e não conseguiram desviar-se. Ficaram se olhando, como se só agora houvessem se encontrado realmente. As crianças também se sentaram, estavam curiosas para saber quem era aquele homem.

Walther, disfarçando, começou a brincar, ora com uma, ora com outra. Aos poucos, elas começaram a rir. Logo se viu rodeado por rostinhos que o olhavam curiosos. Laura, sorrindo, disse:

— Elas estão estranhando a sua presença, nunca viram um homem aqui em casa.

— Disse que seu pai morreu, mas você não é casada?

— Não, nunca me interessei por rapaz algum.

— Disse que seus irmãos, assim que atingiram uma certa idade, foram embora. Você, por que não foi?

— Nunca quis deixar minha mãe sozinha. Nunca senti vontade ou necessidade de ir embora daqui. Adoro este lugar e as crianças. Mamãe está muito cansada, precisa da minha ajuda.

Ele sorriu, levantou-se dizendo:

— Bem, vamos andar mais um pouco?

Ela também, sorrindo, levantou os braços para que ele a pegasse no colo novamente. Ele a segurou carinhosamente. Agora sentia um prazer enorme em tê-la em seus braços. Sentia o calor de seu corpo e uma vontade imensa de apertá-la junto a si, mas não o fez. Segurou-a normalmente. Ela também queria se encostar a ele, mas se conteve. Caminharam desta vez até a casa. Entraram em uma sala grande, onde havia uma mesa imensa, rodeada por muitas cadeiras. Walther olhou em sua volta e percebeu que havia um corredor com quatro portas. Pensou:

— *Devem ser os quartos. Onde estarão as janelas? Da estrada, só vi duas.*

Olhou para o alto, não havia forro, podia-se ver as telhas que cobriam a casa feita de tijolos e pintada toda de branco. No chão, cimento vermelho e brilhante.

Denilson se apressou e colocou na frente de Laura uma cadeira com braços. Walther, com muito cuidado, sentou-a. Tea já estava com um banquinho em suas mãos e o colocou na frente da cadeira. Walther, levantou a perna de Laura e colocou-a em cima do banquinho.

Viu que quatro crianças, ainda bebês, estavam brincando no chão, em cima de uma colcha. Não conseguiu esconder a curiosidade:

— Quem são essas crianças? De onde elas vieram?

— Alguns, como Denilson e Tea, são irmãos legítimos. Seus pais pediram para minha mãe cuidar deles por algum tempo. Foram para São Paulo, prometendo voltar para buscá-los. Isso já faz cinco anos. Em relação aos outros, os pais morreram ou abandonaram os filhos. As pessoas, sabendo que mamãe não se recusa a cuidar de criança, mandam-nas para cá.

Lurdinha saiu de um quarto, trazendo nos braços uma criança. Ao vê-la, Laura sorriu:

— Essa é a Ritinha, tem apenas dois meses de vida. Sua mãe a deixou aqui. Ela é ainda também uma menina, tem quinze anos. Seus pais não a quiseram mais em casa, desde que descobriram que ela estava esperando uma criança. Mamãe a recolheu, cuidou dela até a criança nascer. Assim que Ritinha nasceu, em uma manhã, encontramos uma carta, na qual pedia que mamãe cuidasse da menina, pois ela ia tentar a vida em outro lugar. Assim que ficasse bem, voltaria para buscá-la.

— Acredita que ela vai voltar?

— Para ser sincera? Não. Como já aconteceu com outras crianças, seus pais nunca mais voltaram. No fundo, não os culpo, pois sabem que, aqui, a criança será muito bem cuidada. Bem melhor do que se ficasse com eles.

— Não entendo como pais podem abandonar seus filhos.

— Por estes lados, isso é comum. A miséria é muito grande. Eles precisam tentar a vida em outro lugar. Eles são obrigados a sair da sua terra, procurar sustento.

— Isso é lamentável. Tem que existir uma solução para esse problema.

— Talvez algum dia ela seja encontrada, enquanto ela não chega, vamos fazendo a nossa parte.

— Esperemos que sim, acredito que tenha razão, mas está confortável?

— Muito! Não sei o que fazer para agradecer tudo o que está fazendo!

— Não tem o que agradecer, afinal, tenho minha parte de culpa, se não a tivesse atropelado, não estaria precisando da minha ajuda.

— Se eu não estivesse atravessando a estrada tão distraída, você não teria me atropelado.

— Isso agora é o que tem a menor importância. Agora, vai ficar aí, quieta, e me dizer o que devo fazer. Tenho que confessar. Nunca estive em uma situação igual a esta! Nunca me vi no meio de tantas crianças! Não sei por onde começar ou o que fazer.

— O meu maior problema vai ser preparar a comida. As panelas são grandes e as crianças não têm força, nem altura para cozinhar. Denilson é o mais velho. Está com doze anos, mas ainda não alcança.

— Não sei cozinhar!

— Não é difícil, vou ficar ao seu lado, ensinando.

— Está bem, mas não sei se vai dar certo.

— Claro que vai. Só precisa me levar até a cozinha. Vai ter que me carregar novamente...

Ele sorriu, ela parecia muito segura de si. Denilson, ao lado, acompanhava a conversa. Walther olhou para ele, afastou o banquinho, colocou o braço em volta da cintura de Laura. Ela levantou os braços, passou por seu pescoço. Ele a levantou e caminhou em direção à cozinha, seguindo Denilson que carregava a cadeira.

Entraram na cozinha. Denilson colocou a cadeira em frente a uma mesa, menor do que aquela que havia na sala. Walther acomodou Laura. Em seguida, olhou para o fogão. Nunca havia visto um igual. Era enorme, feito de tijolo, em um buraco era colocada a lenha. Por cima, uma chapa de ferro que ficava quente o tempo todo, enquanto a lenha queimava por baixo. Em um canto, havia um tipo de pedestal, onde panelas brilhantes estavam penduradas. Em outro canto, um armário forrado com papel rosa, recortado na forma de flores, onde estavam pratos, xícaras e copos. No meio da cozinha, havia a mesa. Ao lado, uma pia, onde a louça era lavada. Reparou que não havia torneira:

— Não tem torneira, Laura? Como consegue água?

— Lá fora tem um poço. Denilson vai lhe mostrar. A água é carregada aqui para dentro, em um balde que está ao lado do poço. Cada um de meus irmãos mandou um pouco de dinheiro e mamãe mandou colocar uma bomba manual. Já deve ter percebido que não temos luz elétrica...

— Não, eu não havia notado. Como fazem à noite?

— Temos alguns lampiões a querosene e lamparinas que são espalhados por toda a casa.

Ele não acreditava no que estava vendo. Nunca pensou que pessoas pudessem viver daquela maneira. Mas notou, também, que, para elas, era natural. Que não eram infelizes por isso. Saiu de casa, acompanhado por Denilson. Foi até o poço. Começou a abaixar e levantar uma alavanca. De repente, uma quantidade muito grande de água saiu por um cano. Denilson havia colocado o balde embaixo, logo ele estava cheio de água fresca e cristalina. Walther apanhou o balde e voltaram para a cozinha. Laura estava com Lurdinha, escolhendo feijão e o colocando dentro de um caldeirão grande. Assim que ele entrou, ela disse:

— Pode colocar o balde em cima da pia. Assim que terminar de escolher o feijão, vamos colocar água dentro do caldeirão e depois levá-lo ao fogo para cozinhar.

Walther obedeceu a todas as ordens. Logo, o caldeirão com feijão estava sobre o fogão. Em seguida, fez o mesmo com outra panela, onde, seguindo as instruções de Laura, temperou arroz. Ele, particularmente, estava adorando tudo aquilo. Outra panela foi colocada com um pedaço de carne, que ele foi virando de um lado para outro. Laura, sorrindo, seguia todos os seus passos. Quando ele terminou de colocar todas as panelas sobre o fogão disse:

— E agora? Que mais preciso fazer?

— Só temos que prestar atenção para não deixar queimar. Logo estará tudo pronto e vamos conhecer o sabor do seu tempero.

— Confesso que estou curioso. Nunca antes havia feito uma comida como essa. Em meu país, gostamos muito de sanduíches. Minha mãe, de vez em quando, cozinhava assim, mas papai não gostava, por isso aos poucos ela também foi se acostumando com os sanduíches, pastas e batatas.

Laura ficou calada, estava encantada, olhando para ele. Notou que ele tinha dentes perfeitos. Quando falava, em seu queixo aparecia um furinho que lhe dava um charme especial. Não entendia por que a presença dele lhe fazia tanto bem. Na realidade, ela nunca antes havia se interessado por homem algum. Todos que conhecera eram sempre sem atrativo, mas com ele, desde o início, foi diferente. Tudo nele lhe agradava. Estava distraída, quando Denilson, perguntou:

— Laura, não está na hora da gente tomar banho?

— Está, sim. Walther, preciso de mais um favor seu.

— Já lhe disse que não estou fazendo favor. O que é?

— As crianças precisam tomar banho. Sabe aquele pequeno riacho, onde tem aquela ponte? É lá que, todos os dias, a esta hora, vamos tomar banho. Não é fundo e a água é cristalina. Hoje, não vou poder ir, mas só o Denilson e a Tea, sozinhos, não conseguirão dar banho nas crianças. Poderia ir com eles?

Walther olhou para as crianças que brincavam na sala. Notou que havia louros, morenos e duas negras. Mais uma vez se viu diante de uma situação nunca esperada. Nunca estivera perto de tantas crianças, muito menos, nunca passou por sua cabeça que algum dia daria banho em uma delas. Olhou para Laura respondendo:

— Estou vivendo experiências diferentes. Já cozinhei, agora não sei se vou conseguir, mas vou tentar isso também.

— Claro que vai conseguir. Não tem segredo. Basta só ficar olhando para ver se elas realmente se lavam, pois gostam de ficar brincando e esquecem de se lavar.

Walther olhou para Denilson, que acompanhava a conversa:

— Pois se tem que ser, que seja! Vamos embora.

— Foram até o riacho. Walther os seguia, prestando atenção nos movimentos das crianças. Assim que chegaram, elas foram se despindo e entrando na água, que parecia estar fria, mas como o calor era muito grande, deveria estar muito boa. As crianças passavam sabonete pelo corpo. Riam e jogavam água umas nas outras. Walther ficou na margem, prestando atenção em todas elas. Percebeu que ali não havia perigo algum. Era raso e a água descia calma. Sentiu muito calor. Tirou as calças e a camisa, somente com a roupa de baixo entrou na água e começou a lavar as crianças e a brincar com elas, também jogando água. Aquele banho se transformou em uma grande brincadeira. Todos riam. Estava tão bom que nem viram o tempo passar. Lurdinha, que havia ficado em casa com Laura, chegou à margem do rio, ficou olhando toda aquela algazarra. Gritou bem alto para que ele pudesse ouvir:

— Seu Walther! Seu Walther!

Ele a ouviu, voltou a cabeça:

— Que foi? Aconteceu alguma coisa?

— Não! Estão demorando muito, a Laura está preocupada, pediu para eu vir ver se aconteceu alguma coisa.

— Nossa! Nem vi o tempo passar. Esta água está muito fresca e com todo esse calor, não poderia haver algo melhor. Crianças! Vamos sair, nos enxugar e ir para casa. Precisamos ajudar a Laura com o jantar.

As crianças não queriam sair da água, estavam se divertindo muito, mas sabiam que precisavam obedecer. Protestando, saíram. Vestiram a roupa por cima do corpo molhado. Walther, mais uma vez, se admirou:

— Não trouxeram toalhas? Não vão se enxugar?

Foi Lurdinha quem respondeu:

— Não é preciso, com esse calor todo, em poucos minutos vão estar secos. Vamos, crianças!

Enquanto ela seguia com as crianças, Walther foi até o jipe, abriu a maleta, tirou uma calça e uma camisa limpa. Enquanto se vestia, olhava para as crianças indo para casa. Olhou para o céu:

A Lurdinha tem razão, está muito quente mesmo. O sol está quente, não tem nenhuma nuvem. Não posso negar que aqui é muito bonito e tranqüilo. Com certeza, estou conhecendo paisagens diferentes das que estava acostumado. Há algum tempo, jamais poderia imaginar que estaria em um país longe do meu e totalmente diferente. Que ia conhecer pessoas as quais não sabia que existiam, mas hoje sei que são toda a família que tenho. O Olavo, o Isaías, a Ismênia, a vó Zu e o Lula me disseram tantas coisas a respeito de destino, de Deus e de outras vidas. Será que tudo o que disseram é verdade? Será que já vivi outras vezes? Por que tenho a impressão de já conhecer a Laura? Isso é impossível! Nunca estive aqui e ela nunca saiu daqui... por que tive que vir para este lugar tão distante da minha terra? Minha mãe. Será que ainda está viva? Onde estará?

Estava assim distraído, olhando para o céu, quando ouviu alguém chamando por seu nome. Olhou para a frente, era Denilson que gritava e abanava a mão. A princípio, assustou-se, mas logo percebeu que não estava acontecendo nada grave. Ele apenas o estava chamando. Terminou de abotoar a camisa. Penteou seus cabelos, andou em direção a casa. Sabia que tinha um dever de consciência. Fora ele quem atropelara Laura, não poderia deixá-la sozinha com todas aquelas crianças.

Ao entrar na sala, percebeu que, sobre a mesa, havia pratos e canecas de alumínio. As crianças já estavam sentadas. Olhou para a cozinha, Laura estava com Lurdinha. Com uma colher de pau, tentava mexer em uma panela, mas ela era muito alta. Por mais que tentasse, não conseguia alcançar. Sorrindo, aproximou-se:

— Não lhe disse que eu faria isso?

— Disse, mas eu sabia que estava se divertindo muito com as crianças, não quis interromper. Com a ajuda da Lurdinha, consegui preparar tudo, só tem, agora, que me ajudar a levar as panelas para a mesa.

— Pode deixar que eu levo. Antes, vou colocá-la perto da mesa para que possa comer também.

Ela sorriu, enquanto erguia os braços para que ele a levantasse. Foi o que ele fez, levou-a até perto da mesa. Em seguida, voltou para a cozinha. Com a ajuda de dois panos de prato, carregou para a sala uma panela com arroz, outra com feijão e outra ainda com carne cozida. Serviu as crianças e, por último, a ele próprio e à Laura. Em seguida, sentou.

Comeram em silêncio. Ritinha, a menina recém-nascida, começou a chorar. Lurdinha levantou e foi atendê-la. Após o jantar, as crianças saíram da mesa. Os maiores ajudaram a tirar e lavar a louça. Laura colocou Ritinha sobre a mesa e a trocou. Lurdinha trouxe uma mamadeira. Laura deu a ela. Em seguida, foi colocada em um berço que havia no quarto, onde Laura e sua mãe dormiam.

Do lado de fora da casa, havia uma cobertura, cujo chão também era recoberto com cimento vermelho. As crianças começaram a brincar. Mais uma vez, Walther pegou Laura em seus braços e a carregou para fora. Já havia anoitecido. Alguns lampiões de querosene foram acesos e espalhados por toda casa. Walther sentou-se ao lado de Laura, enquanto as crianças brincavam. Eles conversavam:

— Estou impressionado até agora com o modo como as pessoas a trataram você no hospital, Laura.

— Por quê?

— Parece que todos a conhecem.

— Realmente me conhecem. Aliás, conhecem a minha mãe. Ela é muito querida em toda a cidade. Todos sabem do carinho com que cuidou e cuida das crianças. Sabem, também, que qualquer pessoa que precise, ela estará disposta a ajudar.

— Sua mãe parece ser uma grande mulher.

— Também acho, aliás, todos acham a mesma coisa. Alguns dizem até que ela é uma santa.

— De acordo com algumas coisas que ouvi, ela deve ser um espírito iluminado.

— Deve ser mesmo... às vezes, penso que veio a este mundo, só para ajudar...

— Disseram-me que todos temos uma missão para cumprir, parece que ela está cumprindo a dela muito bem.

Laura não disse nada, ficou pensando em sua mãe. Ela também a admirava muito. Por isso, nunca quis deixá-la. Seus irmãos haviam ido embora, mas ela sentia que precisava ficar ali. Agora, estava preocupada. Sua mãe estava doente, ela não sabia como seria sua vida sem ela.

Walther percebeu que uma nuvem de tristeza envolveu o rosto de Laura:

— Parece que está preocupada, Laura!

— Estou mesmo. Minha mãe não está bem. Sei que precisa de tranqüilidade, seu coração está com um problema muito sério. Por um instante, imaginei o que eu vou fazer caso aconteça com ela algo mais grave. Não sei se conseguiria seguir com o seu trabalho... não sei se conseguiria continuar cuidando das crianças do modo como ela cuida...

— Acredito que não deva se preocupar com isso. O médico disse que ela poderá voltar para casa amanhã. É sinal que está bem, senão ele não permitiria. Talvez precise só de um pouco de atenção.

— Desejo, do fundo do meu coração, que realmente seja assim. Falando nisso, não quero abusar, mas poderia ir amanhã, com o Denílson buscá-la?

— Claro que vou. Quero muito conhecer a sua mãe, me parece uma pessoa extraordinária!

— E é! Tenho certeza de que vai gostar muito dela. Já está tarde, está na hora de as crianças irem para a cama.

— Você também deve estar cansada. Seu dia hoje não foi fácil.

— Estou mesmo cansada. Crianças! Por hoje chega! Está na hora de dormir.

Embora protestando, as crianças pararam de brincar. Sabiam que estava na hora, um atrás do outro foram beijando Laura, sorriam para Walther e entravam em casa. Os mais velhos iam encaminhando os menores.

Walther os acompanhou. Na casa, havia três quartos. Em um, havia duas camas de casal e duas de solteiro. Lurdinha levou para lá e acomodou algumas crianças que dormiam juntas nas camas de casal.

Nas duas de solteiro, dormiam ela e a Tea.

Denilson entrou em outro quarto, que, como o primeiro, possuía também duas camas de casal, mas só uma de solteiro. Acomodou as outras crianças e se deitou.

Três bebês, inclusive a Ritinha, foram colocados em outro quarto, onde havia dois berços e duas camas de solteiro. Walther deduziu que aquele deveria ser o quarto de Laura e sua mãe.

Após todas as crianças estarem acomodadas, ele voltou para junto de Laura, que ainda estava fora de casa. Sentou-se ao lado dela, dizendo:

— Já estão todos deitados. Do modo como brincaram, devem estar cansados e logo estarão dormindo.

— São umas crianças adoráveis. Muito obedientes. Mamãe tem verdadeira adoração por todas, e elas também por ela.

— Estou curioso por conhecer a sua mãe. Fiquei olhando tudo por aqui. Notei que precisam de muitas coisas. Por que não têm energia elétrica?

— Só tem luz na cidade. Ficaria muito caro trazê-la até aqui. Mas já estamos acostumados. Isso não nos preocupa. Os lampiões iluminam muito bem.

— Com energia elétrica, poderiam ter uma geladeira, rádio...

— Gostaria muito de ter um rádio. Sempre que vou à cidade, fico escutando as músicas que são tocadas em uma loja. Adoro música, mas isso está muito longe de acontecer. A prioridade da minha mãe é a alimentação e o bem-estar das crianças. Ela agradece, todos os dias o que Deus nos dá...

Walther não disse nada, apenas ficou pensando:

Será que Deus realmente existe? Enquanto essas mulheres vivem com tanto sacrifício, cuidando de todas essas crianças, eu tenho hoje tanto dinheiro, que ainda não consegui imaginar o quanto vale na realidade. Será que o Isaías, a vó Zu e o Lula tinham razão quando falaram em reencarnação?

Laura percebeu que ele estava com os olhos distantes, perdido em seus pensamentos. Perguntou:

— Em que está pensando?

— Na vida e como ela joga conosco...

— Por que diz isso?

— Estou pensando em como você e sua mãe vivem aqui com toda essa simplicidade e parece que são felizes...

— E somos! Vivemos a vida que escolhemos!

— Mas vivem em completo estado de pobreza! Como diz que pode ser feliz?

— Esta é a vida que sempre conhecemos. O importante para nós é termos saúde. Por isso, estou preocupada com a minha mãe. Com saúde, o resto se torna fácil. A gente tem o suficiente para viver. As crianças crescem saudáveis. Não precisamos de mais nada. Deus nos dá tudo de que precisamos.

Walther continuava intrigado com a passividade com que ela encarava a vida. Não entendia como podia existir uma pessoa com tão poucos sonhos. Sua mãe lhe ensinara que nunca deveria colocar o dinheiro acima de tudo. Que ele era importante, mas não a prioridade da vida, mas, naquele caso, ele sentia que o dinheiro ali seria muito importante. Tinha muito, poderia facilitar a vida daquelas mulheres. Poderia aumentar a casa, colocar móveis novos e trazer energia elétrica. Muita coisa poderia fazer por elas. Ele pensava:

Se tudo o que as pessoas falaram sobre um Deus justo for verdade, talvez tenha sido por esse motivo que atropelei a Laura e parei aqui neste lugar.

— Estou um pouco cansada. Será que poderia me fazer mais um favor?

Ele voltou de seus pensamentos:

— Claro, o que é?

— Poderia me levar para o quarto?

— Claro que sim.

Levantou, aproximou-se dela, que já estendia os braços para que ele a carregasse novamente. Agora, os dois já haviam se acostumado com aquela situação. Ela mostrou o quarto onde deveria ser levada. Enquanto caminhavam, dizia:

— Vou ficar naquele quarto. Lá no outro, onde o Denilson dorme, tem uma cama vaga. Poderá dormir ali. Espero que, embora simples, seja uma cama confortável.

— Não se preocupe, também estou cansado, vou dormir logo.

Chegaram ao quarto. Ele se debruçou para colocá-la na cama. Enquanto fazia isso, seus rostos e olhos se encontraram. Novamente, aquela estranha energia percorreu o corpo dos dois e, antes que se dessem conta, estavam se beijando apaixonadamente. Sem descolar os lábios, ele a deitou completamente na cama. Ela não resistiu, também se entregou àquele beijo com paixão. Começaram a se acariciar e logo estavam completando aquele amor imenso que brotara em seus corações. Amaram-se com ardor e paixão. A casa estava em silêncio, nada interrompeu aquele momento mágico. Assim que o amor foi saciado, continuaram abraçados. Permaneceram calados, ainda confusos pelo acontecido. Ritinha chorou, foi como um sino que os trouxe de volta à realidade. Laura se afastou, tentando esconder o rosto. O berço estava junto à cama. Ela sentou, colocou Ritinha sobre as pernas. Pegou uma fralda que estava dentro do berço, trocou-a. Em seguida, pegou-a no colo, deu a ela uma mamadeira que estava também no berço. Ritinha começou a mamar. Ela ficou o tempo todo de olhos baixos, sem coragem de olhar para Walther que, também atordoado pelos acontecimentos, ficou por alguns segundos calado, olhando para ela sem entender o que havia acontecido. Ficaram, assim, com medo de dizer qualquer coisa. Ele quebrou o silêncio:

— Como você deve estar confusa, também não entendi o que aconteceu, só sei que desde que a vi você, senti que a amava. Senti que, para você, não sou indiferente. Agora, tenho certeza. Quero viver com você por toda a minha vida. E você? O que sente?

Ela, vagarosamente, levantou os olhos:

— Não sei o que dizer... como deve ter notado, nunca tive outro homem antes... não devíamos ter feito isso...

— Tem toda razão, não devíamos ter feito, mas foi mais forte que tudo. Estou apaixonado, quero me casar e levá-la comigo.

— Não posso! Como deixar minha mãe sozinha? Ainda mais agora que está doente?

— Vamos dar um jeito. Você não sabe, mas tenho muito dinheiro. Posso mandar arrumar esta casa, trazer energia elétrica ou comprar uma casa na cidade. Poderemos contratar quantas pessoas forem necessárias para ajudar sua mãe.

— Não sei... não vou fazer nada que a magoe...

— Amanhã, quando for buscar sua mãe no hospital, conversarei com ela. Parece-me ser uma boa pessoa, vai entender o nosso amor.

— Está bem, também sinto que o amo e quero ficar ao seu lado para sempre. Mas, por favor, não fale com ela antes de chegar em casa. Quero estar ao seu lado quando for falar. Preciso ver com meus próprios olhos qual vai ser a sua reação. Eu a conheço muito bem, se pensar que, concordando, vai me fazer feliz, vai concordar sem discutir, mas sei que vai sofrer muito. Não quero magoá-la de maneira alguma...

— Está bem, vou fazer como quiser. Agora, já está tarde, vou para o outro quarto, amanhã será outro dia e tudo vai ser resolvido. Acredita que vai poder cuidar da Ritinha sozinha?

— Vou sim, ela agora está mamando, quando terminar, dormirá em seguida. Se precisar, eu o chamarei.

— Tenho uma idéia melhor. Vou me deitar aí nessa cama que deve ser da sua mãe. Assim, ficarei mais perto e poderei ouvir, se precisar.

— Está bem, também acho melhor.

Ele a beijou mais uma vez. Ela terminou de dar a mamadeira, ele acomodou Ritinha no berço. Os dois deitaram e ficaram pensando em tudo o que havia se passado. Logo, estavam dormindo.

Walther acordou com o choro de Ritinha. Abriu os olhos, viu Laura e Lurdinha que cuidavam dela. Olhou pela janela, percebeu que o sol já raiara. Sorriu dizendo:

— Bom-dia! Parece que está um bom dia mesmo.

As duas se voltaram. Ele pôde perceber que os olhos de Laura estavam brilhantes e ela parecia feliz:

— Bom-dia, Walther! Tem razão, o dia está lindo!

— Que horas são? A que horas vou buscar sua mãe?

— Agora são sete horas mais ou menos. Acredito que minha mãe só poderá sair lá pelas dez.

— Tenho tempo de me levantar e ir até o riacho tomar um banho. Vou colocar uma roupa limpa, quero estar apresentável para poder impressioná-la.

— Não precisa fazer nada disso. Minha mãe é muito simples, não vai se importar com que roupa está vestido. Ela, assim que olhar em seus olhos, entenderá tudo. É muito inteligente.

— Acredito nisso, mas a primeira impressão é a mais importante.

Laura não disse nada, apenas sorriu. Terminou de dar a mamadeira para Ritinha dizendo:

— Pronto, Lurdinha, ela já está pronta, pode ir com ela para o quintal. Precisa tomar um pouco de sol.

Lurdinha, calada, obedeceu. Pegou Ritinha e saiu do quarto. Laura olhou para Walther, que ainda continuava deitado:

— Preciso ir para a sala ver como as crianças estão. Devem estar com fome, preciso preparar o café.

Ele se levantou, esticou os braços para o alto, se espreguiçando gostosamente:

— Está, bem, senhorita! Vou levá-la, mas antes terá que me dar um beijo de bom-dia.

— Fiquei observando você, Walther, enquanto dormia. Não sei se sonhei, ou se tudo aquilo aconteceu mesmo.

— Claro que aconteceu. Descobri que a amo e muito. Vou hoje mesmo falar com a sua mãe e depois vamos cuidar para que ela fique bem. Em seguida, vamos embora. Vamos nos casar e vamos ser felizes para sempre, como acontece nos contos de fadas.

Ela sorriu, não podia acreditar que tudo aquilo estava acontecendo. Sentia que o queria muito, sentia, como ele, que seriam felizes. Não conhecia aquele homem, mas confiava nele.

Ele se debruçou sobre ela, beijou-a carinhosamente. Ela levantou os braços e, dessa vez, abraçou-o e correspondeu ao beijo.

Ele a levou nos braços até a sala. A mesa já estava colocada, as crianças, sentadas, esperando. Lurdinha entrou com um bolo que havia assado em um forno de barro que havia no quintal. Denilson entrou trazendo um balde com leite. Walther pegou o balde, colocou o leite em um caldeirão de alumínio e levou ao fogão para ferver. Enquanto fazia aquilo, pensava:

Ainda estou um pouco tonto com tantas coisas que estão acontecendo desde que cheguei a esta terra. Que mais me estará reservado?

— Agora que colocou o leite para ferver, já pode ir tomar o seu banho. Quando voltar, ele vai estar fervido.

Olhou para Laura, que dizia isso e disse, sorrindo:

— Você é maravilhosa. Amo muito você.

Denilson e Lurdinha, ao ouvirem aquilo, arregalaram os olhos. Walther percebeu e, sorrindo, continuou:

— É isso mesmo, eu amo a Laura e vamos nos casar.

Os dois arregalaram mais ainda os olhos. Denilson disse:

— Casar? Como? Conheceram-se ontem? A mãe já sabe disso?

— Não, a mãe ainda não sabe, mas vai saber quando voltar do hospital. O Walther e você irão buscá-la.

— Como isso aconteceu, Laura?

Foi Walther quem respondeu:

— Não sabemos como aconteceu, por isso não sei como responder, mas estamos apaixonados e vamos nos casar. Não diga nada à sua mãe até chegarmos em casa. Quando ela estiver aqui, bem instalada e tranqüila, vou falar com ela.

— Se ela não deixar?

— Acredito que vai deixar, ao menos vou fazer tudo para convencê-la.

— Não sei não... não estou entendendo nada...

Laura, sorrindo, disse:

— Também não estou entendendo, Denilson, só sei que gosto do Walther e quero ficar com ele para sempre.

— Não sei não...

— Vou até o riacho tomar um banho, não quer ir comigo?

Denilson estava um pouco desconfiado daquele estranho que chegou do nada e agora estava querendo levar sua irmã embora. Com o rosto fechado, respondeu:

— Não, não vou. Preciso cuidar dos animais.

Walther percebeu que ele havia ficado bravo. Resolveu não insistir:

— Está bem, vou sozinho. Quando voltar, poderei ajudá-lo.

— Não precisa, já estou acostumado...

Walther olhou para Laura, que sorriu, balançando a cabeça, pedindo com os olhos para que ele tivesse paciência. Walther sorriu para ela, também balançando a cabeça. Saiu em direção ao riacho. Já fora da casa, parou e ficou olhando a sua volta. O lugar era isolado, não havia casas por perto. Estavam completamente afastados da cidade que ficava do outro lado da rodovia. Viu alguns caminhões que passavam pela estrada. O mato era rasteiro com uma ou outra árvore. Apesar disso, o lugar era bonito e agradável. Denilson saiu da casa e passou calado por ele. Walther o seguiu com os olhos, viu ao longe uma vaca que pastava, sossegada:

Deve ser dela que ele tirou o leite. Nunca pensei que alguém pudesse viver dessa maneira, o mais impressionante é que parece que são felizes...

Dirigiu-se ao riacho, tirou a camisa e entrou na água. O sol estava quente. Apesar de ser ainda cedo, o calor já era imenso. Ficou naquela água fresca, sentindo um prazer que nunca sentira igual. Olhando o céu muito azul e sem nuvens, lembrou-se de tudo que acontecera na noite anterior entre ele e Laura.

Foi maravilhoso! Não sei como aconteceu, mas foi maravilhoso! Conheci muitas mulheres, mas nunca uma igual a ela. O nosso encontro foi puro e sincero. Senti como se já a conhecesse há muito tempo. Será que todos tinham razão? Existirão mesmo outras vidas? Estou feliz! Sinto que a minha vida daqui dia em diante vai ser diferente. Muita coisa já mudou, mas agora sei que, além de todo o dinheiro que recebi, encontrei também o amor de minha vida. O único problema vai ser a mãe dela, mas vou saber como falar com ela. Vou mostrar que meu único desejo é a felicidade da sua filha. Já pensei em tudo. Vou dar a ela uma casa nova, com muito conforto e dinheiro para que possa cuidar destas crianças e de outras, se quiser. Vou fazer qualquer coisa para ter Laura ao meu lado. Vou fazer isso mesmo. Vou falar com ela e sei que a convencerei. Agora, vou para a casa tomar café. Estou com fome.

Saiu da água. Foi até o jipe, pegou outras roupas limpas, pensando:

Ainda bem que a Leda lavou as minhas roupas. Preciso me apresentar bem diante da minha futura sogra...

Ao entrar na sala, viu Laura sentada no mesmo lugar em que a deixara. Foi até ela, beijou-a na testa dirigiu-se até a cozinha. Lurdinha estava atrapalhada com uma concha de feijão. Tentava tirar leite de um caldeirão e colocar em uma leiteira menor. O caldeirão era muito alto, por isso estava com tanta dificuldade. Ele se aproximou e, tirando a concha de sua mão, começou a encher a leiteira. Levou para a mesa, primeiro a leiteira. Depois, o bule com café e, ajudado por Laura, serviu as crianças que comiam, caladas, mas demonstrando felicidade com os olhos. Quando terminaram, saíram correndo para o quintal. Walther as seguiu com os olhos. Laura também, dizendo:

— O dia está apenas começando, elas têm muito para brincar.

— Estou me lembrando de quando era criança. De como é bom ser criança. Não existe preocupação alguma, o único pensamento é como vai se brincar...

Lurdinha, Tea e Denilson retiraram da mesa as canecas e levaram para a cozinha. Walther levou a leiteira e o bule. Voltou para sala:

— Aqui dentro está muito quente, não quer que a leve para fora?

— Gostaria muito, se não for muito trabalho...

— Trabalho? Trabalho? Estou louco de vontade de pegá-la no colo novamente.

A felicidade estava estampada em seus rostos.

Sonhos Desfeitos

Ela sorriu, levantando os braços. Ele a pegou carinhosamente no colo, beijou seu rosto, cabelos e a conduziu para fora. Sentou-a na mesma cadeira em que estivera sentada na noite anterior. De onde estavam, podiam ver as crianças brincando:

— Vendo todas essas crianças, me pergunto: o que faz uma pessoa dedicar sua vida a cuidar de crianças que não são suas?

— Também não sei, só sei que, desde que me conheço por gente, sempre estive rodeada por irmãos, alguns cresceram foram embora, mas sempre chega um novo.

— Disseram-me que todos temos uma missão para cumprir, talvez seja essa a missão da sua mãe.

— Talvez seja mesmo. Ela é uma santa. Eu me orgulho muito de ser sua filha.

— Já deve estar na hora de irmos buscá-la. Estou ansioso para conhecê-la e pedir a sua mão em casamento.

— Tem mesmo certeza de que quer fazer isso? Não terá sido apenas um entusiasmo de momento?

— Eu tenho certeza! Amo você! E você? Foi entusiasmo? Está arrependida?

— Não! Sinto que também amo você, só não sei como isso aconteceu tão de repente...

— Também não sei, mas isso não tem importância. Vamos conversar com a sua mãe. Tudo vai dar certo.

— Está bem, só prometa que não vai falar nada, até chegar aqui em casa. Eu mesma quero contar tudo...

— Vou fazer tudo da maneira como desejar. Prometo que não direi nada. Vou lá dentro falar com o Denilson. Desde manhã, quando soube da minha intenção em levar você embora, ele não está com cara de bons amigos.

Laura sorriu:

— Isso é natural, você não passa de um estranho que chegou e mudou as nossas vidas. Está preocupado com mamãe e também não está entendendo nada. Não o culpo, pois eu também estou confusa com tudo o que está acontecendo.

— Eu já fiquei confuso, mas agora não estou mais. Sei que a amo e quero você ao meu lado para sempre!

Levantou-se da cadeira em que estava sentado, beijou sua testa e entrou em casa para falar com Denilson. O menino estava terminando de ajudar as irmãs com a louça do café:

— Denilson, está na hora de irmos ao hospital buscar a sua mãe.

— Já vou, estou terminando o meu trabalho.

Walther percebeu que ele ainda estava contrariado, mas não disse nada. Não queria complicar mais a situação. Entraram no jipe e seguiram para o hospital. Denilson seguiu o caminho todo sem dizer uma palavra, só respondia com monossílabos a qualquer comentário de Walther.

Chegaram ao hospital, a enfermeira que atendeu Laura no dia anterior estava lá. Ao vê-los, falou sorrindo:

— Bom-dia! Ainda bem que chegaram! Eunice está ansiosa, perguntando a todo momento se já chegaram.

Walther correspondeu ao sorriso, dizendo:

— Bom-dia, pode avisá-la de que estamos aqui.

— Podem me acompanhar até o quarto. Ela, até agora, não sabe do acidente com a Laura. Precisamos falar com cuidado, o coração dela não está bem. Não pode sofrer emoções.

— Não se preocupe, vamos falar com calma. Além do mais, a Laura está muito bem.

— Tem razão, o acidente não foi muito grave. Venham.

Ela entrou no corredor que dava nos quartos. Os dois a seguiram. Denilson foi na frente, estava também ansioso para que sua mãe voltasse para casa. A enfermeira entrou. Eunice estava com a cabeça baixa, guardando, em uma sacola, algumas roupas. A enfermeira entrou, dizendo:

— Pronto, Eunice. Eles chegaram.

Ela levantou os olhos. Ao não ver Laura, perguntou:

— Onde está Laura, Denilson? Quem é o senhor?

Walther estava parado na porta. Ao vê-la, seu coração disparou. Não sabia se entrava ou saía. Não podia acreditar no que estava vendo. Não ouviu o que ela disse, apenas ficou ali parado, sem conseguir falar e desejando, do fundo do coração, que estivesse enganado. A enfermeira, sem nada perceber, respondeu:

— Não precisa ficar nervosa, Eunice. A Laura sofreu um pequeno acidente, mas está bem, apenas teve uma pequena luxação na perna. Por isso, está com ela imobilizada e também por isso, não pode vir. Mas está bem.

— Acidente!?! Ela está bem mesmo?

Começou a ficar muito nervosa, Denilson tentou acalmá-la:

— Está sim, mãe! Queria muito vir buscar a senhora, mas não vai poder andar por alguns dias.

— Se você está me dizendo, acredito. Jamais ia me mentir.

— Estou dizendo a verdade. Agora, vamos embora? Vai poder ver com seus próprios olhos.

— Vamos sim, mas o senhor, quem é?

A enfermeira e Denilson olharam para Walther que, petrificado, estava ainda encostado na porta, sem conseguir dizer uma palavra. A enfermeira, julgando que ele estivesse constrangido, respondeu:

— Este é o senhor que, por acidente, atropelou a Laura, mas a está ajudando muito. Ele possui um jipe, veio aqui para levar você até sua casa.

— O senhor atropelou a Laura? Como foi isso?

— Mãe! Isso agora não tem importância. Vamos para casa. Todos estão sentindo muito a sua falta. A Laura está bem.

— Vamos, sim, mas quero saber toda essa história.

A enfermeira a ajudou a descer da cama. Walther pegou a sacola que estava em suas mãos. Denilson a abraçou de um lado, a enfermeira do outro, saíram do quarto. Walther os seguiu em silêncio. Estava confuso, sem entender o que estava acontecendo. Seu coração batia acelerado. Pensava, nervoso:

Não pode ser! Devo estar louco! Não! Não estou louco! É ela mesma! Olhei aquela fotografia muitas vezes! É ela sim! Um pouco mais velha, mas é a mesma da fotografia! Meu Deus! Ela é Marta... a minha mãe... aquela a quem estou procurando desde que aqui cheguei... procurei por tanto tempo! Já havia perdido a esperança de encontrá-la! Mas se isso for verdade, quer dizer que a Laura é minha irmã? Não! Isso não pode ser verdade... eu amo a Laura... quero me casar com ela... não pode ser verdade! Não pode!

Os três caminhavam na sua frente, sem imaginar por um minuto a agonia que ele estava vivendo naquele momento. Chegaram junto ao jipe. Walther, tentando se manter o mais calmo possível, correu na frente e abriu a porta para que Eunice entrasse. Ela agradeceu, sorrindo. Entrou. Walther aproveitou esse momento para olhá-la mais uma vez. Olhou para ela de tal maneira que chamou a sua atenção:

— Por que está me olhando assim? Parece que está muito nervoso.

— Desculpe, senhora...

Fechou a porta rapidamente e foi para o lado do motorista. Entrou, ficou esperando Denilson sentar atrás. Ele afastou a maleta para o canto e sentou. Olhou para Walther, que estava olhando para um ponto distante, não percebendo que tudo estava pronto para que fossem embora:

— Pronto, o senhor já pode ir.

Walther ouviu, olhou para ele, ligou o motor e saiu em direção da casa.

Dessa vez, ele foi calado. Cabeça mais uma vez confusa, julgando estar sonhando. Enquanto Eunice e Denilson iam conversando, ele ia pensando:

Não pode ser ela... eu devo estar sonhando... seu nome é Eunice... minha mãe chamava Marta. Não pode ser ela! Na fotografia, ela era jovem! Devo estar enganado... preciso estar enganado!

Como não estava prestando muita atenção em nada, nem percebeu quando chegaram junto à pequena estrada que os levaria até em casa.

Entrou na estradinha. Assim que chegaram ao mesmo lugar onde ele havia carregado Laura nos braços, Denilson disse:

— Mãe, vai ter que andar até em casa com muito cuidado...

— Que é isso, Denilson! Está acreditando naquela história que o médico disse, que estou doente? Acredita mesmo que não vou poder andar até em casa? Estou louca para ver as crianças e, principalmente, a Laura. Abra a porta para que eu possa descer.

Denilson, sorrindo, saiu do jipe, abriu a porta, estendeu a mão para ajudá-la a descer. Walther permaneceu sentado, olhando pelo retrovisor, tentando descobrir alguma coisa que lhe mostrasse que estava errado.

Na porta da casa, algumas crianças os viram chegando. Começaram a pular e gritar. Eunice caminhou em direção da casa e abanou as mãos para as crianças, que vieram correndo para encontrá-la. Laura estava fora. Walther, ao sair, deixou-a sentada em uma cadeira, olhando as crianças menores que não andavam e estavam deitadas no chão sobre um cobertor. Ela não tinha como se locomover.

As crianças chegaram perto de Eunice, que se ajoelhou para abraçá-las. Walther continuou dentro do jipe. Não sabia o que fazer. Lembrou-se da noite que tivera com Laura.

Meu Deus! Não há dúvida alguma. É ela mesma! Que vou fazer? Como dizer a Laura o que está acontecendo? Como dizer a ela que cometemos um erro terrível? Como dizer a ela, que apesar de tudo, eu ainda a amo?

— O senhor não vem?

Ele, ouvindo Denilson, voltou à realidade:

— Pode ir na frente, vou em seguida...

Mãe e filho, rodeados pelas crianças, seguiram em frente. Walther acompanhou-os com o olhar. *Esses cabelos encaracolados, embora tenham alguns fios brancos, são os mesmos da fotografia. No tenho dúvida alguma. Só se for irmã gêmea!*

Ficou ali sentado. Viu quando eles chegaram perto de Laura. Eunice abraçou a filha e beijou seu rosto:

— Ainda bem que você está aqui. Fiquei preocupada quando não a vi no hospital.

— Como pode ver, estou muito bem.

Eunice, ajudada por Denilson, levou Laura para dentro da casa.

Walther saiu do jipe. Olhou para aquela imensidão que o rodeava. O sol estava alto e muito quente. Percebeu que sua camisa estava toda molhada de suor. Não sabia o que fazer. Olhou para o riacho, viu a água que descia tranqüila e muito fresca. Entrou de roupa e tudo. Deitou, enquanto a água fria passava por sobre seu corpo. Pensava:

Isso não pode estar acontecendo comigo! Desejei tanto encontrar a minha mãe, percorri tantos quilômetros atrás dessa esperança. Agora que a encontro, desejaria que isso nunca tivesse acontecido! Todos disseram que está tudo certo, que existe um Deus verdadeiro e justo. Se ela for realmente a minha mãe, eles estão completamente enganados! Se esse Deus existe, e é justo, não está sendo comigo! Permitiu que eu fosse separado de minha mãe quando eu era ainda criança e agora, permite que eu me apaixone e me deite com minha irmã. Isso não é justo! Isso não pode ser coisa desse Deus que dizem ser tão sábio. Não! Não existe Deus algum! Não existe nada! Só a maldade das pessoas. A maldade e a ganância do Paulo que teve coragem de me vender e me separar de minha mãe! Que vou fazer da minha vida agora?

Ficou ali por muito tempo, nem podia imaginar o quanto. Seu desespero e sua revolta eram imensas.

— Seu Walther, a Laura pediu que eu viesse chamá-lo. Está contando para a mamãe como foi o acidente. Disse que quer o senhor lá para continuar com a conversa. Disse que o senhor tem que estar presente.

Walther olhou para Denilson, levantou-se, sentiu a roupa pesada em seu corpo. Foi em direção ao jipe, dizendo:

— Vou em seguida, só vou trocar esta roupa molhada por outra seca. Pode ir na frente.

— Vou mesmo, estou com muitas saudades de minha mãe. Ainda bem que ela está bem.

— Vá, sim, aproveite a presença dela o mais que puder... vou em seguida...

Denilson voltou correndo para casa. Walther o acompanhou com os olhos. Sabia que teria que resolver aquela situação. Teria que contar a Laura tudo o que havia descoberto, só não sabia como fazer isso. Trocou de roupa lentamente. Não tinha pressa. Chamaria Laura de lado, contaria tudo, depois, iria embora:

Voltarei para minha terra. Vou aproveitar que tenho muito dinheiro, dinheiro que mereço, pois paguei com a separação da minha mãe. Estou pagando agora, com tudo que estou passando. Com esse dinheiro, vou procurar ser o mais feliz possível. Sei que isso vai ser impossível, pois nunca vou conseguir esquecer a Laura. Embora saiba que é minha irmã, não consigo deixar de amá-la, de desejá-la como mulher...

Vestiu-se. Sabia que Eunice não podia sofrer emoções fortes, por isso decidiu que não diria nada. Precisava encontrar uma maneira de ficar a sós com Laura. Precisava contar tudo, não poderia simplesmente desaparecer.

Vagarosamente, começou a caminhar em direção a casa. Sentia seu corpo pesado, como se tivesse o mundo inteiro sobre suas costas.

Em casa, Laura conversava animadamente com a mãe:

— Mamãe, a senhora sempre diz que temos um destino certo. Devo confessar que, a partir de agora, estou começando a acreditar.

— Por que está dizendo isso, Laura?

— Só pode ter sido uma grande vontade do destino eu ter sido atropelada. Quando aconteceu, fiquei desesperada, pois, com a senhora doente, precisava cuidar das crianças. Mas agora vejo que foi muito bom e que tudo estava certo.

— Não estou entendendo...

— Quando ele me atropelou, também ficou nervoso, mas depois nos olhamos e sentimos uma atração profunda. Vamos esperar que ele chegue, temos algo para lhe contar...

— Já estou adivinhando... vocês se apaixonaram?

Laura ia responder no exato momento em que Walther entrou. Olhou para ele e, sorrindo, disse:

— Ele está aqui e juntos vamos lhe contar tudo, não é, Walther?

Ele olhou para ela, sentindo que, apesar de tudo, ainda a amava. Viu o modo como ela o olhava. Seu coração se apertou. Disse:

— Sinto muito, Laura, mas acho que tudo o que combinamos não poderá se realizar...

— Como não? Você se arrependeu? Não me ama realmente?

— Não é isso... não me arrependi e a amo mais do que nunca... só acredito que agora o nosso amor não vai mais ser possível...

Eunice, ao ouvir aquilo, disse:

— Do modo como Laura estava me contado, pensei que estivessem apaixonados e que iria me pedir para se casar com ela....

— Desculpe, senhora, realmente a minha intenção era essa, mas aconteceu algo que mudou tudo...

— Podemos saber o que foi?

Ele se aproximou de Laura, pegou suas mãos e as beijou. Ela, com lágrimas caindo por seu rosto, disse:

— Você não pode ter me enganado daquela maneira... senti que me amava... por que fez essa maldade comigo?

— Não a enganei. Amei você assim que a vi e, infelizmente, amo você ainda, mas o nosso amor é impossível...

— Impossível, por quê?

— Nós falamos muito a seu respeito, mas nada em relação ao meu. Não lhe contei por que estou tão longe da minha casa e o que estou fazendo neste sertão.

— Isso não pareceu ter muita importância...

— Não tinha mesmo, mas agora tem. Preciso contar tudo. No final, as duas compreenderão...

— Espere, minha filha. Parece que o moço está muito nervoso, precisamos ouvir o que ele tem para contar. Moço, como deve ter notado, a minha filha é uma moça simples, criada aqui nesta terra. Não sabe nada da vida. Sempre esteve ao meu lado. Se ela fez qualquer coisa que possa lhe parecer errado, garanto que não foi sua intenção. Não sei o que aconteceu entre vocês, mas, seja o que for, ela é minha filha, eu a amo, por isso não precisa dizer mais nada. Não precisa arrumar uma desculpa. Pode ir embora que vamos ficar aqui, não se preocupe com nada...

— Não é nada disso! O que aconteceu entre nos foi maravilhoso! Eu amo sua filha!

— Por favor, Walther, não diga mais nada. Como a mamãe disse, pode ir embora! Vou ficar bem.

— Vim para cá na esperança de encontrar alguém. Mas não consegui. Estava voltando frustrado para São Paulo. Minha viagem havia sido inútil... por isso estava distraído, pensando em tudo o que havia acontecido. Estava desiludido e triste. Foi aí que a atropelei. Agora, tudo mudou. Senhora, por favor, fique calma, sei que está doente e que não pode sentir emoções fortes. Não fique nervosa. Amo sua filha, só que tenho agora uma dúvida muito grande e só a senhora poderá me esclarecer tudo...

— Eu? Como posso lhe esclarecer qualquer dúvida? Não o conheço!

— Estou com uma terrível dúvida, sim! Desejo, do fundo do meu coração, estar errado, mas sinto que não estou... por isso preciso contar, uma história...a minha história...

Eunice levantou, aproximou-se de Laura que estava chorando, sentada em uma cadeira.

— Minha filha, pare de chorar... se o moço tem uma história para contar, vamos ouvir. Sempre lhe disse que Deus está ao nosso lado e que tudo tem que ser da maneira que Ele achar melhor. Nada de mal pode acontecer, enquanto estivermos juntas. Acalme-se. Moço, pode começar, mas, antes, preciso saber se a sua história, é muito longa. Se assim for, terá que deixar para depois, está quase na hora do almoço e as crianças precisam comer.

— Laura, sua mãe tem razão. Pare de chorar, por favor... não a enganei. Tudo o que disse e fiz foi sincero. Continuo amando você. Quando terminar de contar tudo, vai ver que o nosso amor não vai ser possível e a culpa não é minha, nem sua. O culpado de tudo é apenas o destino. Senhora, acredito ser melhor cuidarmos da alimentação das crianças, pois receio que minha história vai ser um pouco longa. Vou ajudar a senhora a preparar o almoço, depois que as crianças estiverem alimentadas, poderemos conversar com mais tranqüilidade.

— Obrigada por sua atenção, mas não preciso de sua ajuda. Preferia que, enquanto eu e as meninas preparamos o almoço, o senhor saísse daqui. Se quiser, não precisa nem ficar, pode subir no seu carro e ir embora.

Ele notou com que ressentimento ela havia dito aquelas palavras. Sentiu que, enquanto tudo não fosse esclarecido, sua presença naquela casa não era bem recebida.

— Desculpe, senhora, mas não posso ir embora antes de esclarecer tudo. Não quero que a Laura, continue pensando que a enganei. Vou ficar lá fora, quando estiver livre, voltarei e contarei tudo e, se a senhora, ainda quiser, vou embora.

Eunice respondeu, seca:

— O senhor é quem sabe.

Dizendo isso, ela foi para fora, chamou Lurdinha e Tea. Juntas, foram para a cozinha. Laura olhou mais uma vez para ele. Não conseguiu esconder a decepção que estava sentindo, abaixou a cabeça. Ele, percebendo que nada mais tinha para dizer, saiu para o quintal.

Lá fora, respirou fundo. Não entendia por que o destino havia sido tão ingrato com ele. Novamente, lembrou-se de todas aquelas pessoas que haviam falado sobre um Deus que era Pai e justo.

Ele não foi Pai, nem justo comigo! Por que eu teria que ter vindo para cá e descoberto tudo isso? Tinha minha vida organizada. Era feliz no meu país sem saber que era adotado! Por que tudo isso? Procurei intensamente a minha mãe e, agora que a encontrei, não queria tê-la encontrado. Tudo isso parece brincadeira. Se existe realmente esse Deus, Ele gosta de se divertir com o sofrimento de seus filhos!

Dirigiu-se até o riacho. Sentou-se em sua margem, ficou olhando a água passar. Não conseguia acreditar que tudo aquilo estava realmente acontecendo.

Talvez eu esteja me precipitando, quem sabe esteja enganado. Se ela não for a minha mãe? Pode ser alguém muito parecida! Mas se for? Não pode ser! Não é justo!

Ficou ali por muito tempo. Seus olhos presos na água, seu pensamento em seu passado. Sua vida toda passou na sua frente.

Que estou fazendo aqui? Por que tive que embarcar naquele avião?

— Seu Walther! Minha mãe mandou perguntar se o senhor não quer comer...

Ao ouvir Denilson, ele levantou a cabeça:

— Não, Denilson. Por favor, diga que não estou com fome. Peça que, por favor, assim que estiver livre, mande me chamar.

— Está bem.

Denilson afastou-se. Walther voltou novamente seus olhos em direção à água, que continuava seu curso, sem se importar com o que estava se passando com ele. Seu desespero era imenso. Sem conseguir se conter, permitiu que lágrimas lavassem seu rosto. Deixou que soluços saíssem do fundo do seu coração.

Novamente, não viu o tempo passar. Novamente, Denilson chamou-o. Novamente, seus olhos se voltaram para o menino:

— A mãe disse que já terminou o serviço e que o senhor já pode ir até lá. Que o senhor tem? Está chorando?

Walther passou as mãos sobre os olhos:

— Não, deve ser o sol. Não estou acostumado.

O menino não disse nada, apenas fez uma careta, demonstrando não estar acreditando naquela mentira. Afastou-se para o lado oposto da casa. Embora não soubesse o que estava acontecendo, sentia que alguma coisa havia mudado. Pela manhã, ao ir para o hospital acompanhado de Walther, percebeu que tanto ele como Laura estavam felizes. Agora, os dois estavam chorando. Sua mãe pediu que cuidasse das crianças, pois ela, Laura e Walther precisavam conversar. Ele, como sempre fez, obedeceria. Tinha por Eunice verdadeira adoração. Quando seus pais foram embora, foi ela quem os acolheu, ele e Lurdinha. Ela sempre foi para os dois uma verdadeira mãe.

Nós Propomos, mas Deus...

Walther levantou, caminhou em direção a casa. Agora, chegara a hora da verdade. Tudo seria esclarecido. Seu coração batia forte, suas pernas tremiam. Não estava entendendo seus sentimentos. Ao mesmo tempo em que estava feliz por finalmente encontrar a mãe, queria que não fosse ela. Sentia por Laura um amor profundo. Lembrou-se de Isaías quando lhe disse sobre a outra metade da laranja.

Tenho certeza de que ela é a minha outra metade. O que senti e sinto por ela é muito forte. Tomara que eu esteja errado. Que a Eunice não seja a Marta...mas eu preciso encontrar a minha mãe. Meu Deus, se é que realmente existe! Ajude-me neste momento...

Entrou em casa. Laura e Eunice estavam sentadas. Havia sobre a mesa uma jarra com suco e um bule com café. Lurdinha e Tea estavam no quarto com os bebês. Denilson foi encarregado de cuidar dos menores que brincavam no quintal.

Assim que Eunice viu Walther, disse:

— O senhor poderia ter vindo almoçar. Percebo que está nervoso, mas se estiver com fome, ainda tem comida no fogão.

— Obrigado, senhora, mas não estou mesmo com fome. Preciso terminar logo para poder saber o que vou fazer com a minha vida.

— Pode sentar e começar quando quiser. Estamos ansiosas por saber o que está acontecendo.

Walther sentou. Olhou para a jarra com suco. Eunice, percebendo, disse:

— Pode se servir.

Ele encheu uma caneca de alumínio que estava na sua frente. Bebeu o suco. Ainda com a caneca na mão, disse:

— Antes de tudo, preciso dizer que o que aconteceu entre mim e Laura foi algo bonito e me deixou muito feliz. Hoje, quando fui ao hospital, a minha intenção era trazer a senhora para casa. Assim que chegássemos, eu pediria a mão dela em casamento.

— Por que não fez isso? Por que mudou de idéia?

— Para começar, preciso dizer que não sou brasileiro. Aliás, sou, mas fui criado nos Estados Unidos. Cheguei ao Brasil há poucos dias.

Vim até aqui, atendendo a um pedido de meu tio.

Eunice e Laura prestavam atenção em tudo que ele dizia. Walther começou a contar tudo, desde o momento em que recebeu a carta de Paulo. Não dizia nomes, apenas meu tio, mãe e pai. Enquanto falava, notava que o rosto de Eunice se transformava. Ela estava como que petrificada e com os olhos perdidos em um passado distante. Mas permaneceu calada o tempo todo.

Walther, enquanto falava, prestava atenção na expressão do rosto dela. A cada palavra dita, percebia que não estava enganado. Ela era mesmo a sua mãe. Ela era mesmo a Marta e, para sua tristeza, a mãe de Laura.

Contou da surpresa que teve ao descobrir ter sido adotado. Contou da surpresa maior ao receber a carta de Paulo. Da mãe de cuja existência só agora, ele tomara conhecimento. Da verdadeira adoração que sentiu pela moça do retrato. Contou da viagem que fizera para encontrá-la. Da tristeza que sentiu quando percebeu que essa mesma viagem havia sido inútil.

— Ao chegar hoje ao hospital e vê-la, reconheci-a imediatamente. Fiquei por muitas horas seguidas olhando aquela fotografia. Era a última coisa que fazia ao me deitar e a primeira ao acordar. Conhecia todos os contornos de seu rosto, seus olhos e cabelos. Tudo, enfim... estava logicamente mudada, mais velha, mas eu tive quase certeza que se tratava de Marta, minha mãe. Por isso tudo que contei, pode imaginar como estou me sentindo em relação à Laura? Meu nome é Walther Soares Brow.

Eunice não conseguia mais guardar sua emoção. As lágrimas desciam livremente por seu rosto.

Ele terminou de falar. Ao ver que ela chorava, percebeu que não restavam mais dúvidas. Havia, finalmente, encontrado sua mãe. A moça do retrato. Aquela que muito devia ter sofrido com sua ausência. Com lágrimas, levantou-se da cadeira em que estava sentado. Vagarosamente, andou em volta da mesa. Eunice também se levantou. Os dois, chorando, se abraçaram, sem conseguir parar ou mesmo se preocupar com as lágrimas que corriam. Não diziam nada. Naquele momento, as palavras seriam inúteis.

Eunice beijava todo o rosto de Walther, que retribuía com a mesma intensidade.

Laura, ao ver aquela cena, compreendeu tudo. Também chorava. Sabia agora o porquê do desespero dele. Sabia, agora, por que ele dizia que o amor deles era impossível. Sabia, mas não queria aceitar. Vendo ali os dois se abraçando com tanto carinho, ficou calada. Sentia que não tinha o direito de interromper aquele momento tão esperado por eles.

Após o abraço demorado, Eunice se afastou, olhou nos olhos de Walther:

— Meu filho querido... não pode imaginar como sonhei com este momento... Não pode imaginar o quanto sofri, quando soube que o Paulo havia vendido você. Quando descobri, minha vida terminou. O meu desespero foi tão grande que saí sem rumo. Não me importava com mais nada. Você disse que Paulo morreu. Para ser sincera, não estou sentindo nada. Ele foi o homem a quem me entreguei com amor e sinceridade, mas foi também o homem que me causou um mal irreparável. Sofri muito com sua ausência. Não esqueci você um dia sequer. Todos os dias eu pensava em você. Rezei, fiz promessa para poder um dia encontrá-lo. Obrigada, meu Deus, por este momento. Sempre confiei na sua bondade. Tanto que tinha certeza que este dia chegaria.

Walther, ainda abraçado em Eunice, beijando sua testa e seus olhos, disse:

— Não sabia de sua existência, mas assim que soube, compreendi todo o sofrimento que deve ter passado, decidi que a iria encontrar, mas cheguei a duvidar disso. Foi exatamente quando perdi a esperança que atropelei a Laura.

Só nesse momento os dois se lembraram dela, que estava olhando e chorando também. Eunice se soltou de Walther e foi ao encontro de Laura:

— Minha filha, nunca lhe contei essa história, pois não achei ser necessário. Você ouviu tudo. Entendeu o que se passou em minha vida?

— Sim, mamãe! Ouvi e entendi. Deve ter sido muito triste ver-se sem o filho e de uma maneira tão sórdida. Deve ter sofrido muito...

— Sofri, sim, mas a alegria que estou sentindo neste momento compensa tudo. Meu filho, está um lindo moço. Não o conheço ainda, mas me parece ser uma boa pessoa também. Pelo visto, a Geni e o Alan o criaram muito bem.

— Disso não posso me queixar. Tive uma vida muito feliz. Eles foram maravilhosos. Nunca fizeram qualquer coisa para que eu sequer desconfiasse ou pensasse ser adotado.

— Isso era o mínimo que poderiam ter feito. Mas, mesmo assim, nunca lhes perdoarei, assim como não perdoarei jamais ao Paulo...

— Entendo a sua posição, mas o Paulo também sofreu muito de remorso. Ele a procurou durante todos estes anos. Tenho lá no jipe a carta que me deixou. Vou dar a senhora para que leia. Só não entendo por que a senhora trocou de nome e se escondeu aqui? Por que não foi para casa de sua família?

— Meu filho, já ouviu aquele ditado: "A gente propõe, mas Deus dispõe". Hoje, com mais idade e vivendo tudo que já vivi, posso afirmar que esse ditado é verdadeiro. Durante nossa vida, muitas vezes planejamos. Alguns desses planos dão certo, outros não. Ficamos nervosos ou tristes, quando nossos planos não dão certo, mas logo adiante, com o passar do tempo, vamos entender que o que havíamos planejado não era tão bom assim. Vamos entender que tudo está sempre certo nos planos de Deus.

— A senhora também faz parte dessa religião que acredita na reencarnação?

— Deus me livre! Isso é coisa do diabo! Não, meu filho, sou católica, acredito em Deus e em todos os santos. Isso de reencarnação é coisa do diabo!

— Engraçado, conversei com muitas pessoas que acreditam nessa religião e que disseram as mesmas coisas que a senhora disse a respeito da vida. Ao saber a verdade sobre a minha vida, revoltei-me muito. Sempre houve alguém dessa religião que me disse para não me revoltar, pois tudo estava sempre certo, que Deus era sábio e justo.

— Foi mesmo? Se essa religião fala sobre Deus, não pode ser do diabo. Não acha? Agora, estou com vontade de conhecer mais a respeito dela. Mas acredito que temos uma longa conversa. Agora que já estou mais calma, vamos nos sentar novamente? Você conhece um lado da história, deve estar curioso para saber o outro.

Walther se soltou dos braços da mãe, deu um beijo em sua testa e voltou para o seu lugar. Sentou ao lado de Laura e em frente a Eunice.

Olhou para Laura que permanecia calada. Assim como ele, sentia o mundo todo em suas costas. Seus sonhos haviam terminado. Eles nunca poderiam se amar, a não ser como irmãos, mas ela não conseguia aceitar. Ainda com os olhos marejados, apenas sorriu.

Eunice, que agora estava pensando em tudo o que havia passado em sua vida, não prestou atenção no desespero dos dois. Sentada em frente a eles, começou a falar:

— Quando tomei conhecimento de que você estava sendo levado para fora do país, fiquei desesperada. Saí do garimpo com a esperança de poder ainda encontrá-lo e evitar que aquela trama combinada entre Paulo, Alan e Geni pudesse ser desmanchada. Embora soubesse que isso seria quase impossível, tentei, mas não consegui. Ao chegar à estrada principal, percebi que já era tarde demais. Eles haviam saído muitas horas na minha frente. Eu estava a pé, eles, de jipe ou caminhão. Não sabia com qual carro haviam saído, só sabia que não estariam a pé como eu. Olhei para os dois lados da estrada, não sabia que caminho tomar. Era quase analfabeta, mal conseguia escrever meu nome. Fiquei ali parada, sem saber que rumo tomar. Ajoelhei-me, comecei a chorar. Entrei em desespero. Chorei muito, amaldiçoei a tudo e a todos. Não entendia por que Deus havia permitido que uma maldade como aquela fosse cometida. Desesperada, pensava:

— *Isso não pode estar acontecendo comigo! Nunca fiz mal a ninguém! Sou católica, temente a Deus! Meu único pecado foi ter me apaixonado e entregado todo meu amor para o Paulo! Por que Deus permitiu? Por quê?*

— Eu chorava, xingava e praguejava contra tudo e contra todos os santos nos quais eu havia sempre acreditado:

— *Isso que está acontecendo comigo não é justo! Eu não mereço. Deus não pode ter-me dado um filho para depois tirá-lo dessa maneira. E o Paulo? Por que me enganou? Por que me traiu?*

— Ali, ajoelhada, com o rosto entre as mãos, chorei por muito tempo. Quando, cansada, já não tendo mais lágrimas, tomei uma solução:

— *Não resta mais nada na minha vida. Não sei que caminho tomar. Não sei o que fazer. Só me resta morrer... vou me jogar embaixo do primeiro caminhão que passar.*

— Levantei, peguei a maleta e comecei a andar. Olhei para a estrada, não via nada. Tudo era deserto. Vi, bem longe, um caminhão que se aproximava. Preparei-me. Seria através dele que deixaria esse mundo que só tinha me feito tanto mal. Quando o caminhão estava se aproximando, larguei a maleta, calculei a distância, fechei os olhos e me joguei. Não pensei mais em nada, apenas queria morrer. Ouvi o barulho de pneus arrastando no asfalto. Abri os olhos. Vi um homem que descia do caminhão e vinha, muito nervoso, em minha direção:

— *Tu estás louca? Queres morrer?*

— Assustada, comecei a chorar e respondi:

— *Eu quero morrer sim... não posso mais continuar vivendo...*

— *Não sei, qual é o motivo, mas se queres mesmo morrer, arrume um modo de não prejudicares ninguém! Se tivesses morrido embaixo do meu caminhão, ias me arrumar um grande problema! Eu teria muita dificuldade em convencer a polícia que foste tu quem te jogaste!*

— Ele estava furioso. Só aí percebi que, mesmo sem querer, estive prestes a prejudicar uma pessoa que não conhecia e que não tinha nada a ver com meus problemas. Abaixei a cabeça, continuei chorando. O homem, agora mais calmo, segurando meus braços, ajudou-me a levantar e disse:

— *Parece que estás mesmo desesperada! Levante, vamos conversar. Que estás fazendo aqui neste deserto? Onde é a sua casa?*

— Levantei, olhei para ele. Era um senhor de uma certa idade, não posso precisar quanto, mas não era nenhum rapaz. Seu olhar era carinhoso, do modo que falava, percebi que não era aqui do Nordeste. Falava de um modo como eu nunca ouvira antes. Ainda receosa, respondi:

— *Não sei onde estou.... não sei onde fica a minha casa... nem sei se ainda tenho casa....*

— *Como não sabes onde é a tua casa? Do modo que falas, pode-se ver que é do Nordeste.*

— *Sou do Piauí.*

— *Do Piauí? Estás muito longe de casa. Como chegaste até aqui?*

— Olhei novamente para aquele estranho. Não queria contar tudo o que havia acontecido. Ele deve ter percebido. Continuou falando:

— *Está bem, não queres dizer nada, não vou insistir. Não vou até o Piauí, mas se quiseres, posso te levar um bom pedaço. Tu queres?*

— Tornei a olhar para tudo. Deixaria para morrer mais tarde. Teria que pensar em um modo que não prejudicasse ninguém. Só não poderia voltar para minha casa. Sabia que meu pai não aceitaria. Mas sabia também que era a única coisa que podia fazer. Não tinha outro lugar para ir. Contaria o que o Paulo havia feito. Meu pai ficaria bravo, talvez até me batesse, mas não me mandaria embora novamente. Pelo menos, era isso que eu esperava. Balancei a cabeça, aceitando o convite daquele estranho. Ele pegou a maleta que estava no chão. Encaminhou-me para a porta do caminhão. Subi, acomodei-me no banco. Ele deu a volta, entrou do outro lado. Sorriu, ligou o caminhão e acelerou. Olhei ainda em direção ao garimpo. Paulo estava lá, mas eu nunca mais queria vê-lo. Após dirigir calado por um bom tempo, o homem disse:

— *Tu és ainda muito jovem, não deves ter nem vinte anos. Como podes pensar em morrer? Tem a vida toda pela frente!*

— Não soube o que responder. Não me sentia jovem, ao contrário. Naquele momento, só queria morrer ou que o tempo voltasse e eu pudesse ter o meu pequeno João novamente em meus braços. Novamente, lágrimas começaram a cair por meu rosto. Ele percebeu:

— *Não precisas responder, muito menos chorar. Temos uma longa viagem. Precisamos falar sobre qualquer coisa. Já que não queres falar sobre ti, falarei sobre minha vida. Queres ouvir?*

— Não sei até hoje o porquê, mas me senti muito à vontade com ele. Balancei a cabeça, dizendo que sim. Ele começou a falar:

— *Como é o teu nome?*

— *Meu nome é Marta...*

— *Muito prazer! Meu nome é José Lourenço, mas todos me chamam de gaúcho, nasci no Rio Grande do Sul. Sou casado, tenho quatro filhos. Três guris e uma guria. Ela tem quinze anos, deve ser essa a tua idade também, não é?*

— *Não, vou fazer dezoito.*

Ele sorriu:

— *Não parece! És muito menina! Mas isso não importa. Amo a minha família. A minha mulher é uma prenda. Quando me casei, já era caminhoneiro. Por mais que ame a minha família, amo muito mais a minha liberdade. Adoro viver na estrada! Já percorri quase todo esse Brasil. Meu caminhão carrega qualquer tipo de carga. Vou de um lugar para outro. Este Brasil é muito bonito! A vida também é! Não sei o que levaria uma pessoa a não mais querer viver. Tu sabes?*

— Percebendo que ele estava tentando descobrir alguma coisa e confiando nele respondi:

— *Sei... a desilusão, a traição, o sofrimento.*

— *Isso tudo faz parte da vida. Todos passam por esses problemas, mas nem todos querem morrer por isso. Na vida tudo passa. O sofrimento, com o passar do tempo, vai ficando cada vez mais distante. Quando menos esperamos, outra coisa acontece que nos faz esquecer a anterior. Essa é a vida! Por isso, nada é desculpa para não se querer viver. Nada!*

— *O senhor está dizendo isso porque tem quatro filhos, ninguém os roubou...*

— *Roubar?! Se alguém fizesse isso, eu mataria!*

— *Pois foi isso que me fizeram. Roubaram o meu filho! Por isso estou desesperada!*

— Ele diminuiu a marcha. Quase gritou:

— *Roubaram? Como? Isso não pode ser verdade.*

— *É verdade, sim... Roubaram o meu João...*

— *Queres me contar como foi isso? Não posso acreditar que alguém faria uma maldade dessa.*

— Contei tudo o que havia se passado, ele ouviu em silêncio. Quando terminei de falar, ele disse:

— *Agora, estou quase entendendo a tua atitude, mas acredito que estás tomando um caminho errado. Não deves querer te matar, mas, ao contrário, fazer tudo para encontrar o teu filho e denunciar aqueles que fizeram esse crime. Deves voltar para tua casa. Conversar com teus familiares e depois ir à polícia. Esse é o caminho. Nunca se matar! Deves viver para o dia em que tiveres novamente teu filho em teus braços.*

— *Não sei se a polícia vai fazer isso.*

— *Eles têm que fazer. Esse tal de Paulo é um criminoso!*

— Estava realmente nervoso. Eu apenas pensava em tudo o que ele havia dito. Realmente, tinha razão. Eu não podia morrer, tinha que viver e, de alguma maneira, recuperar meu filho.

— *O senhor tem razão. Vou fazer tudo o que for possível para recuperar o meu filho! O senhor foi um anjo que Deus me mandou!*

— Ele soltou uma gargalhada:

— *Anjo eu? Deves estar louca. Posso ser tudo, menos um anjo!*

— *É um anjo, sim. Eu estava desesperada. Não acreditava em nada. Com tudo o que me disse, voltei à realidade. Vou viver! Nunca mais vou querer morrer! Vou encontrar meu filho! Não sei como ou quando, mas o encontrarei!*

— *Se as minhas palavras serviram para fazer com que mudasses de idéia, já estou feliz. Se por isso me consideras um anjo, que seja, sou um anjo.*

— Ele ria enquanto dizia isso. Eu, realmente, estava dizendo a verdade. Naquele momento, ele era mesmo um anjo que Deus mandou. Viajamos o dia inteiro. Já estava começando a escurecer, quando ele parou o caminhão. Estranhei:

— *Por que parou?*

— *Logo vai escurecer, estou cansado. Vou preparar alguma coisa para comermos, depois vamos dormir, amanhã de madrugada, seguiremos viagem.*

— Fiquei muito assustada, até aí ele havia sido muito bom. Conseguira até me fazer rir algumas vezes. Mas, comer, dormir, onde? Não havia nada por ali, a não ser mato e estrada. Ele percebeu o meu espanto. Sorrindo, perguntou:

— *Que é isso? Estás com medo do quê?*

— *O senhor falou em comer e dormir, só não sei como poderemos fazer isso. Não está pretendendo fazer alguma maldade comigo, está?*

— Ele me olhou como se estivesse me vendo pela primeira vez. Ficou furioso e, gritando, falou:

— *Meu Deus do céu! Quem estás pensando que sou? Meu nome é Zé Lourenço! Sou gaúcho e cabra macho tchê! Tu és ainda uma guria, podias até ser minha filha! Nunca que eu ia te fazer qualquer mal. Por esta imensa estrada posso ter quantas mulheres quiser! Nunca ia precisar de uma guria como tu. Posso não ser aquele anjo, mas também não sou nenhum diabo! Só vamos comer e dormir, nada mais! Desce dai e vem me ajudar.*

— Confesso que, naquele momento, senti muita vergonha. Como

pude imaginar aquilo? Ele salvou a minha vida, deu-me uma nova esperança, tratou-me com carinho, realmente como se fosse sua filha. Cabisbaixa, desci do caminhão, segui-o. Ele abriu um compartimento, foi tirando panela colher, faca, prato e uma lata com carvão que acendeu em seguida.. Abriu outro compartimento, tirou arroz, farinha e um pedaço de toucinho. Na panela, colocou pedaços de toucinho, alho, cebola, pimenta e sal. De um garrafão, tirou água e encheu a panela. As brasas estavam fortes. Em menos de meia hora, a água secou. Durante todo esse tempo, não disse uma palavra. Percebi que estava mesmo muito bravo. Cada vez eu sentia mais o quanto o havia ofendido. Um pouco sem graça, disse:

— *Seu Zé Lourenço, quero lhe pedir desculpas. Nunca podia ter duvidado de sua amizade. Salvou a minha vida...*

— Ele me olhou por alguns minutos, sem dizer nada. Aos poucos, seu rosto foi se transformando e logo expressou um sorriso:

— *Está bem, tu tens motivos para duvidar e temer as pessoas. Foi traída por alguém em quem mais confiava. Não me conheces. Também tive minha dose de culpa. Devia ter te avisado que o caminhoneiro, de vez em quando, faz a sua própria comida e que no caminhão sempre tem tudo o que é preciso para isso. Existem muitas estradas como esta, sem uma viva alma por perto, onde não tem lugar para se comer. Desculpe e fica calma, tudo passou, vais agora comer um arroz como nunca comeste em tua vida.*

— Também sorri. Ele pegou um prato e colocou arroz dentro. Comi e, para ser sincera, nunca poderia imaginar que aquele arroz feito daquela maneira pudesse ser tão bom. Não sei se era por estar com muita fome, mas me pareceu o manjar dos Deuses. Tentei outras vezes fazer igual, mas nunca consegui que ficasse bom daquela maneira. Quando terminamos de comer, ele perguntou:

— *Gostaste?*

— *Sim! Muito! Está maravilhoso!*

— *Fico feliz que tenhas gostado. Agora, vamos tentar dormir? Amanhã bem cedo, seguiremos a viagem. Estás longe da tua casa e eu muito mais da minha. Tu vais para o Norte, eu para o Sul, por isso dentro de alguns dias teremos que nos separar. Mas não te preocupes, tenho muitos amigos caminhoneiros, arrumarei algum para te levar ao teu destino.*

— *Temos que nos separar? Precisa mesmo?*

— *Infelizmente, sim, estou há muito tempo longe de casa. Estou voltando, mas deixa o teu endereço, quando estiver passando pelo Piauí, vou te visitar. Já que sou teu anjo, não posso ficar sem ter notícias tuas.*

— Deu uma gargalhada. Eu também. Eu estava triste e com medo por ele ir embora. Sentia que, enquanto estivesse ao seu lado, nada de mal me aconteceria.

— *Tenho medo de ficar sozinha.*

Já te disse que não precisas te preocupar. Encontrarei alguém que vai te deixar em casa. Sou conhecido e respeitado, ninguém vai ousar mexer em um fio do teu cabelo. Fique tranqüila.

— *Se o senhor está dizendo...*

— *Podes ficar sossegada. Agora, vou colocar uma rede aqui fora, fica presa nessa árvore e no caminhão. Vou dormir aqui, tu dormirás na boléia.*

— *Vai dormir aqui fora?*

— *Vou, a noite está quente. Estou acostumado. Vai para dentro. Amanhã, vamos acordar cedo. À tarde, quando estiver escurecendo, pretendo chegar a uma cidade, onde tem a pensão de um amigo. Passaremos a noite lá. Ali também é um lugar de encontro de caminhoneiros. Vou encontrar alguém para te levar.*

— *O senhor é quem sabe. Está bem, vou para o caminhão.*

— Subi na boléia, acomodei-me, dormi como uma criança. Na manhã seguinte, ele me acordou. Lavamos a boca e o rosto com um pouco da água do garrafão. Seguimos viagem. Conversamos muito. Ele falou de sua mulher e filhos. Falei da minha família e da certeza que um dia ia encontrar o meu filho. Em dado momento, o gaúcho disse:

— *Sabes, Marta? Estou aqui pensando em como é esta vida.*

— *Por que isso agora?*

— *Depois de tudo o que me contaste, de até ter me considerado um anjo, chego a pensar que a nossa vida é como um jogo de dominó. Conheces?*

— *Conheço, eu, meus primos e irmãos jogávamos sempre.*

— *Pois estou achando que a nossa vida é como esse jogo. Ela vai de um lado para outro, dependendo da pedra que aparece.*

— Confesso que naquele dia não entendi muito bem o que ele quis dizer, mas hoje, depois de muito tempo passado, compreendo e acredito que ele tinha toda razão, quando disse aquilo. A nossa vida é mesmo um jogo. Hoje, com você aqui ao meu lado, fico pensando. Quantas voltas a vida deu para nos reunir novamente? Mas vou continuar a minha história. Como ele dissera na noite anterior, quando estava escurecendo, entramos em uma cidade. Após uns dez minutos, ele estacionou o caminhão em uma esquina. Descemos, ele pegou minha maleta e me entregou, depois pegou um saco que colocou nas costas. Começamos a caminhar. Dessa vez, eu não senti medo. Caminhamos por duas quadras, entramos em uma rua, onde havia vários caminhões estacionados. Ele parou em frente de uma casa grande, pintada de branco com as janelas de verde. Entramos. Lá dentro, havia uma sala muito grande, onde muitos homens estavam sentados e comendo. Um deles se aproximou, sorrindo:

— *Gaúcho! Você voltou?*

— *Isso mesmo! Como vai tudo por aqui?*

— *Na mesma vida de sempre. Entre. Quem é essa moça?*

— Enquanto entrávamos, o gaúcho dizia:

— *Esta guria é uma amiga. Estamos cansados e com muita fome, disse a ela que aqui tem a melhor comida do mundo.*

— *Seja-bem vinda, moça. Depois que comer a minha comida, vai ver que ele não exagerou, é mesmo a melhor do mundo.*

— Eu estava envergonhada no meio de todos aqueles homens que se levantaram para nos receber. O gaúcho era mesmo muito conhecido. Foi abraçado por todos. Ele também parecia muito feliz por encontrar os amigos. O dono da pensão disse:

— *Tenho um bom quarto, para os dois, fica ali naquele corredor, é o número vinte e dois.*

— Ao ouvir aquilo, o gaúcho falou, bravo:

— *Que é isso, amigo? Estás me estranhando!? Esta guria está só me acompanhando na viagem! Quero um quarto só para ela. Não estás vendo que ela é ainda uma menina?*

— O homem percebeu que não devia ter dito aquilo:

— *Desculpe, gaúcho. Sabe como é! Eu pensei...*

— *Pensaste demais! Será que um homem não pode estar acompanhado sem segundas intenções?*

— *Já pedi desculpas! Moça, vem comigo, vou lhe mostrar o seu quarto.*

— Eu olhei para o gaúcho, que fez um sinal para que eu o acompanhasse. Um pouco sem graça, o segui.

— *Ali naquela porta é o banheiro, se quiser pode tomar banho. O seu quarto é aquele ali. O gaúcho vai ficar naquele em frente ao seu. Desculpe, moça, por aquilo que disse lá dentro.*

— Eu não sabia o que dizer. Não podia acreditar que estava em uma situação como aquela. Apenas sorri e entrei no quarto. Era um quarto simples, com duas camas de solteiro, um guarda-roupa e, na janela, havia uma cortina branca estampada com flores vermelhas. Larguei a maleta no chão, sentei na cama, fiquei olhando tudo e pensando:

Como vim parar em um lugar igual a este? Como me encontro agora no meio de pessoas estranhas? Será que vou conseguir chegar em casa?

— Desesperada, comecei a chorar novamente. Chorava muito, queria parar, mas não conseguia, os soluços saíam lá do fundo do meu coração, pensei:

Por que tudo isso está acontecendo comigo? Que mal eu fiz a Deus para que ele permitisse tudo isso? Estou sozinha, com pessoas estranhas! Perdi meu filho e o homem a quem amava e em quem confiava. Por que, meu Deus? Por quê? Eu não mereço...

— Chorei nem sei por quanto tempo. As lágrimas secaram. Passei as mãos pelo rosto e pela cabeça. Peguei a maleta, tirei de dentro dela uma saia, uma blusa e roupas de baixo. Na pressa de ir embora, não peguei muita roupa. Me esqueci de pegar dinheiro. Não tinha um centavo, pensei:

Quando o gaúcho for embora, sem dinheiro, como vou conseguir chegar em casa?

— Ia entrar em desespero novamente, mas desta vez me contive e pensei:

Não adianta! Vou ter que seguir o meu caminho. Quando saí de casa, viajei todos aqueles dias, não tive medo, pois estava ao lado de pessoas conhecidas. Além do que, tinha um motivo. Estava indo ao encontro do meu amor, e agora? Que motivo tenho? Nenhum, a não ser encontrar o meu filho. Vou encontrar! Não sei quando, mas vou! Vou continuar seguindo o meu caminho, seja tudo o que Deus quiser. Agora, neste momento, estou com fome e precisando muito de um banho.

Peguei a minha roupa, abri a porta devagar, olhei o corredor, estava deserto. Entrei rápido no banheiro. Ele era pequeno e apertado. Tranquei a porta. Havia um caldeirão com água quente e uma bacia grande. Eu já estava acostumada com aquilo. No hotel da Geni, também era assim. Sempre que a bacia e a água eram usadas, em seguida, era trocada a bacia e colocada nova água. Tomei um banho também rápido, pois não estava me sentindo bem naquele lugar. Sequei-me com uma toalha, vesti minha roupa e saí correndo para o quarto. Queria sair daquele lugar o mais rápido possível. No quarto, terminei de secar meus cabelos. Apesar de tudo, agora estava me sentindo muito melhor do que antes. Fiquei lá dentro por alguns minutos, quando ouvi uma batida na porta. Assustei-me:

— *Quem é?*

— *Sou eu, o gaúcho! Estás pronta para jantar?*

— *Estou!*

— *Então, venha!*

— Abri a porta, ele me recebeu com aquele sorriso que agora eu já conhecia:

— *Parece que estás muito bem! O banho também parece que te fez bem.*

— *Estou muito bem, obrigada. Nem sei como agradecer tanta bondade.*

— *Não tens nada para agradecer, não me disseste que eu era um anjo? Só estou cumprindo o meu dever de guardião. Vamos?*

— Ele era sensacional, cada vez o admirava mais. Estendi minha mão e segurei a dele. Caminhamos em direção à sala de jantar. Sentamos, havia na mesa muita comida e, principalmente, muita carne. O gaúcho, notando meu espanto ao ver toda aquela comida, disse:

— *Estás achando que é muita comida?*

— *Estou.*

— *Pois não é! Quando eu começar a comer, verás que não é muita. Esta comida é muito boa, tu também comerás mais do que de costume.*

— Realmente, ele tinha razão, a comida era deliciosa. Ele comeu e bebeu vinho.

— *Viu, guria? Não te disse que ias comer além do que estavas acostumada? Agora, vai para o teu quarto e não saias de lá. Daqui a pouco, irão chegar algumas moças para divertir os caminhoneiros. Vai ter muito barulho, mas precisamos tentar dormir.*

— Entendi o que ele estava dizendo, eu já conhecia aquele tipo de moça a que ele se referia, pois muitas freqüentavam o hotel da Geni, naquelas festas dos sábados à noite. Eu conversava muito com elas. Sabia que por detrás daquelas roupas extravagantes, alegria e rostos pintados, todas tinham a sua história e eram seres maravilhosos, que sonhavam encontrar um homem que as levasse para o altar. O que elas queriam mesmo era ter uma casa, marido e filhos. Não disse nada ao gaúcho, apenas balancei a cabeça, confirmando. Ele se levantou, eu o acompanhei. Levou-me de volta ao meu quarto. Entrei, fechei a porta e deitei naquela cama. Meu corpo cansado se acomodou perfeitamente. Ali, sozinha, lembrei-me de você, quando o colocava para dormir. Meus olhos novamente se encheram de lágrimas e meu coração começou a doer. O desespero retornou. Pensei:

Não posso me conformar com a idéia de nunca mais ter o meu menino nos braços. Nunca mais poder niná-lo para que durma! Onde estará agora? Será que está com frio ou fome? Estará também sentindo a minha falta? Meu Deus! Minha Nossa Senhora! A Senhora também foi mãe! Como pode permitir que isso acontecesse comigo? A Senhora me conhece! Sabe que não mereço! Por quê? Por quê?

— Ali, deitada naquela cama, com o coração em pedaços, com o peso do mundo inteiro em minhas costas, chorei muito. Não sei por quanto tempo, mas, cansada, adormeci. Sonhei que estava em um lugar com muitas crianças e que passava por entre elas, procurando por você. Olhava rostinho por rostinho, mas não conseguia encontrar o seu. Também no sonho eu estava desesperada... também no sonho eu chorava...

Agora, Eunice, ou melhor, Marta, relembrando de tudo, estava emocionada. Lágrimas novamente corriam por seu rosto. Walther tornou a se levantar, deu a volta e a abraçou com muito carinho e disse:

— Minha mãe... como suspeitei, assim que soube de tudo, a senhora sofreu muito, mas agora estou aqui! Conseguiu me encontrar. Nunca mais vamos nos separar! Fique calma... sabe que esse coração que sofreu tanto não está bem... agora nada de mal pode lhe acontecer... precisamos resgatar todo o seu sofrimento...

Ela correspondeu ao abraço e, beijando seu rosto, disse:

— Não se preocupe, meu filho, estou bem e ninguém morre de felicidade! Só estou emocionada por relembrar tudo aquilo. Mas estou muito bem. Sempre esperei por este dia. Sabia que chegaria e, graças a Deus, chegou...

— Foi também o que mais desejei desde que tomei conhecimento de que a senhora existia.

— Por isso, preciso lhe contar tudo. Naquela manhã, saímos bem cedo. Viajamos mais três ou quatro dias, não me lembro muito bem. A estrada era solitária, não encontramos nenhuma cidade grande, onde houvesse uma pensão ou qualquer coisa parecida. Comemos comida que ele preparava e dormimos, eu no caminhão, ele na rede. Conversamos muito, ele era muito alegre e falador, chegamos até a cantar. Eu sabia que ele queria me distrair, por isso fingi que estava bem, mas, na realidade, não estava, não conseguia esquecer você por um minuto nem ao Paulo. Na última noite, ele me disse:

— *Amanhã, vamos chegar a uma cidade, onde tem um posto de gasolina grande. Lá também é uma parada obrigatória para os caminhoneiros. Ali teremos que nos despedir.*

— *Por quê?*

— *Dali, irei para o Sul e tu, para o Norte, mas, como já te disse, não precisas te preocupar. Já estás bem perto da tua casa, mais umas seis horas, chegarás. Vou encontrar alguém que te levará em segurança.*

— *Sabe que estou com medo...*

— *Sei, mas não tem motivo algum para isso.*

— *Nunca mais vamos nos encontrar?*

— *Claro que sim! Estou sempre por aqui, vais me dar o teu endereço e eu vou até tua casa quando estiver passando por lá.*

— *Vai mesmo?*

— *Claro que sim! Sou teu anjo, não sou?*

— Fiquei mais calma ao saber que estava perto de casa, sabia que não ia ser fácil ser recebida de volta, mas não tinha outra coisa para fazer. Não tinha para onde ir. Precisava contar para a minha família o que o Paulo tinha feito, precisava encontrar uma maneira de recuperar você. Chegamos ao posto que ele havia dito. Havia muitos caminhões estacionados. Perguntei:

— *Por que tem tantos caminhões aqui?*

— *Porque daqui a estrada se divide para muitas direções. Deste ponto, pode-se seguir para qualquer parte. Há também quartos. Por isso te disse que encontrarei alguém para te levar.*

— Ele estacionou, descemos. Eu estava cansada, meu corpo todo doía, mas sabia que já estava perto de terminar. Logo eu estaria em casa. No posto, havia um pequeno restaurante. Estávamos com fome, pois havíamos comido muito mal nos últimos dias. Gaúcho me mostrou uma mesa e nós nos sentamos. Um rapaz se aproximou e nos deu o cardápio. Escolhemos a comida. Gaúcho pediu uma cerveja:

— *Hoje, posso beber, porque vou sair só amanhã. Saindo bem cedo, quando for à tarde, antes de escurecer, já estarás em tua casa. Tens que me prometer que nunca mais vais tentar te matar.*

— *Pode ficar tranquilo, nunca mais pensarei nisso! Como você disse, a nossa vida é como se fosse um jogo. De agora em diante, vou me lembrar sempre disso e só vou jogar com as pedras que vierem parar em minhas mãos.*

— *Boa, guria. É assim que se fala. Um dia, a gente tem que ter pedras boas e assim também poderemos ganhar. Não é?*

— *Espero que sim...*

— *Podes esperar! Um dia, quando as pedras boas chegarem em tuas mãos, vais te lembrar do que estou dizendo hoje!*

— *Acredita mesmo nisso, gaúcho?*

— *Claro que sim! As pedras são distribuídas por alguém. Esse alguém não pode só nos mandar pedras ruins! Um dia, nem se for por distração, mandará pedras boas!*

— Quando terminou de falar, soltou uma grande gargalhada. Eu também achei engraçado o modo como ele disse tudo aquilo. Bom amigo... como ele previu, estou hoje me lembrando de suas palavras... Hoje estou com pedras boas nas minhas mãos... Hoje estou muito feliz...

— Minha mãe, esse homem era um sábio! Tem certeza de que ele não tinha religião?

— Era um sábio, sim, e um verdadeiro anjo... ele disse várias vezes que não tinha religião, que só acreditava em Deus.

— Embora não tivesse religião, acredito que foi mesmo um anjo mandado por Deus. Que aconteceu depois?

— Após terminarmos o almoço, pediu que eu esperasse, e foi em direção a alguns homens que conversavam. Fiquei olhando de longe, abraçou e foi abraçado. Conversou por alguns minutos. Depois voltou e disse:

— *Conversei com os caminhoneiros meus amigos, guria. O único que vai para os teus lados é o Gilmar. Ele disse que vai te levar sem problemas. Só que vai sair amanhã bem cedo. Hoje, como quase todos, bebeu demais. Achei bom, porque sei que também estás cansada. Agora que já comeste, vou arrumar um quarto para que possas passar esta noite. Venha comigo!*

— Pegou a minha mão, me levantando. Juntos, fomos até um senhor. Gaúcho disse:

— *Seu Jeremias, estamos cansados, precisamos descansar. Antes que penses demais, precisamos de dois quartos.*

O homem me olhou e depois para ele:

— *Tem certeza, Gaúcho?*

— *Claro que sim! Quero dois quartos!*

— *Está bem, não precisa ficar nervoso! Só tem um problema, não tenho dois quartos vagos, só tem um, o menor de todos.*

— *Está muito bom. Ela fica com o quarto, eu durmo no caminhão.*

— *Você é quem sabe. Não posso fazer nada.*

Eu estava cansada, mas sabia que ele estava muito mais que eu, pois havia dirigido muitas horas seguidas:

— *Não preciso dormir no quarto, Gaúcho. Você está muito cansado. Dirigiu muitas horas!*

— *Que é isso, guria? Já estou acostumado! Tu ficas com o quarto e não se fala mais nisso.*

— Percebi que não adiantava dizer mais nada. Ele estava decidido e eu, muito cansada para discutir. Olhei para o homem, ele me mostrou o quarto que ficava ali mesmo, do lado da cozinha. Enquanto eu me dirigia para lá, o gaúcho disse:

— *Vou até o caminhão pegar a tua maleta. Poderás tomar um banho e descansar.*

— Olhou para o homem e perguntou:

— *Ela pode usar o banheiro, não pode?*

— *Claro que sim! Venha, moça, vou lhe mostrar o quarto.*

— Enquanto o gaúcho foi para o caminhão, eu acompanhei o homem. Entrei no quarto que, além de pequeno, não sei se por estar perto da cozinha, cheirava muito mal. Mas eu não estava em condições de escolher. Ademais estava mesmo muito cansada. Sentei na cama, fiquei olhando em volta e pensando:

Ainda bem que estou perto de casa! Só mais um dia!

Gaúcho bateu à porta. Pedi que entrasse. Ele, como sempre, estava sorrindo:

— *Aqui está a tua maleta. Puxa, guria! Este lugar é horrível! Ainda bem que escolhi o caminhão.*

— *Está muito bom. Nem sei como agradecer.*

— *Já disse que não precisas agradecer. Estou fazendo porque quero, tu não estás me obrigando a nada. Além do mais, sou teu anjo da guarda, não sou?*

— *É sim! E não poderia ser melhor!*

— *Agora, descansa, já estás quase chegando em casa. Sabes que vais ter que reunir forças para enfrentar teus pais...*

— *Sei disso, mas vou conseguir convencê-los.*

— Ele saiu do quarto. Abri a maleta, minhas roupas estavam todas sujas. Durante a viagem, fui trocando e, na pressa, não tinha pegado muitas. Só tinha agora, limpas, uma saia estampada e uma blusa branca abotoada na frente. Com as roupas nas mãos, dirigi-me ao banheiro que o homem havia me mostrado antes de abrir a porta do quarto. Entrei no banheiro. Este era pior do que o outro, mas era melhor que nada. Tomei um banho rápido, pois, como da outra vez, não estava à vontade no meio de tantos homens. Entrei no quarto, deitei-me e adormeci sem perceber. Não sonhei, talvez estivesse muito cansada para isso. Ouvi uma batida na porta e o gaúcho me chamando:

— *Guria! Está na hora de te levantares... O Gilmar já está tomando café e vai sair logo. Não é bom que o deixes esperando.*

— Abri os olhos, percebi onde estava. Sentei na cama, dizendo:

— *Vou estar pronta dentro de alguns minutos.*

— *Vou te esperar para tomarmos café juntos. Assim que fores embora, irei também.*

Ao ouvir aquilo, senti um aperto no coração. Eu já havia me acostumado com sua presença. Sabia que era um bom amigo e que nunca o esqueceria. Ele se afastou, levantei e rapidamente me vesti. Saí do quarto, fui até o banheiro. Lavei meu rosto, penteei meus cabelos, saí. Vi o Gaúcho que estava sentado ao lado de um outro homem. Aproximei-me:

— *Bom-dia!*

— O gaúcho respondeu:

— *Bom-dia, guria, este é o Gilmar. Vai te levar até bem perto da tua casa, na estrada.*

— *Muito prazer, senhor.*

— *O prazer é todo meu, mas você é muito bonita!*

— *Obrigada.*

— *Gilmar! Podes parar! Já te disse que ela é como se fosse minha filha! Se acontecer alguma coisa com ela, vai te ver comigo!*

— *Pode ficar tranqüilo, gaúcho não vai acontecer nada! Vou levar essa moça direitinho.*

— Olhei com mais atenção para Gilmar. Ele era um pouco mais jovem que o gaúcho. Tinha cabelos pretos e um sorriso franco. Senti que estaria bem em sua companhia. Sentei e tomei o meu café. Quando terminamos, nos levantamos. O gaúcho me acompanhou até o caminhão do Gilmar. Ele foi na frente para verificar se as cordas que seguravam a carga e os pneus estavam em ordem. O gaúcho me disse:

— *Agora, vamos nos despedir. Quero que me dês teu endereço!*

— *Não sei escrever!*

— *Eu sei, sabes ao menos me dizer onde é?*

— *Claro que sei!*

— Expliquei onde ficava o sítio da minha família. Ele anotou em um papel, me deu um outro com um endereço:

— *Este é o meu endereço, se algum dia precisar, podes me procurar. Moro em Porto Alegre, no Rio do Grande Sul.*

— Peguei o papel, dobrei e guardei no bolso da saia, junto com meu registro de nascimento.

Ele perguntou:

— *Tens algum dinheiro?*

— *Não, na pressa esqueci de pegar...*

— *Não tenho muito, mas podes levar este...*

— *Não precisa! Não disse que já estou chegando?*

— *Estás chegando, mas vais ter que comer alguma coisa durante a viagem. Não quero que peças ao Gilmar. Além do mais não estou te dando, é apenas um empréstimo. Vou te visitar e espero receber de volta.*

— *Se for assim, vou aceitar. Também não quero pedir ao Gilmar. Ele já está fazendo muito em me levar.*

— Peguei o dinheiro, coloquei no mesmo bolso. Ele pegou a minha mão e, apertando, disse:

— *Agora que estás indo embora, vou te dizer que, ao te ajudar, também me ajudaste. Estou com a minha vida toda enrolada. Minhas últimas viagens não têm sido boas. Vendo-te assim, desprotegida, percebi que minha família e, principalmente, minha filha ficam muito sozinhas. Nunca estou presente. Vendo o quanto precisas de alguém, resolvi que já trabalhei muito, já consegui um bom pé de meia. Não vou parar de ser caminhoneiro, pois é a minha vida. Não sei fazer outra coisa, mas de agora em diante só farei viagens curtas. Estarei sempre perto de casa.*

— *Então, não vai voltar para me ver?*

— *Essa viagem eu farei, nem que seja só uma vez. Vai com Deus, guria. Seja feliz e espera as boas pedras que virão, com certeza.*

— *Obrigada, gaúcho. Estarei esperando por você em casa.*

— *Quando eu chegar, quero ter boas notícias a respeito do teu filho.*

— *Também espero.*

— Não me contive e me atirei em seus braços e nós nos abraçamos com muito carinho. Eu sentia que estava perdendo um amigo, que me ajudou sem saber quem eu era e sem querer nada em troca. Ouvimos uma voz. Nós nos voltamos. Era Gilmar que dizia:

— *Pessoal, a conversa está muito boa, mas está na hora de irmos embora.*

— Nós nos separamos, ele beijou a minha testa e se afastou. Subi no caminhão, abanei a mão, não conseguia evitar as lágrimas que corriam sem parar. Ele também abanava a mão. Embora não estivesse chorando, percebi que seus olhos estavam tristes. Eu começaria uma nova etapa da minha viagem, mas sabia que estava perto de chegar em casa.

Anjos no caminho

Marta enxugou os olhos com as mãos, pois lágrimas caíam. Walther estava emocionado, ouvindo aquela história:

— Que grande homem é esse gaúcho! A senhora ainda tem o endereço dele?

— Sim. Nunca me desfiz dele. Está guardado em uma caixa no guarda- roupa.

— Poderia me mostrar?

— Claro que sim. Depois, eu mostro para você.

— Está bem, mas se estava tão perto de casa, por que não chegou lá?

— Porque a gente se propõe, mas Deus dispõe. Eu não sabia, mas naquele tempo minha vida estava dando uma nova virada. Chego mesmo a pensar que realmente existe uma força maior, que nos dirige para o nosso verdadeiro caminho.

— Agora estou também quase acreditando nisso. Desde que cheguei a este país, algumas pessoas me falaram sobre isso, a princípio não acreditei, mas agora estou sendo levado a crer.

— É isso mesmo, meu filho. Se voltar ao seu passado, verá que, como todas as pessoas, teve bons e maus momentos. Verá, também, que tanto nos bons, como nos maus momentos, uma ajuda sempre veio, através de uma idéia ou de alguém.

Walther ficou olhando para um ponto distante. Rapidamente, repassou sua vida. Percebeu que o que Marta estava dizendo era verdade. Agora mesmo, se não houvesse atropelado Laura, somente passaria por aquela estrada e estaria longe, sem saber o que havia acontecido com sua mãe.

— Mas é preciso acontecer sempre uma coisa ruim? Precisa sempre ser através do sofrimento? Dos desencontros?

— Não sei...

— Por favor, continue! Estou realmente muito curioso.

— Depois que o Gilmar colocou o caminhão na estrada e o gaúcho desapareceu, fiquei olhando o caminho. Gilmar era diferente do gaúcho, não falava, dirigia com os olhos voltados para a estrada. Ao perceber isso, encostei-me bem perto da janela e fiquei apreciando a paisagem. Ele só falava o necessário. No princípio, estranhei, mas, depois, agradeci, pois também não estava com vontade de conversar. Tinha muito em que pensar. Primeiro, precisava chegar a casa e convencer meu pai a me receber de volta. Depois, precisava encontrar uma maneira de recuperar você. No íntimo, eu sabia que isso era quase impossível, pois você agora era filho deles e estava muito longe. Mesmo que chegasse até você, como provaria que era meu filho? Viajamos em silêncio. Por volta do meio-dia, paramos em um pequeno posto de gasolina. Eu estava com fome. Gilmar disse:

— *Esta vai ser a última parada, vamos comer, mas não vamos nos demorar.*

— *Está bem, preciso mesmo comer algo, estou com fome.*

— Ele não respondeu, abriu a porta e desceu. Eu fiz o mesmo. Entramos em um pequeno bar. Não tinha muita coisa para se comer, apenas alguns pedaços de carne seca boiando em um molho de uma aparência ruim, mas eu estava com fome. Comi um pedaço envolvido em farinha. Não era o suficiente, mas sabia que logo mais estaria em casa e poderia comer uma comida de verdade. Quando terminei de comer, tirei do bolso o dinheiro que o gaúcho havia me dado. Ao ver o meu gesto, Gilmar, furioso, disse:

— *Nada disso! Pode guardar o seu dinheiro! Vou pagar toda despesa!*

— *Obrigada, mas não precisa. Tenho dinheiro.*

— *Já disse, guarde esse dinheiro!*

— Percebi que não adiantava discutir. Guardei o dinheiro de volta no bolso. Voltamos para o caminhão e seguimos viagem. Já eram quase três horas da tarde, eu contava os minutos que faltavam para chegar a casa. O sol estava muito quente; eu, muito empoeirada. Mais uma vez, Gilmar falou:

— *Daqui até onde você mora faltam mais ou menos duas horas.*

— *Isso é mesmo muito bom, não vejo a hora de chegar.*

— *Desde que o gaúcho me falou a seu respeito, estou com algumas dúvidas.*

— *Que dúvidas?*

— *Por quanto tempo você e ele estiveram juntos na estrada?*

— *Por cinco ou seis dias.*

— *Onde dormiram?*

— *Na estrada mesmo e em uma pensão.*

— *Ele me disse que não aconteceu nada, que você é uma moça de respeito, não aconteceu mesmo?*

— *Aconteceu o quê!?*

— *Não se faça de tonta! Vocês dormiram juntos, não dormiram?*

— *Não! Ele me tratou como se fosse sua filha!*

— Parou o caminhão bruscamente. Olhou-me com raiva, disse gritando:

— *Acha mesmo que vou acreditar em uma mentira como essa?*

— *Não é mentira!*

— Respondi assustada, pois notei que a expressão do seu rosto havia mudado.

— *Ele lhe deu carona sem cobrar nada?*

— Amedrontada e muito assustada, respondi:

— *Isso mesmo...*

— *Pois comigo vai ser diferente! Você é muito bonita! Agora que estamos chegando, já está na hora de me pagar!*

— Segurou-me pelos braços, tentando desabotoar minha blusa. Fiquei desesperada, não queria nada com aquele homem. Comecei a gritar, mas não adiantava. Não havia alma viva por ali. No meu desespero, quando ele tentou me beijar, mordi seus lábios, abri a porta, desci e saí correndo. Corri muito, sem olhar para trás. Meu coração batia forte, mas eu não parava de correr. As lágrimas desciam em abundância por meu rosto. Estava cansada, quase não conseguia respirar, mas não parava. Sentia que ele me seguia. Estava apavorada. De repente, não consegui correr mais. Minhas pernas se recusavam a obedecer. Ajoelhei, sem fôlego. Ouvi a buzina do caminhão. Olhei e, aliviada, percebi que ele estava desviando, seguindo em outra direção. Respirei fundo e sentei no chão para descansar. Minha maleta havia ficado no caminhão. Mas não me importava, a única coisa importante, naquele momento, era que ele havia ido embora. Quando senti que já havia descansado o suficiente, levantei. Olhei a minha volta. Só enxerguei a estrada. Não havia nenhuma casa. Comecei a andar. O sol estava quente, eu sentia sede, mas não podia parar. Tinha que chegar a casa, sabia que aquele era o caminho que precisava seguir. Não sei por quanto tempo andei. Mas não conseguia mais continuar. Vi uma casa, estava aí no começo da estradinha. Um homem capinava. Gritei com as forças que ainda me sobravam. Ele não ouviu. Fui andando em sua direção, precisava descansar, beber um pouco de água. Sentia que as minha forças não dariam para chegar até ele, mas, mesmo assim, continuei. Outra vez meus joelhos se dobraram, outra vez fui obrigada a parar. Só que, dessa vez, ele viu. Eu estava do outro lado do riacho. Ao me ver, começou a gritar:

— *Nice! Nice! Nice, venha cá! Tem uma moça aqui!*

— Desfaleci, não vi mais nada.

Walther não se conteve. Levantou, perguntando:

— Que tipo de homem era esse Gilmar? Um canalha?

— Também senti muito ódio, mas hoje não. Como dizia o gaúcho, ele foi só uma pedra ruim colocada em meu caminho para mudar a minha vida.

— Não sei se posso acreditar! Era só uma pessoa sem caráter! Nada além disso!

— Pode ser, mas, de qualquer maneira, mudou a minha vida. Por causa dele, estou aqui hoje, rodeada de crianças, dando a elas todo o amor que não consegui dar a você.

— Pensando dessa maneira, talvez a senhora tenha razão...

Walther tornou a sentar, olhou para Laura, que, não dizia nada, apenas deixava as lágrimas caírem. Marta seguiu os olhos dele. Percebeu que a filha chorava:

— Desculpe, minha filha, nunca lhe contei, pois não achei necessário.

— Não se preocupe, mamãe, estou só muito triste com tudo o que lhe aconteceu, mas foi assim que veio para cá e conheceu meu pai?

— Foi sim, quando abri os olhos, vi uma moça sentada ao lado da cama em que eu estava deitada. Ela sorriu ao perceber que eu acordava. Ofereceu-me uma caneca. Ainda assustada, olhei para ela e para a caneca. Perguntei:

— *Que tem aí dentro?*

— *Pode beber sem medo, é chá de erva-santa, vai acalmá-la, mas beba devagar, parece que faz muito tempo que não toma água.*

— Ela era muito bonita, tinha olhos grandes que me transmitiram bondade e sinceridade. Peguei a caneca e bebi devagar. Devolvi a caneca. Ela perguntou:

— *Que aconteceu? Parece que foi atacada.*

— Ao seu lado, estava um homem, o mesmo que eu havia visto e por quem gritara. Os dois eram ainda muito jovens. Senti que estava protegida, contei tudo o que havia acontecido com o Gilmar. Disse, também, que minha casa ficava por aqueles lados. Disse que precisava encontrar o caminho até ela. Ouviram-me em silêncio. Quando terminei de falar, ela disse:

— *Agora, procure esquecer tudo isso, já passou. Não pode ir embora agora, está anoitecendo, durma aqui esta noite, amanhã bem cedo o Zé Antônio vai tentar descobrir onde fica a sua casa.*

— Olhei pela janela. Realmente, estava anoitecendo. Estava muito cansada, não discuti, não sei se foi por causa do chá, adormeci em seguida. No dia seguinte, acordei com o choro de uma criança. Abri os olhos, a moça estava trocando a fralda de uma criança. Imediatamente, lembrei-me do que havia acontecido no dia anterior. Sentei na cama e disse, curiosa:

— *Bom-dia! Não vi essa criança ontem.*

— *Bom-dia! Dormiu bem? Você não viu nada, estava cansada e assustada demais para isso.*

— *Dormi muito bem, preciso agradecer o que a senhora e seu marido fizeram para me ajudar...*

— *Não tem que agradecer nada, somos todos filhos do bom Deus, portanto, somos todos irmãos...*

— Ela terminou de trocar a criança e a colocou no peito para mamar. A criança começou a mamar com muita força. Olhei à minha volta, percebi que ela e o marido deviam ter dormido em uma rede que se encontrava em um canto do quarto. Ao lado da cama em que eu estava sentada, outras duas crianças ainda dormiam. Havia uma mesa sobre a qual ela havia trocado a criança, um fogão à lenha, feito de tijolos e com algumas barras de ferro que serviam para segurar as panelas, um armário onde eram guardadas as louças e os mantimentos. Do outro lado, havia uma máquina de costura. Tudo muito pobre. Eu também tinha sido criada em uma casa pobre, mas nunca havia visto pobreza igual àquela. Ela percebeu que eu olhava tudo. Disse:

— *Está admirando a casa?*

— *Estou. Ontem não vi nada.*

— *Deve estar achando tudo muito pobre.*

— Não respondi e fiquei envergonhada. Como ela notou o que eu estava pensando? Continuou:

— *Foi tudo o que conseguimos em seis anos de casados. Nós trabalhávamos em um engenho de açúcar. Meu marido conseguiu comprar este sítio, faz pouco tempo que nos mudamos para cá. Mas eu não reclamo, gosto muito do meu marido e sei que ele sente o mesmo. Tenho mais dois filhos, o maior, com quatro anos, se chama José Antônio, como o pai; o menor, com dois, Manoel Antônio, mas a gente o chama de Manezinho. E esta é a Laura, está com dois meses.*

Ao ouvirem aquilo, Walther se levantou. Laura, esquecendo que a perna estava imobilizada, tentou se levantar e ficou em pé por alguns segundos. Ele a segurou antes que caísse. Ela perguntou, quase gritando:

— Mamãe! A senhora está dizendo que não é minha verdadeira mãe? Está dizendo que sou filha de outra mulher?

— Desculpe, minha filha, nunca disse nada, pois, na realidade, amo você e aos seus irmãos como se fossem realmente meus filhos.

— Isso agora não tem importância, mamãe! Estou muito feliz por saber que não sou sua filha verdadeira!

— Meu Deus! Com tudo o que aconteceu, esqueci-me do sofrimento que passaram sem necessidade. Devia ter dito logo no começo que não eram irmãos.

Walther abraçou Laura, agora com muito amor, sem culpa.

— Quer dizer que podemos nos casar? Quer dizer que não somos irmãos?

Marta sorria ao ver a felicidade estampada no rosto dos filhos:

— Não são irmãos, podem se casar quando quiserem.

Eles se soltaram, Walther deu a volta novamente em redor da mesa, só que desta vez abraçou a mãe com mais carinho ainda, por toda a felicidade que sentia:

— Minha mãe! Obrigada por toda a felicidade que está me dando neste momento.

— Eu é quem estou feliz por vocês, nada me fará mais feliz que ver os meus dois filhos unidos e felizes. Deus é mesmo muito bom! Obrigada por estas pedras boas que está me mandando agora. Obrigada pela felicidade que estou sentindo neste momento...

Marta se levantou, foi ao encontro de Laura, abraçou-a com muito amor e carinho:

— Minha filha, sei que será muito feliz ao lado dele, já demonstrou que é um bom homem e que a ama de verdade. Sempre ouvi dizer que "Casamento e mortalha no céu se talham." Vocês estavam destinados um para o outro! Que Deus os abençoe.

Os dois, abraçados, sorriam sem parar. Walther pegou um banquinho, colocou-o ao lado da cadeira em que Laura estava sentada, dizendo:

— Agora, vamos continuar ouvindo sua história, só que abraçados. Não quero ficar longe dela nem por mais um minuto. Não pode imaginar como sofri, quando pensei que ela era minha irmã, sofria mais ainda, por não conseguir deixar de a querer como minha mulher. Não sabia como seria a minha vida sem ela ao meu lado.

Marta se desculpou mais uma vez:

Eu devia ter contado logo que me falaram que se amavam, mas depois de ter descoberto que era meu filho, aquilo que esperei toda a minha vida, voltei ao passado e realmente esqueci. Desculpem...

— Não faz mal, agora que sabemos, está tudo bem. Eu amei essa menina assim que a vi! Acredito que estive esperando por ela toda a minha vida.

Laura, enquanto o ouvia falar, chorava e ria ao mesmo tempo.

Walther continuou:

— Agora que essa parte importante foi esclarecida, a senhora pode continuar? Ainda estou curioso para saber, por que mudou de nome e por que não foi para casa.

— Vou continuar. Tentei me levantar, mas senti uma tontura, voltei a deitar. Eunice se assustou:

— *Que você tem? Está pálida.*

— *Não sei, estou tonta e sem forças, não consigo me levantar.*

— *Você está muito fraca. Ontem, ficou muito tempo no sol e sem beber água. Não se preocupe, fique aí. Vou lhe trazer um pouco de café com leite. Depois que comer, vai se sentir melhor.*

Tentei novamente me levantar, mas não consegui. Ela foi até o fogão, voltou com uma caneca e tentou me entregar, mas não consegui segurar. Ela estava com você ainda mamando. Colocou você na cama de solteiro junto com os meninos que ainda dormiam. Abraçou-me por trás e me ajudou a levantar. Com muita paciência, fez com que eu bebesse um pouco do café com leite. Eu não conseguia beber. Tomei apenas alguns goles. Deite-me novamente. Depois, ela colocou a mão na minha testa, dizendo:

— *Está com muita febre. Vou lhe fazer um outro chá.*

— *Preciso levantar. Tenho que ir para casa.*

— *Não vai conseguir assim como está. Fique calma, volto já.*

— Saiu, foi para o quintal, logo depois, voltou, acompanhada por Zé Antônio, dizendo:

— *Ela não está bem. Não está podendo nem se levantar, mas quer ir embora.*

— *Não tem que se levantar. Pode ficar deitada, não precisa ir embora hoje. Sua casa não vai sair do lugar.*

— Senti que, mesmo que quisesse, não conseguiria levantar, apenas sorri e fiquei tranqüila. Sentia que estava entre amigos e que nada de mal me aconteceria. Voltei a dormir. Fiquei doente por mais dois dias. Eunice cuidava da casa, das crianças e, agora, eu também estava ali sendo tratada por ela. Conversávamos muito. Contei tudo o que havia se passado na minha vida. Ela ouviu, depois, disse:

— *Todos passamos por momentos difíceis. Quando isso acontece, ficamos com medo de não suportar, mas tudo passa. Você está sofrendo muito, mas Deus é nosso Pai, não dá uma cruz maior do que aquela que a gente possa carregar.*

— Ela era assim, muito otimista e com uma fé que nunca vi igual. Ela me dizia essas coisas, mas eu não conseguia entender por que tudo aquilo estava acontecendo. No terceiro dia, ao acordar, percebi que estava sozinha em casa. Levantei, saí para o quintal. Vi Eunice e Zé Antônio sentados à beira do riacho, as crianças brincavam perto deles.

Percebi que conversavam. Voltei para casa, resolvi que já estava bem o bastante para ir para casa, só não sabia como fazer. Não tinha idéia da distância em que ela estava. Tinha muito medo de pedir ajuda a outro motorista. A minha experiência com o Gilmar havia sido muito triste. Estava sentada na cama, pensando em como faria, Eunice e Zé Antônio entraram:

— *Bom-dia! Já acordou?*

— *Bom-dia, Nice. Acordei e estou muito bem, penso que está na hora de voltar para casa.*

— *É sobre isso mesmo que queremos falar com você.*

— *Sei... querem que eu vá embora...*

— *Nada disso, ao contrário, queremos que fique! Precisamos de sua ajuda.*

— *Ajuda? Ficar? Como? Por quê?*

— Zé Antônio continuou:

— *Precisamos falar seriamente. Comprei estas terras do Zé Venâncio, um amigo que estava indo para São Paulo. Precisava de dinheiro, vendeu-me por um preço muito bom. Tinha um pouco guardado, aproveitei. Isso já faz quase um ano. Há alguns dias, ele me escreveu, dizendo que está muito bem, ganhando muito dinheiro no ramo de construção. Sabendo que sou um bom pedreiro, quer que eu o vá encontrar e trabalhar com ele. Garantiu que, em pouco tempo, ganharei o bastante para montar uma casa e levar a Nice e as crianças. Disse que viveremos muito melhor do que aqui.*

— Fiquei olhando para ele, sem entender o que eu tinha a ver com tudo aquilo. Ele continuou:

— *Estou com muita vontade de ir. Quero dar uma vida melhor para meus filhos. Em uma cidade grande, as crianças vão poder ir à escola.*

— *Acredito que vai ser muito bom, só não estou entendendo em que posso ajudar.*

— *Desejo muito ir, mas não tenho coragem de deixar a Nice e as crianças sozinhas. Já percebeu que moramos distante da cidade, não temos nem um animal para nos conduzir até lá. Eu já tinha me conformado por não poder ir, mas quando você chegou, contou sua história, percebemos que talvez quisesse ficar aqui por um tempo. Não sabe se seu pai vai aceitá-la de volta.*

— Fiquei pensando, enquanto ele continuava falando:

— *Com você ao lado da Nice, irei tranqüilo, não vai ser por muito tempo. Logo virei buscar todos e, se quiser, poderá ir também.*

— Quando terminou de falar, os dois ficaram me olhando, ansiosos por saberem minha resposta. Eu estava confusa, acabara de conhecer aquelas pessoas e queriam que eu ficasse com eles. Entretanto, ajudaram-me, deram-me abrigo e comida em um momento que precisei. Não sabia o que fazer. Eunice percebeu. Disse:

— *Sei que mal nos conhece e por isso deve estar preocupada, não queremos que fique sem pensar. Gostei de você assim que a vi. Sinto que, ao seu lado, poderei ficar tranqüila, esperando a volta do Zé Antônio, mas, se não quiser, pode falar. Não vamos condená-la.*

— Eu estava atordoada, não sabia o que fazer. Contudo, o Zé Antônio tinha razão. Eu não sabia se meu pai ia me aceitar de volta. Ali eu tinha um abrigo, quase uma família, tinha também as crianças, que me dariam a impressão de que estava com você, meu filho.

— *Está bem, ficarei só até você voltar; depois, vou tentar ir para casa.*

— *Se quiser, pode fazer isso, mas em uma cidade grande e com dinheiro, terá mais facilidade para tentar recuperar seu filho. Do modo como o meu amigo disse, logo terei muito dinheiro e uma casa. Ajudarei em tudo o que for possível.*

— *Está bem, eu fico.*

— Eunice me abraçou, agradecida. Eu retribuí o abraço. Também tinha gostado dela assim que a vi. Isso é uma coisa que ainda não entendi. Por que gostamos de algumas pessoas assim que as conhecemos e de outras não?

Walther a interrompeu:

— Se o Isaías, a vó Zu ou o Lula estivessem aqui, diriam que é por causa das reencarnações, que são nossos amigos ou inimigos.

— Acredita nisso?

— Não sei, mas estou quase acreditando, muita coisa está acontecendo comigo. Por favor, continue.

— Em menos de quinze dias, Zé Antônio partiu. Eu e Eunice ficamos sozinhas com as crianças. Não teríamos problemas, pois, além, da cabra que fornecia leite, havia também galinhas espalhadas pelo terreiro, uma roça de batata, mandioca e milho que os dois plantaram. Antes de partir, Zé comprou uma saca de arroz, feijão e farinha. Reservei o dinheiro que o gaúcho me deu, para comprar alguma coisa que faltasse. Ele disse que assim que recebesse o primeiro salário, mandaria pelo correio. Tudo certo, ele partiu. Eunice chorou, após se despedir do marido, mas sabia que a separação seria por pouco tempo, e que aquilo seria bom para seu futuro e o de seus filhos. Ele ficou sem dar notícias mais de um mês. Um dia, estávamos as duas na roça, quando um homem chegou em uma bicicleta. Estranhamos, mas logo percebemos que era o carteiro. Ele se apresentou, dizendo:

— *Tenho esta carta para Dona Eunice Bezerra de Souza.*

— Nós nos olhamos. Sabíamos que era notícia do Zé. Eunice pegou a carta. O carteiro continuou:

— *Meu nome é Mário. Sou o único carteiro da cidade. Vim até aqui trazer esta carta e avisar que a dona Eunice vai ter que ir até o correio levando este papel, porque chegou também uma quantia em dinheiro, mas só pode ser retirado lá.*

— Tornamos a nos olhar. Não conseguimos esconder a nossa alegria.

— *Vamos logo!*

— *Não se esqueça de levar um documento, vai ter que assinar.*

— Na hora, não entendi o porquê de a Eunice dizer:

— *Só temos o registro de nascimento.*

— *Vai servir. Vai dar tudo certo.*

— *Muito obrigada por ter vindo aqui nesta distância.*

— *Não precisa agradecer, além de ser o meu trabalho, estou feliz que a notícia agradou as senhoras.*

— *Nem pode imaginar o quanto.*

— Ele sorriu, montou na bicicleta e foi embora. Eunice rasgou o envelope, dentro tinha uma carta. Ela começou a ler em voz alta.

"Querida Eunice:

Sabe que não sei escrever direito, por isso pedi para o meu amigo escrever. Aqui tudo é muito diferente do que a gente pensou. A cidade grande é muito complicada. Não tem tanto dinheiro como o Zé Venâncio disse, além disso, faz muito frio. Estou trabalhando de pedreiro em um prédio de dez andares. Nunca vi um tão grande. O salário é pouco, mas como preparo a minha comida e durmo no alojamento da obra e fiz muita hora extra, do meu primeiro pagamento, sobrou um pouco que estou mandando para você. Estive pensando e acho que aqui o nosso futuro não vai ser muito melhor que aí. Aí ao menos, a gente tem um pedaço de chão. Aqui, vai ser muito difícil conseguir um. Com esse dinheiro que estou mandando, você vai poder tratar dos meninos. O que sobrar você guarda. Resolvi que vou ficar aqui só até conseguir um bom dinheiro. Quando eu voltar, vou comprar uma carroça e um cavalo para a gente poder ir até a cidade. Vou também comprar material de construção e arrumar a nossa casa e aí a gente vai ser muito feliz. Estou com muitas saudades suas e dos meninos. Mas sei que não vai ser por muito tempo. A Marta ainda continua aí com você? Atrás do envelope, tem o endereço para você me escrever e contar como tudo vai por aí. Sem mais, um beijo cheio de saudade.

Zé Antônio.

Quando ela terminou de ler, vi que estava chorando. Não falei nada. Estava imaginando o que ela sentia. Eu sabia como era triste ficar longe de quem se ama. Eu sentia muita saudade de você, meu filho. Apesar da saudade, ficamos alegres, não só pelo dinheiro, mas por saber que ele havia cumprido o prometido. Com o papel na mão, Eunice disse:

— *Precisamos ir até a cidade receber o dinheiro, mas não podemos deixar as crianças sozinhas. Estou pensando que você poderia ir no meu lugar, Marta.*

— *Como, ir no seu lugar? Vai ter que mostrar algum documento!*

— *Foi por isso que disse ao carteiro que só tinha o registro de nascimento.*

Não sei você, mas eu só tenho o meu registro de nascimento, nele não tem fotografia, você vai até lá e se apresenta como se fosse eu, não gosto de ir à cidade, muito menos de andar, prefiro ficar aqui.

— Para pegar dinheiro no correio, acho que vou ter que assinar o seu nome e eu não sei escrever!

— *Não sabe?!*

— Não! Só sei assinar mais ou menos o meu nome, mais nada.

— *Então, vai ter que treinar. Venha até aqui na mesa.*

— Rasgou um saco de papel que vinha com as compras, pegou um lápis, escreveu alguma coisa e me fez copiar várias vezes, até que eu soubesse fazer sem olhar. Quando achou que estava bom, disse:

— *Pronto! Agora é ir, assinar onde mandarem e pegar o dinheiro.*

— *Acha que vai dar certo?*

— *Claro que vai! Ninguém me conhece e você vai apresentar o meu registro. Sei que o Zé mandou a gente economizar e guardar o que sobrar, mas, quando pegar o dinheiro, passe na venda e compre um bom pedaço de carne. Merecemos, não é?*

— Não consegui discordar dela. Além disso, não vi nada de mal. Fiz o que ela pediu. Ela nunca tinha ido à cidade, nem eu. Por isso, ninguém ia desconfiar. Como não tinha condução, tive que andar mais ou menos uns quarenta minutos. Enquanto caminhava, achei que ela estava com a razão quando disse que não gostava de andar, só não me disse que era tão longe. Fui direto ao correio, apresentei o papel e o registro de nascimento. Recebi o dinheiro e, como ela havia pedido, comprei carne, banha e sal. Voltei para casa. Quando cheguei, ela perguntou:

— *Deu tudo certo, Marta?*

— *Claro que deu, aproveitei para conhecer a cidade, entrei na igreja, rezei, pedindo a Deus que nos abençoasse e que iluminasse o meu caminho, quando você for embora encontrar o seu marido.*

— *Parece que o Zé não quer mais levar a gente para lá. Mas, se for para a gente ir, já decidiu se vai com a gente?*

— *Ainda não sei... estive pensando, meu pai estava muito nervoso quando me expulsou, não sei se vai me aceitar, mas preciso tentar. Quando o Zé voltar, antes de irem embora, vou até em casa. Se ele me receber, vou ficar lá, mas se não quiser me aceitar de volta, vou com vocês e seja tudo o que Deus quiser.*

— *Não pense mais nisso, hoje vamos ter um ótimo jantar! As crianças bem que estão precisando de um bom pedaço de carne. Vamos cozinhar?*

— Ela era uma pessoa espetacular, estava sempre rindo e de bem com a vida. Só ficava triste quando pensava no marido e na distância que os separava. Naquela noite, jantamos como há muito não fazíamos. As crianças também comeram à vontade. Quando terminamos de comer e colocamos as crianças para dormir, ela disse:

— *Enquanto você foi para a cidade, fiquei pensando que não pode continuar sem saber ler nem escrever, Marta!*

— *Acha isso importante?*

— *Claro que é! Resolvi que vou ensinar você, não sei muito, mas lhe ensinarei tudo o que sei. Devo ter guardada em algum lugar uma cartilha com a qual eu aprendi.*

— *Acha que vou conseguir, Nice?*

— *Tenho certeza. Você é muito esperta! Quando entender as letras, vai ver como é bom saber ler.*

— *Se você acredita, vou tentar.*

— *Hoje não, porque daqui a pouco vai escurecer e com lamparina não dá para ler, mas amanhã vamos começar. Assim, quando o Zé mandar outra carta, não vou precisar ler em voz alta. Você mesma vai ler.*

— Ela estava muito animada, bem mais do que eu. Não achava que ler fosse importante. No dia seguinte, depois de cuidarmos das crianças, fomos para a roça, fazíamos isso todos os dias. Era importante regar, deixar tudo sem mato para que a batata, o milho e a mandioca crescessem bem. Depois do almoço, ela pegou a cartilha, deu-me um lápis, um pedaço de papel e começou a me ensinar. Encontrei muita dificuldade, não sei se por que não era mais criança ou por não achar necessário. Mas ela não desistiu, continuou me ensinando. Todos os dias, após o almoço, eu tinha que estudar. Aos poucos, fui conseguindo juntar as letras e formar algumas palavras. Fazia aquilo para agradar a Eunice, não por sentir vontade. Durante cinco meses, uma carta e dinheiro chegavam. Eu ia até a cidade buscar o dinheiro no correio. Era também o dia em que a gente comia carne. Na cidade, algumas pessoas já me conheciam como Eunice. Sabiam que eu morava naquele sítio do Morrinho. Eunice tinha um bom dinheiro guardado. Em sua última carta, Zé disse que pensava em voltar mais ou menos em três meses. Eunice ficou muito feliz. Ela sabia que não iria mais embora, mas sabia também que nada era pior do que ficar sem o seu marido.

Marta parou de falar. Lágrimas voltaram a descer de seus olhos. Walther perguntou:

— Que aconteceu, mãe? Do que se lembrou agora que a faz chorar?

Ela secou os olhos com as mãos. Disse:

— Realmente, foi tudo muito triste. Mais uma vez, Deus colocou em minhas mãos pedras ruins, uma prova muito difícil...

— Que aconteceu?

— Vou continuar, minha filha. O que vou contar agora tem muito a ver com você.

— Conte logo, por favor!

— Como acontecia todos os dias, naquela manhã, fomos até a roça, que ficava a uns vinte metros da casa, lá perto do riacho. Enquanto Eunice carregava você no colo, o Zezinho ia agarrado na sua saia. Eu levava o Manezinho em um caixote, onde você sempre ficava. Você tinha sete meses, ainda não andava. Colocamos o caixote embaixo daquela árvore perto da água, onde seus irmãos brincavam. De dentro da roça, eu e a Eunice ficávamos sempre olhando os três. Ali havíamos capinado para que pudéssemos ver o que faziam. Eunice entrou na roça. Eu fui com um regador pegar água no riacho para molhar a roça. Estava voltando com o regador cheio, quando vi a Eunice dar um grito e um pulo. Em seguida, ela sentou, gritando muito. Larguei o regador e corri para ela. Os seus irmãos, que brincavam perto de onde você estava, também ouviram e correram para ela. Ao chegar perto, ela disse:

— *Foi uma cobra, Marta! Foi uma cobra que me picou! Tire as crianças daqui!*

— Entrei em desespero:

— *Como cobra? Nunca vimos uma cobra por aqui!*

— *Não sei, mas eu senti e vi quando ela fugia por ali! Era preta e vermelha! Tire os meninos daqui! Ai! Está doendo muito...*

— Olhei para ver se ainda via a cobra, mas não a vi. Peguei os meninos e levei para junto da caixa em que você estava. Lá não havia cobra alguma, pois o lugar era limpo de mato. Disse para seus irmãos:

— *Vocês dois fiquem aí parados, junto da Laura. Não saiam antes que eu mande. Não se mexam!*

— Voltei para junto da Eunice, que chorava. Parecia que estava sentindo muita dor:

— *Que vamos fazer, Nice? Você precisa ser socorrida!*

— *Como? Não sei se vou poder andar até a cidade!*

— *Eu vou correndo e trago ajuda!*

— *Não pode deixar as crianças sozinhas. A cobra pode voltar! Não acho que estou em condições de cuidar deles.*

— *Não posso levá-los comigo. Vou demorar muito para chegar até a vila!*

— *Preciso da sua ajuda para me levantar, vamos para dentro da casa.*

— Ajudei-a a levantar-se, mas doía muito. Ela, mesmo não querendo, gemia. Eu estava em pânico. Com muito custo, consegui levá-la e deitá-la na cama. Não sabia o que fazer, mas sabia que alguma coisa tinha que ser feita. Falei devagar, tentando esconder dela o meu desespero:

— *Já sei o que vou fazer. Vou buscar as crianças, coloco a Laura de volta no berço, levo os meninos comigo e vou o mais depressa possível até a cidade buscar socorro.*

— *É muito longe! Os meninos não vão conseguir andar.*

— *Eu carrego os dois!*

— *Não vai conseguir...*

— *Claro que vou! Preciso trazer ajuda! Só tenho que preparar uma mamadeira para a Laura, depois, vou correndo.*

— Voltei correndo ao lugar em que os tinha deixado. Trouxe os três para dentro da casa. Preparei a mamadeira, enquanto ouvia os gemidos da Eunice. Coloquei você no berço, dei a mamadeira, começou a mamar. Eu sabia que, antes mesmo de terminar, já estaria dormindo. Embora continuasse mamando na Eunice, agora já tomava, de vez em quando, leite de cabra. A Eunice dizia que era para você ficar mais forte. Após tê-la acomodado, voltei-me para ela, dizendo:

— *Agora, eu vou, Nice, fique calma, logo vou trazer alguém aqui para ajudá-la.*

— Estava saindo quando ela me chamou. Voltei. Ela, chorando, disse:

— *Marta, não sabemos que tipo de cobra me picou, nem se era venenosa... receio que, quando voltar, não estarei mais aqui... por isso, preciso que me prometa uma coisa...*

— *Não vou prometer nada! Quando chegar ajuda, você vai estar aqui e vai ficar tudo bem!*

— *Não temos certeza, por isso tem que me prometer que se alguma coisa acontecer comigo, não vai nunca abandonar meus filhos, ao menos até o Zé Antônio voltar...*

— *Não vai lhe acontecer nada! Você vai estar aqui quando ele voltar!*

— *Prometa, por favor...*

— Ela segurava minha mão com muita força e pedia com lágrimas. Para me ver livre e poder ir embora, disse:

— *Está bem, Nice! Não vai lhe acontecer nada, mas, se acontecer, eu prometo que cuido das suas crianças. Agora, preciso ir. Estamos perdendo tempo. Volto logo. Tente ficar acordada.*

— Ela largou minha mão, sorriu. Peguei os meninos, coloquei um em cada lado da cintura, saí correndo. Corri até chegar à estrada, mas eles, embora fossem ainda pequenos, pesavam e, como podem ver, sou pequena. Na estrada, corri por mais alguns metros, mas logo comecei a ficar cansada. Fui obrigada a diminuir meus passos. Estava desesperada, sabia da gravidade da situação, mas não conseguia andar mais depressa. Continuei andando, mas, muitas vezes, fui obrigada a parar e descansar, pois minhas pernas não obedeciam. O Manezinho chorava, o Zezinho queria voltar para casa. Eu dizia que não podia, que precisávamos buscar o doutor para cuidar da mamãe. Eles pareciam entender a situação, eu continuava. Naquele dia, levei mais de duas horas para fazer o percurso que, normalmente, eu levava quarenta minutos. Durante o caminho, eu ia rezando muito, pedindo a Jesus e Nossa Senhora para que nada de mau acontecesse com a Eunice. Finalmente, cheguei à praça da cidade. Fui direto procurar o hospital, que não era como o de hoje. Havia só um grande galpão, cuidado por quatro freiras. O Doutor Moraes, recém-formado, era o único médico da cidade. Entrei depressa, muito cansada e, chorando, não conseguia falar. Uma das freiras me viu e perguntou:

— *Que aconteceu? Por que está chorando desse modo?*

— Não conseguia responder e falei com a voz trêmula e baixa:

— *Minha amiga! Uma cobra!*

— *Não estou entendendo nada. Tente se acalmar para poder falar direito.*

— Tirou as crianças dos meus braços e me fez sentar em um banco:

— *Agora me conte o que aconteceu...*

— Ainda cansada e apavorada, contei tudo o que havia acontecido. Quando terminei de falar, ela disse:

— *Quanto tempo faz que ela foi picada? Que tipo de cobra era?*

— *Não sei que cobra era! Não sei quanto tempo se passou! Só sei que ela está lá, precisando de ajuda...*

— *Está bem, vou chamar o doutor Moraes, ele saberá o que fazer. Fique aqui esperando. Ele acabou de sair, não deve nem ter chegado em casa.*

— *Por favor, não demore.*

— Ela saiu e eu voltei a rezar. Naquele momento, não podia fazer outra coisa. Rezei muito, pedi, implorei, fiz até promessa. Depois de um tempo que me pareceu uma eternidade, ela voltou, acompanhada pelo doutor Moraes. Quando viu o meu estado, disse:

— *Sabe ao menos como era a cobra? Você a viu?*

— *Não sei, parece que era preta e vermelha.*

— *Preta e vermelha?*

— Percebi que ele ficou nervoso:

— *Que foi, doutor?*

— *Pode ser uma coral.*

— *Que tem isso?*

— *Se for uma coral, receio que não poderemos fazer muita coisa por sua amiga...*

— *Não diga isso, doutor! Por favor...*

— *A minha charrete está aí fora, vamos o mais rápido possível.*

— Pegou as duas crianças, a freira me ajudou a subir, saímos correndo. Sentei com as crianças no colo. Ele fez com que o cavalo corresse muito. Chegamos. Parou a charrete. Descemos e corremos para casa. Quando estávamos chegando, ouvi você chorando, desesperada, Laura. Corri mais ainda. A Eunice estava deitada no chão, ao lado do berço. Deve ter tentado atendê-la, quando começou a chorar, mas não conseguiu e caiu. Corremos para ela. Doutor Moraes a recolocou na cama, enquanto eu pegava você no colo para que parasse de chorar. Ela ainda estava viva, mas desmaiada e, pela expressão do rosto dele, percebi que nada iria adiantar. Recomecei a chorar. Ele examinou o local da picada, dizendo:

— *Deve ter sido mesmo uma coral e para ela não temos antídoto. Sinto muito, mas acredito que ela não vai resistir...*

— *Não pode ser! O senhor tem que fazer alguma coisa! É médico!*

— *Sou médico! Não sou Deus!*

— *Fui a culpada! Se tivesse corrido mais, teria chegado a tempo...*

— *Não se culpe! Nada iria adiantar.*

— Eunice abriu os olhos, olhou-me. Disse bem baixinho:

— *Não se esqueça da promessa que me fez...*

— *Não vou esquecer, nunca, mas você vai ficar boa.*

— Sorriu e tornou a fechar os olhos. Daí a alguns minutos, o doutor disse:

— *Terminou... ela se foi...*

— Eu ouvi, mas não entendi nem queria entender. Fiquei olhando para ele e para ela. Você, Laura, chorou em meus braços. Voltei à realidade, pois tudo aquilo me parecia um sonho.

— *Que o senhor está dizendo?*

— *Que ela se foi, não podemos fazer mais nada.*

— *Embora eu não quisesse, fui obrigada a entender e aceitar.*

— *Meu Deus, o que vou fazer agora? Por que isso tinha que acontecer?*

— O doutor deixou que eu chorasse. Quando achou que já era o bastante, disse:

— *Agora, precisamos cuidar do enterro.*

— *Enterro? Como vou fazer sem ela?*

— *Vai continuar cuidando dos seus filhos. Ela se foi, mas as crianças continuam aqui e precisam muito de você. Onde está o seu marido?*

— Ao ouvir aquilo, lembrei-me da promessa que havia feito. Fiquei com medo que, se ele soubesse que eu não era a mãe, me tirasse as crianças. Rápido, respondi:

— *Ele está em São Paulo, mas vai voltar logo.*

— *Acredita que vai poder ficar aqui sozinha até ele voltar?*

— *Vou... vou sim...*

— *Qual era o nome dela? É sua parente?*

— Naquele momento, com medo de perder as crianças e sabendo que o Zé voltaria logo, respondi:

— *O nome dela é Marta. Ela apareceu aqui um dia e foi ficando. Não é minha parente, mas eu gosto muito dela.*

— *Sabe onde mora a família?*

— *Não...*

— *Tem algum documento dela?*

— *Tenho só o registro de nascimento.*

— *Entregue-me, vou levar para a cidade, depois alguém virá buscá-la.*

— Eu estava meio tonta, parecia que tudo aquilo era um sonho. Peguei o meu registro de nascimento e dei a ele. Foi embora, dizendo:

— *Vai ter que ficar aqui com ela até eu voltar com alguém. Acha que pode?*

— *Posso, sim... preciso alimentar as crianças...*

— *Faça isso, voltarei logo.*

— *Está bem...*

— Ele saiu, eu fiquei ali parada, olhando para Eunice que parecia dormir. Não estava querendo aceitar a realidade. Comecei a falar:

— *Você está muito bonita... quando o Zé Antônio voltar, vai ficar feliz por vê-la. Ele também está com muita saudade.*

— Você, Laura, começou a chorar novamente, trazendo-me de volta à realidade. Tornei a olhar para Eunice, só que desta vez não tive como me enganar. Ela estava morta mesmo e eu, com vocês três. Eu, que havia rezado tanto, naquele momento me revoltei e gritei:

— Deus! Como deixou isso acontecer! Ela não podia ter morrido! Tem três crianças! Por que não me levou no lugar dela? Eu, que não tenho mais nada. Já me tirou tudo! E, agora, a minha amiga. Minha irmã! Deus! Onde o Senhor está?

— Não ouvi resposta alguma. Com você no colo e chorando muito, fui até o fogão e preparei sua mamadeira. Os meninos também estavam com fome. Aqueci um pouco de comida e dei para eles. Não consegui comer nada, tinha como um caroço na garganta. Estava sentindo muita tristeza. Meu coração estava doendo por aquela perda.

Marta parou de falar. Não conseguia continuar. Lágrimas corriam por seu rosto. Laura também chorava e Walther fazia um esforço imenso para não demonstrar seus sentimentos. O momento era de muita emoção. Laura disse, baixinho:

— Pobre mãe, que pena não a ter conhecido...

— Deve sentir mesmo, minha filha... ela era uma pessoa especial... sentiria muito orgulho de você e de seus irmãos...

— Da senhora também, pois cumpriu a sua promessa. Além de cuidar muito bem de mim e de meus irmãos, cuidou e ainda cuida de muitas crianças.

— Sim, mas para isso tive que cometer um crime...

— Crime? Que crime?

— Sem entender muito bem o que fazia, naquele momento eu tomei uma falsa identidade. Permiti que sua mãe fosse enterrada com o meu nome. Para todos os efeitos, passei a ocupar o lugar dela.

— Foi obrigada! Tinha que cumprir a promessa! Precisava nos proteger!

— Tudo isso é verdade, hoje eu sei, mas eu poderia ter dito a verdade. Ninguém iria me tirar vocês.

Walther levantou da cadeira, foi até a porta e ficou olhando para o céu. Elas perceberam. Marta perguntou:

— Meu filho, que aconteceu? Por que se levantou? Não quer ouvir o resto da história?

— Quero! Só estou pensando como foi inútil toda a procura do Paulo. Por que ele nunca teve a idéia de procurar nos cartórios das cidades vizinhas? Fatalmente, chegaria até aqui e encontraria um atestado de óbito. O que mais me intriga é que eu também pensei em várias formas de a encontrar, mas por nenhum instante essa idéia passou por minha cabeça.

— Talvez tenha sido, porque vocês nunca me sentiram morta. Por isso não procuraram o atestado.

Ele voltou a se sentar:

— A senhora deve ter razão, realmente, sempre que a julgava morta, eu afastava esse pensamento. Todavia, se tivéssemos encontrado o atestado, nunca mais a procuraríamos e eu, provavelmente, não estaria hoje aqui. Só vim na esperança de encontrá-la. Mas, por favor, continue.

Marta continuou:

— Eunice estava ali deitada com os olhos fechados. Aproximei-me dizendo:

— *Não quero aceitar... você não pode ter morrido dessa forma....* que vou fazer? Como vou cuidar sozinha das crianças?

— Naquele momento, em meu desespero, pareceu vê-la ao meu lado, dizendo:

— *Deus não dá uma cruz mais pesada do que aquela que a gente possa carregar.*

— Ao me lembrar do que ela sempre dizia, senti como se uma brisa suave me envolvesse. Ela continuava ali deitada, parecendo que dormia. Pensei:

Não adianta mesmo eu ficar com medo e me lastimar. O que tenho a fazer, agora é deixá-la bem bonita. Vou pegar seu vestido azul, aquele de que tanto gostava.

— Levantei, peguei o vestido. Vocês três dormiram logo depois que dei o almoço. Peguei um balde, fui até o riacho, trouxe água. Coloquei em cima do fogão para que esquentasse. Dei um banho nela, vesti o vestido azul, penteei seus cabelos. Ela ficou linda. Nada mais poderia fazer por aquela amiga que eu conhecia há tão pouco tempo, mas que era muito querida:

Agora, você está pronta para encontrar com Deus. Pode ir tranqüila, não vou deixar seus filhos sozinhos até que o Zé Antônio chegue. Ele vai saber o que fazer.

— Fiquei ali olhando e conversando com ela, até que o doutor Moraes voltou, acompanhado por quatro homens. Um era o delegado e os outros, seus auxiliares. Entraram, enrolaram o corpo de Eunice em um lençol branco que trouxeram. Ela foi levada até uma carroça que estava parada do outro lado do riacho. Naquele tempo, não tinha ainda essa pequena ponte. Existia só um tronco de árvore por onde se passava. Eu os acompanhei.

— *A senhora quer ir junto?*

— *Para onde vão levá-la?*

— *Para o cemitério, será enterrada imediatamente.*

— *Não sei o que fazer, não posso deixar as crianças sozinhas, se as levar, como voltarei depois com os três?*

— *A senhora é quem sabe, infelizmente, poderei levá-la, mas, como sabe, não posso ficar muito tempo longe do Posto de Saúde. Não poderei trazê-la de volta.*

— *Obrigada, doutor. Mas não posso ir. Afinal, acredito que será melhor para as crianças não presenciarem o enterro. Eles são ainda muito pequenos. Vou ficar aqui, ela já deve estar na companhia de Nossa Senhora.*

— *Está bem, tome cuidado com essa cobra, ela ainda deve estar por aí.*

— Estremeci:

— *O senhor acha mesmo?*

— *Claro que sim. Fique atenta, quando estiver andando por esses matos. Com a casa, não precisa se preocupar, pois ela também tem medo de gente. Mas fique sempre atenta e cuidado com as crianças para que não entrem na roça sozinhas. Quando não estiver em casa, deixe a porta e a janela trancada.*

— *Está bem, vou fazer isso.*

— Foram embora, abanei a mão para minha amiga, irmã, que estava indo para sempre. Quando sumiram na estrada, voltei para casa. Vocês continuavam dormindo. Olhei para os três, pensando:

— *Dormem como anjos que são, não imaginam a grande perda que estão sofrendo neste momento. Preciso pensar no que vou fazer daqui pra frente.*

— Tomei um gole de café, não tinha comido nada, também não tinha vontade alguma de comer. Fiquei com a caneca em minha mão, olhando tudo em minha volta. Sem saber por onde começar. Não sei, meus filhos, mas parece que eu estava sendo guiada por uma força qualquer. Meu olhar foi até o armário, onde estava a cartilha. Ao vê-la, tive uma idéia:

Vou escrever para o Zé Antônio, pedindo que volte!

— Peguei a cartilha e um papel de saco. Comecei a treinar, pois em uma das vezes que fui ao correio, comprei envelopes e um caderno, onde a Eunice escrevia e mandava cartas para o marido. Só que eu não havia aprendido o suficiente, conhecia as letras, conseguia formar uma ou outra palavra, mas não sabia como escrever uma carta. Nunca me arrependi tanto como naquele momento por não ter prestado mais atenção ás aulas que ela me dava. Bem devagar, fui juntando uma letra com outra, formei algumas palavras. Aos poucos, consegui escrever.

Zé Antônio, volta logo. A Nice morreu.

— Escrevi só isso, não conseguia nem sabia escrever mais. Nem sei se escrevi certo, mas era tudo o que podia fazer. Copiei, de uma das cartas que o Zé Antônio havia mandado, o nome dele e o endereço. Coloquei a carta dentro do envelope. Pensei:

Pronto, agora já é um começo, quando ele chegar, vamos ver o que a gente vai fazer.

— No mesmo instante, desesperei-me novamente:

Pronto nada! Como vou levar esta carta até o correio? Não posso deixar as crianças sozinhas! Meu Deus! Parece que tudo está dando errado. Por que está fazendo isso comigo? Por quê?

— Mais uma vez me revoltei contra Deus. Ele estava sendo implacável comigo. Tudo de ruim estava acontecendo, eu estava de mãos atadas, sem poder fazer nada. Depois de maldizer muito, pensei:

Não tem jeito, vou ter que esperar até quando o carteiro vier trazer outra carta do Zé Antônio. Aí eu dou esta carta pra ele colocar no correio. É isso mesmo! Só preciso esperar, enquanto o carteiro não chega, vou continuar cuidando das crianças.

— Naquela noite, não conseguia dormir. Tratei das crianças, eram muito pequenas para perceberem a ausência da mãe e já estavam acostumadas comigo. O Zezinho, por ser maior, foi o único que sentiu a falta dela. Quando perguntou, eu respondi que ela tinha ido encontrar com o papai, mas logo os dois voltariam juntos. Ele ficou um pouco triste, mas era criança, adormeceu. Eu fiquei olhando para ele, imaginando que era você, meu filho. Meu querido João, que eu não sabia onde estava, mas ele e os irmãos estavam ali e precisavam da minha proteção. Chorei muito ao lembrar tudo o que havia acontecido. Foi tão rápido que eu nem estava acreditando que era verdade. Pensava que, a qualquer momento, veria a Eunice sorrindo e brincando como sempre. Meu coração se apertava, não entendia por que Deus havia permitido que uma coisa como aquela acontecesse. Não podia ter feito aquilo com ela e com aquelas crianças que não tinham culpa de nada nesta vida. Nem eu! Nunca fiz mal algum! Por que tudo aquilo estava acontecendo comigo? Mais uma vez me revoltei:

— *Não! Deus não existe! É tudo mentira o que sempre aprendi a respeito Dele!*

— Revoltada e com lágrimas nos olhos, adormeci. No dia seguinte, acordei, senti a realidade. Estava sozinha mesmo! Ia começar a me lamentar, quando olhei para o meu lado. Vocês dormiam como anjos. Sabia que logo acordariam e precisavam ser alimentados. Levantei, tinha muita coisa para fazer. Precisava alimentar e trocar as crianças, ainda tinha que cuidar da roça. Já estava acostumada, fazia aquilo todos os dias, só que sempre ao lado da Eunice, mas agora eu estava sozinha. Não sabia se ia conseguir. Levantei, avivei o fogo, coloquei uma chaleira com água para ferver. Saí para o quintal. O dia estava lindo. Pensei:

Tudo continua, a vida continua. Também tenho que continuar...

— Pensei em Eunice e na promessa que havia feito:

Vou cumprir, minha amiga... vou cumprir... seus filhos nunca vão ser abandonados. Assim que o Zé Antônio voltar, ele vai encontrar uma solução. Se for preciso, vou continuar aqui até que eles cresçam.

— As crianças logo acordaram. Troquei-as e alimentei-as brinquei com elas como fazia todos os dias. A vida seguia normal, só faltava Eunice. Sempre que me lembrava dela, sentia vontade de chorar, mas como se houvesse alguém invisível me ajudando, logo um de vocês fazia qualquer coisa que chamava minha atenção e eu, sem perceber, mudava o meu pensamento. Fiquei com medo de que a cobra voltasse. Todos os dias, quando saía de casa, trancava bem a porta e a janela. Andava sempre com um pedaço de madeira na mão ou no chão, bem perto, ao alcance da minha mão. Se a cobra aparecesse, eu a mataria sem dó. Quando voltava para casa, antes de levar as crianças para dentro, eu entrava e olhava tudo. Assim que entrava, tornava a fechar a porta. Nunca mais vi a cobra. Não sei para onde ela foi. Fazia vinte e poucos dias que Eunice havia morrido e eu, escrito a carta. Um dia, após ter dado almoço para as crianças, estava fora da casa tomando um pouco de café. Vi a bicicleta do carteiro se aproximando. Meu coração bateu mais forte:

Finalmente, ele apareceu! Agora, vou poder mandar a carta! O Zé vai voltar.

— Entrei em casa, peguei a carta e saí correndo para encontrá-lo. Ao me ver, abanou a mão. Atravessei correndo o tronco sobre o riacho e o encontrei. Ele desceu da bicicleta, dizendo:

— *Tenho outra carta para a senhora e o dinheiro também está lá no correio.*

— Peguei a carta, dizendo:

— *Obrigada, mas não pode imaginar o quanto estou feliz por ver o senhor. Preciso de um favor seu!*

— *Pode pedir, farei tudo para ajudar a senhora.*

— Ia entregar a carta, quando olhei para aquela que ele me entregou. Não sabia ler direito, mas o nome do Zé Antônio eu havia decorado e aquele que estava na carta não era o dele. Falei:

— *Esta carta não é do Zé Antônio! De quem é?*

— *Ele pegou a carta, olhou o remetente. Disse:*

— *Não é mesmo! Quem mandou foi um tal de Zé Venâncio.*

— *Zé Venâncio? Por que o Zé Antônio não escreveu?*

— Peguei a carta novamente em minhas mãos. Estava muito nervosa. Entreguei a carta de volta:

— *Por favor, seu Mário, não sei ler direito, assim nervosa como estou é que não vou conseguir mesmo! Pode me fazer o favor de ler?*

Ele pegou o envelope, rasgou, tirou de dentro um papel. Começou a ler:

Dona Eunice:

Com muito pesar, estou lhe enviando esta carta. A notícia que tenho não é muito boa, mas sou obrigado a lhe contar. O

Zé Antônio caiu do alto da construção, foi socorrido logo, mas não resistiu. Sinto muito, mas ele morreu. Estou mandando para o correio o último salário e o pouco de dinheiro que ele tinha guardado no alojamento. Se a senhora quiser, pode me escrever para o endereço que está no envelope, farei tudo o que puder para ajudá-la.

Sem mais, enviando os meus sentimentos.

José Venâncio.

— Ele terminou de ler, devolveu-me a carta. Como eu, também estava abismado:

— *Sinto muito, dona Eunice. Como isso foi acontecer? Que vai fazer agora?*

— Com a carta na mão, comecei a chorar:

— *Não sei! Não sei! Por que nada em minha vida dá certo?*

— Vendo que eu chorava, desesperada, ele disse:

— *Dona Eunice, não fique assim... Deus sempre protege seus filhos! Ele vai dar um jeito de ajudar a senhora...*

— *Deus? Que Deus? Ele não existe! Se existir, não sabe que eu existo! Nunca esteve ao meu lado e nem me protegeu! Até agora, só tirou tudo o que eu tinha!*

— *Não é assim, ele lhe deu seus filhos!*

— *Meus filhos?*

— Ia dizer a ele que não eram meus filhos, mas me calei. Percebi que aquele não era o momento para contar a verdade. Estava desorientada, mas me lembrei da promessa que havia feito. Ele continuou:

— *Sim, seus filhos. São crianças lindas e precisam da sua proteção. Sei que está nervosa e assustada, mas Ele dará um jeito. Acredite nisso!*

— *Que jeito? Não tem jeito!*

— *Não se preocupe, no fim, tudo dá sempre certo. Confie.*

— *Não sei o que vou fazer... não sei como será a minha vida daqui pra frente...*

— *Não se preocupe, Deus nunca dá uma cruz maior do que aquela que*

341

a gente possa carregar...

— Ao ouvi-lo dizer aquilo, lembrei-me de Eunice. Não sabia quantas vezes eu a tinha ouvido dizer aquilo. Novamente, senti como se uma brisa suave me envolvesse. Ele continuou:

— *Nunca estamos sozinhos, dona Eunice, sempre que estamos em aflição, alguém aparece ou alguma coisa acontece para ajudar a gente... é sempre a presença de Deus ao nosso lado. Ele manda ajuda de uma maneira ou de outra. Agora, também, estará protegida... acredite...*

— Não sei o por que, mas aquelas palavras me faziam bem. No mesmo instante, lembrei-me do gaúcho que surgiu em minha vida, num momento em que julguei tudo perdido, depois foi a própria Eunice e seu marido. Enxuguei meu rosto com as mãos:

— *Não sei se o que está dizendo é certo, mas também não tenho outra coisa para fazer. Só esperar que essa ajuda chegue. Como o senhor disse, tenho ainda minhas crianças e vou cuidar delas para sempre.*

— *Assim é que se fala. Vai dar tudo certo, a senhora vai ver.*

— Sorri, ele se despediu, montou na bicicleta e foi se afastando. Fiquei ali parada, olhando-o ir embora. De repente, percebi que parou a bicicleta, deu a volta e veio em minha direção:

— *Dona Eunice! Como vai fazer para ir até a cidade receber o dinheiro? Não pode deixar as crianças sozinhas nem levar os três...*

— *Não sei... não sei. Como vou fazer? Não tinha pensado nisso! Não vai dar para eu ir.*

— *Já sei! Sabe que não posso vir para cá todos os dias, mas, quando chegar à cidade, vou ver se consigo uma maneira de ajudar. Não se preocupe, vou encontrar uma solução. Até logo!*

— Ele foi embora. Fiquei ali parada, pensando em tudo o que havia acontecido e sem saber o que fazer. Por mais que pensasse, não conseguia entender o que estava acontecendo. Deus havia me tirado meu filho e agora me deixava ali com três crianças para que eu cuidasse. Por que ele deixou aquelas três crianças sem pai e mãe? Um pai e uma mãe que os amavam muito, que fariam tudo para a felicidade deles. Voltei o meu olhar para a carta. Vi aquelas letras escritas:

É só um simples papel, mas está modificando a minha vida. Não sei se realmente Deus existe. Só sei que não adianta ficar me lamentando. Como disse o seu Mário, alguma solução vai ter que surgir. Preciso cumprir a minha promessa e agora vai ser para sempre, até que as crianças cresçam e possam cuidar de suas vidas. Prometi e vou cumprir.

— Eu pensava aquilo para me conformar, mas, no íntimo, sabia que seria muito difícil conseguir. Comecei a chorar novamente. Estava ajoelhada no chão, chorando, quando ouvi o Zezinho me chamando:

— *Mãe! A Laurinha tá chorando.*

— Ao ouvir aquilo, o meu corpo estremeceu. Ele estava me chamando de mãe! Senti uma emoção muito grande. Era verdade, ele era o meu filho! Ele e os outros dois. Dali pra frente, seriam os meus filhos e eu lutaria por eles. Voltei correndo para casa. Estava sofrendo com muitos problemas, mas as crianças não tinham culpa de nada que estava acontecendo. Precisavam da minha presença, e eu estaria ali, sempre pronta. Era o mínimo que podia fazer em troca do que Eunice e o marido tinham feito para me ajudar. Além disso, eu já as amava como se realmente fossem minhas. O carteiro não voltou. Soube mais tarde que ele não conseguiu ninguém para me ajudar. Não me preocupei, pois, no momento, não precisava de dinheiro. Ainda tinha muito arroz, feijão e farinha. O leite da cabra era suficiente para as crianças. Sabia onde ficava o ninho de cada galinha, por isso ovos também não faltavam. A minha vida voltou ao normal. Às vezes, quando me lembrava que estava ali, sozinha, longe de tudo, ficava com medo, mas logo passava. Dois meses se passaram, eu já havia me acostumado com aquela vida. Tudo corria bem. Em uma noite, você, Laura, não dormiu bem. Estava com muita febre. Fiz um chá, mas fiquei apavorada porque a febre não baixava. Fiz tudo o que sabia para que você parasse de chorar e dormisse, mas não consegui. Quando amanheceu, você ainda ardia em febre e chorava. Entrei novamente em desespero. Como ia fazer para socorrê-la? Precisava levá-la a um médico, mas como? Naquela distância e com os dois pequenos. Lembrei-me de Eunice, como eu não tinha conseguido socorrê-la, porque não corri o suficiente. Novamente, entrei em desespero, novamente me revoltei com aquele Deus que só me fazia sofrer. Logo eu, que me julgava uma boa pessoa, que nunca fiz mal a ninguém! Embora eu já não tivesse tanta certeza se Ele existia mesmo, realmente, era a minha única esperança. Com você chorando em meus braços, e chorando também, comecei a falar:

— *Meu Deus! Não sei se o Senhor realmente existe, mas, neste momento, precisa existir! Ajude-me! Dê-me uma idéia para eu conseguir levar minha menina até o médico. Já me tirou tanto! Levou meu filho para longe... Levou a Eunice e o Zé Antônio. Colocou essas crianças em minhas mãos! Por favor, ajude-me! Não permita que minha menina morra!*

— Pedi muito. Mas sabia que nada poderia acontecer, a não ser novamente tentar chegar até a cidade a tempo. Sabia que, desta vez, seria pior, pois teria que levar os três. Resolvi que tentaria. Talvez, dessa vez, eu conseguisse chegar a tempo. Estava trocando sua fralda, quando ouvi uma voz:

— *Ó de casa! Tem alguém aí?*

— Meu coração estremeceu, era a voz de uma mulher. Corri para fora. Uma freira estava lá abanando-se. Ao me ver disse:

— *Desculpe, estava passando pela estrada, está muito quente, será que pode me dar um pouco de água?*

— Sem responder, ajoelhei, peguei suas mãos e comecei a beijar, dizendo:

— *Obrigada, meu Deus! Muito obrigada.*

— Ela se espantou com minha atitude:

— *Que está acontecendo? Só preciso beber um pouco de água!*

— Percebi o que estava fazendo:

— *Desculpe, irmã, é que a minha filha está muito doente, eu preciso levá-la até o médico e não tenho condução.*

— Onde está a menina?

— *Ali dentro da casa, venha, por favor.*

— Ela entrou, pegou você nos braços, colocou a mão em sua testa, dizendo:

— *Ela está mesmo com muita febre. Vamos levá-la, minha charrete está aí fora, perto do riacho. Mas antes, por favor, dê-me um pouco de água...*

— Dei uma caneca com água e enquanto ela bebia, terminei de trocar você. Peguei os meninos, fomos até a charrete. Acomodei-os no banco de trás. Sentei-me no banco da frente, com você nos braços, ao lado dela. Fomos embora. Ela fez com que o cavalo corresse o mais rápido que conseguia. Percebeu que eu estava muito nervosa. Disse:

— *Não fique assim, não deve ser nada grave! A menina vai ficar bem.*

— *Assim espero.*

— *Meu nome é Cecília. Eu e mais três irmãs moramos na cidade. Tomamos conta do posto de saúde. Minhas irmãs cuidam dos doentes. Eu, embora não devesse, pois sou uma irmã de caridade, não gosto de ver pessoas sofrendo e com dor, por isso ando o dia inteiro com a charrete, vou de fazenda em fazenda, em busca de dinheiro para mantermos o posto.*

— *Foi muito sorte minha,hoje, ter passado por aqui.*

— *Não foi sorte não! Foi Deus.*

— *Por que está dizendo isso?*

— *Passo quase sempre por aqui. Muitas vezes, vi a sua casa, mas nunca parei. Estou sempre muito apressada. Hoje, não sei por que senti, quando estava passando por aqui, muita sede. Só pode ter sido Deus, atendendo a suas preces.*

— Fiquei pensando, depois, disse:

— *Deve ter sido isso mesmo. No momento em que chegou, eu estava rezando, pedindo a Ele que me ajudasse de alguma maneira ou que me desse uma idéia de como fazer para socorrer a minha menina.*

— *Viu? Não falei que foi Deus! Ele nunca nos abandona! É um Pai maravilhoso!*

— Naquele momento, lembrei-me daquilo que Mário, o carteiro, havia me dito:

Quando estamos em desespero, Deus sempre manda alguém ou faz com que alguma coisa aconteça para nos ajudar.

— Após me lembrar disso, falei:

— *Muitas vezes, duvidei da bondade de Deus. Cheguei até a acreditar que Ele não existia.*

— *Existe sim, minha filha. Está em toda parte e com todos nós. Foi Ele quem me fez parar e entrar em sua casa. Ele é um Pai maravilhoso! Nunca mais duvide disso.*

— *Não quero duvidar, mas minha menina vai morrer!*

— *Não vai, não! Se Ele me fez parar, foi justamente para evitar que ela morra. Ela vai ficar bem.*

— Ela falava com tanta fé que me contagiou. Também comecei a acreditar que você não morreria. Chegamos à cidade, fomos direto ao posto. O doutor Moraes a examinou. Quando terminou, disse:

— *Não precisa se preocupar, mãe. Ela não tem nada grave, é apenas uma inflamação na garganta. Vou dar uma injeção e um remédio para levar. Em poucos dias, estará bem. É uma menina saudável. Vai resistir.*

— Mais tranqüila, sentindo-me protegida, disse:

— *Obrigada, doutor. Se não fosse a irmã Cecília, não sei o que teria acontecido...*

— *Tem razão. A irmã Cecília é uma ótima pessoa, parece que está sempre na hora e no lugar certo. Mas... a senhora não é aquela que mora lá no Morrinho? A que perdeu a amiga picada pela cobra?*

— *Eu mesma!*

— *Muitas vezes, pensei na senhora, lá sozinha. Como tem passado?*

— *Estou bem, só tive esse problema com a minha filha, mas, de certa maneira, vai tudo bem.*

— *Seu marido já voltou?*

— *Não, recebi uma carta me avisando que ele morreu...*

— *Morreu? Como?*

— *Estava trabalhando na construção de um prédio, caiu lá do alto.*

— *Que pretende fazer?*

— *Criar os meus filhos.*

— *Parece que é uma mulher muito corajosa.*

— *Parece, mas não sou... às vezes, sinto muito medo... tenho medo de não conseguir...*

— *Vai conseguir, sim. Disso tenho certeza!*

— Irmã Cecília entrou, sorridente:

— *Não lhe disse que a menina ia ficar bem? Deus nunca nos abandona. Se o doutor já terminou com a menina, podemos ir embora.*

— *Só vou aplicar uma injeção e dar um remédio. Dona Eunice, depois disso, poderá ir embora, e não se esqueça de dar o remédio na hora certa.*

— *Não vou esquecer, doutor. Outra vez, muito obrigada.*

— Ele aplicou a injeção. Você chorou muito, Laura, mas logo depois dormiu. Irmã Cecília me levou de volta. No caminho, disse:

— *Agora não vai ficar sozinha por muito tempo. Sempre que passar pela estrada, irei visitá-la.*

— *Isso vai me deixar feliz e tranqüila. Obrigada.*

— Com a roupa que ela usava, quase não podia se ver nada do seu corpo, a não ser o rosto. Seus olhos eram de um azul muito forte.

— *A senhora não nasceu aqui no Nordeste, nasceu?*

— *Não, nasci em Santa Catarina, meus pais são imigrantes alemães.*

— *Como veio parar aqui?*

— *Minha congregação se dedica aos doentes. Eu e minhas irmãs fomos mandadas para esta cidade. Aprendemos, assim que entramos para o convento, que devemos obedecer às ordens sem reclamar. Quando fui mandada para cá, confesso que fiquei com medo, mas logo me acostumei. Percebi que aqui teria muito trabalho e poderia ajudar pessoas que realmente precisavam. Já estou aqui há quase dez anos e pretendo ficar para sempre. Quando chegamos, não tinha socorro médico algum na cidade. Eu e minhas irmãs conseguimos montar esse pequeno posto. Mas, um dia, ele será maior e melhor. Ao menos é o que desejo.*

— *Vai conseguir! Tenho certeza!*

— *Eu também tenho. Deus não vai abandonar todas essas pessoas que moram por aqui.*

— Continuamos seguindo em direção ao meu sítio. Em dado momento, ela disse:

— *Gostei muito de você. Já percebi o amor que tem por seus filhos, admiro a sua coragem de continuar vivendo ali sozinha.*

— *Não tem outro remédio. Não tenho para onde ir.*

— *Se tivesse ao menos uma charrete ou carroça, não teria mais tanta dificuldade para ir até a cidade. Se eu tivesse dinheiro, eu mesma compraria uma para você.*

— *Dinheiro! Tenho dinheiro! Esqueci!*

— *Que dinheiro?*

— *Eu estava guardando todo o dinheiro que meu marido mandava. Quando recebi a carta dizendo que ele havia morrido, veio também um dinheiro que está no correio! Não fui receber, porque não tinha como deixar nem levar as crianças. Mas o dinheiro está lá.*

— *Sabe quanto é?*

— *Não, mas parece que é uma boa quantia.*

— *Quem sabe vai dar para comprar uma charrete ou uma carroça.*

— *Não sei nem sei quanto custa!*

— *Hoje não dá mais tempo, já está tarde, mas amanhã bem cedo eu volto e a levo você novamente até a cidade. Vai levar todo o dinheiro que tem em casa. Juntando com o que tem no correio, talvez dê para comprar uma charrete! Vou procurar saber se alguém está querendo vender e o preço.*

— *A senhora acredita mesmo que vou conseguir comprar?*

— *Não sei, vamos ver.*

— *A senhora é mesmo outro anjo que caiu em minha vida!*

— Ela deu uma gargalhada:

— *Outro anjo? Por quê? Já teve outros?*

— *Sim, primeiro foi o gaúcho, um motorista de caminhão, depois foi a Eunice e o Zé Antônio que me acolheram no sítio.*

— Ela parou a charrete:

— *Que está dizendo? Você não é a Eunice?*

— Percebi que havia falado demais. Comecei a chorar. Ela continuou:

— *Não chore! Responda a minha pergunta. Você não é a Eunice? Não é a mãe das crianças?*

— Vendo que não tinha outra solução, contei como tudo tinha acontecido. Quando terminei de falar, ela disse:

— *Sabe que o que fez não foi certo, não sabe?*

— *Sei, sim, mas não tinha outro jeito! Eu tinha prometido! Fiquei com medo de não poder ficar com as crianças! Era só até o Zé Antônio voltar.*

— *Está bem, pode parar de chorar. Não vou contar para ninguém. Para todos os efeitos, você é a mãe das crianças e, se depender do que me contou, continuará sendo. Temos agora que pensar em um modo de conseguir uma condução para tornar a sua vida mais fácil.*

— Sorri, fiquei aliviada, pois alguém mais sabia toda a verdade e agora eu tinha uma amiga que, com certeza, iria me ajudar. Ela colocou novamente o cavalo em movimento. Chegamos a casa. Sorrindo, disse:

— *Amanhã, voltarei para levá-la ao correio.*

— Despediu-se, sorrindo, e me chamando de Eunice. Você, Laura, continuava dormindo. Seus irmãos estavam cansados, já eram mais de uma hora da tarde e ninguém havia comido nada. Coloquei-a no berço. Dei um bom banho nos dois. Preparei uma alimentação rápida, vocês comeram e eu me alimentei. Em seguida, coloquei-os para dormir. Saí, sentei em um pequeno banco que havia aí fora. Olhei para o céu e como sempre, estava azul, com poucas nuvens e o sol brilhava. Lembrei-me da oração que havia feito a Deus, pedindo um caminho, uma idéia. Percebi, naquele momento, que Ele realmente existia e que nunca me abandonara. Colocou em meu caminho irmã Cecília, uma mulher maravilhosa que, eu sabia, iria me ajudar muito. Passei o resto do dia pensando em como havia sido a minha vida. Menina pobre, criada sobre o jugo de um pai rigoroso, depois, encontrei o amor através do Paulo, na felicidade que senti, meu filho, quando o peguei em meus braços e na tristeza e no sofrimento quando o perdi. Não entendia por que tudo aquilo tinha acontecido. Não entendia por que estava agora com três crianças que precisavam dos meus cuidados e de quem, com certeza, eu cuidaria. Aquele céu lindo, aquele campo verde, tudo aquilo deveria ser obra de um Deus poderoso, um Deus que, agora eu tinha certeza, sempre esteve e continuaria ao meu lado. Hoje, tendo você aqui na minha frente, vendo que o meu menino se transformou em um homem bonito, um homem que viajou muitos quilômetros para me encontrar e, com a ajuda desse mesmo Deus me encontrou, só posso agradecer por tudo que passei, e dizer, com todo o meu coração: Esse Deus realmente existe! É um Pai amoroso e divino.

Eunice respirou fundo. Seus olhos brilhavam de felicidade e tranqüilidade. Laura, como Walther, estava emocionada. Olhou para Marta, dizendo:

— Obrigada, minha mãe, por tudo o que fez por nós três... obrigada por ter sido sempre uma mãe maravilhosa...

— Não, minha filha... não deve me agradecer, vocês foram a minha salvação, vocês me deram vontade de continuar vivendo, eu, que não tinha mais nada na vida...

Walther estava admirado com a força daquela mulher tão pequena de estatura, mas com um coração muito grande, um coração que tinha lugar para abrigar a muitos. Não sabia o que dizer, ficou calado, apenas observando. Após alguns segundos, perguntou:

— Minha mãe, como se tornou mãe de tantos outros?

— Foi a vida, meu filho. Foram as pedras que Deus colocou em meu caminho. Hoje, acredito que tudo acontece sempre como tem que ser. Os momentos de crise e sofrimento nos obrigam sempre a tomar decisões. Descobri, também, que sempre temos só dois caminhos para seguir. Quando temos um problema, podemos ficar chorando, lamentando-nos ou levantar a cabeça e seguir em frente. Assim foi a minha vida. Várias vezes, eu tive que decidir que caminho tomar. Vou continuar a minha história. Acredito que entenderão melhor. Na manhã seguinte, Irmã Cecília chegou cedo. Vinha sorridente e alegre, como sempre:

— *Bom-dia! Está pronta para irmos ao correio?*

— *Estou sim, as crianças também. Aqui está o dinheiro que eu tinha guardado.*

— *Isso é muito bom! Estive conversando com algumas pessoas. Parece que o seu Pedro da Olaria vai embora e tem alguns animais para vender. Não sei o preço, mas assim que pegarmos o dinheiro no correio, vamos até lá falar com ele. Quem sabe, não é?*

— *Tomara que dê certo, preciso muito de uma condução, nunca mais quero passar o que passei ontem, o mesmo desespero.*

— *Como está a menina?*

— *Está muito bem, dormiu a noite toda, nem parece que esteve tão doente.*

— *Criança é assim mesmo, recupera-se, logo, de qualquer doença. Mas chega de conversa, vamos embora?*

— Sempre rindo, ajudou-me a colocar as crianças na charrete. Na cidade, após retirar o dinheiro, fomos até a Olaria falar com o senhor Pedro. Irmã Cecília falou com ele. Tinha uma carroça e um cavalo, queria vender os dois. Não me lembro agora a quantia que eu tinha, nem o que ele pediu, mas me lembro que, ao ouvir o valor que ele queria, percebi que não conseguiria comprar. Irmã Cecília não se deu por vencida. Disse a ele que eu morava distante e que tinha as três crianças, contou o que havia acontecido no dia anterior, por isso eu precisava muito de uma condução. Ele ouviu, ela continuou falando, até que ele concordou. Venderia pelo dinheiro que eu tinha. Ao ouvir aquilo, fiquei muito feliz. Irmã Cecília se voltou para o meu lado dizendo:

— *Não lhe disse que Deus é Pai?*

—*Também acho. Só tem mais um problema. Nunca mexi com cavalo ou carroça, não sei conduzir...*

— *Isso não é problema, em pouco tempo vai aprender.*

— *Não precisa se preocupar, moça. O cavalo é manso. Está acostumado a pegar no pesado. Não vai dar trabalho, não.*

— *Já sei o que fazer. Vou amarrar a minha charrete na carroça e você vai dirigindo. Durante o caminho, irei ensinando. Até chegarmos ao sítio, já terá aprendido.*

— *Será?*

— *Claro que será! Você é inteligente! Aprenderá com facilidade. Seu Pedro, pode nos ensinar como se faz para atrelar o cavalo à carroça?*

— *A senhora não atrela na charrete?*

— *Sim, mas na carroça não é diferente?*

— *Tem só uma pequena diferença, venham, vou ensinar.*

— Ensinou-nos. Amarrou a charrete atrás da carroça. Saímos, com ela ao meu lado, enquanto eu dirigia. Ela foi me ensinando, não demorei muito para aprender. Quando chegamos em casa, não acreditei que possuía agora uma condução. Não teria mais problemas, caso uma das crianças ficasse doente novamente. Mais uma vez, agradeci a Deus por toda a ajuda que estava me dando. Daquele dia em diante, ela vinha uma ou duas vezes por semana nos visitar. Sempre trazia um pouco de alimento, principalmente carne, pois sabia que eu não tinha dinheiro para comprar. Tornou-se verdadeiramente meu anjo da guarda. Em uma de suas visitas, enquanto tomávamos café e conversávamos, ela olhou para a máquina de costura. Perguntou:

— *Você sabe costurar?*

— *Não, quem costurava era a Nice.*

— *Quer aprender? Poderá fazer roupas para as crianças e para você.*

— *Claro que quero! A senhora vai me ensinar?*

— Não respondeu, foi até a máquina, começou a mexer. Quando examinou bem, disse:

— *Está muito boa. Vou lhe ensinar com uma condição!*

— *Qual?*

— *Nas minhas andanças, recebo muitas roupas dos filhos dos fazendeiros, às vezes são quase novas, outras estão descosturadas, sem botões, algumas até rasgadas. Tenho uma porção delas em casa. Separei para consertar antes de* distribuir, mas nunca tenho tempo. Acha que pode fazer esse serviço?

— Não sei, mas, se me ensinar, vou fazer com prazer. Nada que eu fizer poderá pagar o muito que fez e tem feito por nós.

— Não estou pedindo para fazer isso como pagamento. O que fiz está feito, é a minha obrigação, sou uma irmã de caridade, além do mais, gosto muito de você e das crianças. Estou pedindo só porque não me sobra muito tempo para esse trabalho.

— Vou fazer, com muito prazer.

— Ela passou algumas tardes me ensinando. Como ela disse, eu era inteligente, aprendi logo. Daquele dia em diante, trazia-me, todas as sextas-feiras, roupas que recolhia durante a semana. Eu consertava, lavava e passava. Ela deixava umas e levava outras. Durante mais de um ano, tudo caminhou bem, vocês cresciam saudáveis. Irmã Cecília não nos deixou faltar nada. Agora, eu só não consertava as roupas, mas também fazia algumas peças com retalhos de tecido que ela trazia. Com a carroça, eu ia para a cidade, sempre que precisava. Posso dizer que vivi um período muito bom, sem problema algum.

Laura a interrompeu:

— Eu me lembro dela, mas nunca soube dessa história.

— Tem razão, mas isso aconteceu porque, aos poucos, a nossa amizade foi se tornando tão grande que nem nos lembrávamos mais de como havia começado.

Walther perguntou:

— Como a senhora começou a cuidar das outras crianças?

— Ah, meu filho. Acho que foi a vida, destino ou o próprio Deus, que, hoje sei, encaminha a nossa vida para onde ela deve ir. Todos os meses, eu levava as crianças até o posto de saúde, para tomar vacinas ou pegar algumas vitaminas. Em uma sexta-feira, quando a Irmã Cecília veio trazer e levar as roupas, disse:

— Na sexta-feira que vem a senhora não precisa vir até aqui. Vou levar as crianças ao posto, aproveito para pegar as roupas e deixo as que estiverem prontas.

— Está bem, vamos fazer assim. Antes de passar no posto, passe lá em casa, estarei esperando-a.

— Tudo combinado. Na sexta-feira, assim que cheguei à cidade e antes de ir ao posto, passei pela casa das irmãs. Bati palmas, mas ninguém veio me atender. Estranhei, pois havia combinado com a Irmã Cecília. Não entendia por que ela não estava em casa. Bati algumas vezes. Como ninguém atendeu, resolvi ir ao posto para ver se alguém sabia dela. Ao entrar, eu a vi, conversando com quatro crianças. A mais velha, que tinha nove anos, segurava e abraçava os menores com muita força. As crianças, muito magrinhas e sujas, estavam descalças. Em seus pequenos rostinhos, a única coisa que se via muito bem eram os olhos. Aproximei-me:

— *Ainda bem que encontrei a senhora, Irmã. Estava preocupada.*

— *Desculpe, Eunice, mas surgiu um problema inesperado.*

— *Que aconteceu?*

— *Hoje, pela manhã, chegou aqui na cidade uma mulher com estas quatro crianças. Ela estava muito doente, veio direto aqui para o posto. Foi feito o que se podia, mas não adiantou, ela morreu.*

— *Nossa! Que tristeza! Essas crianças!?*

— *Sim, são dela, a menina disse que não tem pai, que a mãe veio com eles, fugindo da seca.*

— *Meu Deus! E agora?*

— *É isto que estou tentando dizer para a menina. Aqui na cidade, todos são muito pobres. Essas crianças não podem ficar abandonadas por aí, são ainda muito pequenas, posso tentar arrumar uma casa para ficarem, mas não todas juntas. Vou tentar conseguir um lugar para cada uma, só que ela não quer aceitar.*

— A menina, chorando, disse:

— *Não vou, mesmo. Prometi pra minha mãe que ia tomar conta deles e que nunca a gente ia se separar. Vou embora daqui com eles...*

— A menina chorava muito, mas em seus olhos percebi que havia muita determinação. Segurei na sua mão, perguntando:

— *Como é o seu nome?*

— *Marinalva...*

— *É um nome muito bonito. Não precisa chorar. Você fez uma promessa para sua mãe, e as promessas precisam ser cumpridas. Não se preocupe com nada, só pense que, quando fazemos uma promessa, Deus nos ajuda a cumprir...*

— *Minha mãe sempre disse isso. Que Deus não abandona a gente nunca, mas Ele abandonou... levou minha mãe...*

— *Não abandonou, não! Sua mãe teve que ir embora, mas Ele deixou a Irmã Cecília. Ela vai encontrar uma solução. Não é, Irmã?*

— Irmã Cecília não estava entendendo nada. Sabia que ia ser muito difícil encontrar um lugar onde todos pudessem continuar juntos. Mesmo assim, respondeu:

— *É, sim, vamos encontrar uma solução... mas como?*

— *Eu sei!*

— *Sabe, Eunice? Qual é?*

— *Vou levar todos para minha casa.*

— *Não pode! Já tem três para cuidar!*

— *Onde comem três, podem perfeitamente comer sete. Deus não vai deixar falta nada. Sei como é importante se cumprir uma promessa. Como a senhora sabe, há muito tempo fiz uma, Deus me mandou a senhora para me ajudar a cumprir. Agora, chegou a minha vez de ajudar esta linda menina a cumprir a dela.*

— A menina me olhou e começou a chorar mais forte. Chorava tanto que seu corpinho magro estremecia:

— *A senhora vai mesmo levar a gente pra sua casa? Todos nós?*

— *Vou, sim. A casa é pobre, não sei ainda onde vão dormir, mas vamos dar um jeito. Lá não vai faltar comida e muito carinho. Que acha?*

— *A gente está acostumado com a pobreza e até com a fome, a gente não come muito, não...*

— Sem que esperasse, ela se jogou em meus braços. Abracei-a com muito carinho. Ela me conquistou assim que a vi. Irmã Cecília, muito preocupada, disse:

— *Quer mesmo ficar com todos? São pequenos, vão lhe dar muito trabalho.*

— *Vou ficar com eles, sim. Tenho certeza. O que é o trabalho?*

— *Sendo assim, que Deus seja louvado! Vamos embora.*

— Ajudou-me a levar as crianças até a carroça, dizendo:

— *Não posso ir com vocês. Tenho algumas coisas para fazer, mas amanhã bem cedo estarei lá para ver se tudo está bem.*

— *Tudo vai estar bem, Irmã. Só tem uma coisa. Dessas roupas que trouxe esta semana, vou tirar algumas para eles. Tenho pouca roupa e nenhuma que sirva para a Marinalva.*

— *Ora, Eunice! Pegue todas que precisar. Tem comida para eles?*

— *Tenho sim, não se preocupe, tudo vai ficar bem.*

— Separei as roupas, peguei aquelas que achei que serviriam para Marinalva e as crianças e fomos embora. Eu estava me sentindo muito bem. Sabia que não ia ser fácil cuidar de sete crianças, mas já havia aprendido que Deus daria um jeito e nada nos iria faltar. Em casa, pendurei duas redes, onde dormira eu e a Marinalva. Os pequenos dormiriam nas camas de casal e de solteiro. Dormiriam desconfortáveis, mas muito melhor do que nos lugares em que haviam dormido ultimamente.

Walther a interrompeu:

— A senhora foi muito corajosa e bondosa também.

— Não se tratava de coragem ou bondade, eu não podia separar aquelas crianças que já haviam sofrido muito e, agora, o pior, tinham perdido a mãe. Marinalva também demonstrou que não ia se separar dos irmãos. Eu não podia deixar que elas saíssem pelo mundo sem destino. Sabia como isso era difícil.

— Deu certo?

— Sim, ela já era grande, ajudou-me muito. Preparei arroz, feijão e um pedaço de carne e farinha. Dava dó de ver o modo como elas ficaram quando viram toda aquela comida. Devia fazer muitos dias que não comiam. Antes da comida, fiz com que todos tomassem banho no riacho e colocassem roupas limpas. Comemos e elas me pareceram cada vez mais bonitas. No dia seguinte, logo cedo, como havia prometido, Irmã Cecília chegou, trazendo muitas roupas e alimentos. Quando chegou, eu estava terminando de fritar uns bolinhos de farinha e ovo que as crianças comeriam com café e leite. Ela entrou, carregando as sacolas:

— *Bom-dia, Eunice! Vim tomar o seu café e trazer algumas coisas. Está tudo bem por aqui?*

— *Bom-dia, Irmã. Entre. Está tudo muito bem. Mas, quantas coisas! Onde conseguiu?*

— *Percorri, ontem à tarde, algumas casa, contando o que você havia feito e dizendo que ia precisar de ajuda para alimentar todas essas crianças. As pessoas me deram tudo isso.*

— *Muito obrigada. A senhora é mesmo um anjo!*

— Ela deu aquela gargalhada gostosa:

— *Um anjo que não gosta de ver doentes? Falta muito para eu ser um anjo.*

— *Para nós, foi e continua sendo um anjo maravilhoso.*

— *Está bem, mas dê logo esse café.*

— Tomamos o café. Daquele dia em diante, a minha vida mudou. As crianças davam mesmo muito trabalho. Estavam com dois, três, quatro anos. Aquela idade em que são muito peraltas, descobrindo o mundo e sem medo de nada. Precisava ficar com vinte olhos em cima delas para que não se machucassem. Elas brincavam muito. Aos poucos, seus rostinhos foram enchendo, a cor voltou. Em pouco tempo, estavam saudáveis e felizes. No início, choravam por falta da mãe, mas, aos poucos, foram se acostumando. Marinalva fazia tudo o que podia para me ajudar. Ela era maravilhosa e sabia como conseguir o que queria.

— Onde ela está hoje?

— Quando fez quinze anos, a Irmã Cecília arrumou um colégio na Capital, onde ela foi estudar. Formou-se, arrumou um bom emprego, casou-se e vive muito bem. Já me deu dois netos. Escreve-me sempre, uma ou duas vezes por ano vem me visitar. Todos os meses, manda dinheiro. É um dos meus orgulhos.

— A senhora deve ter muitos.

— Sim, muitos... vou continuar. Tudo corria muito bem, fazia cinco meses mais ou menos que eu estava com as crianças, quando a Irmã Cecília, um dia, chegou bem cedo. Trazia em sua companhia uma mocinha. Ao vê-la, percebi, por sua barriga, que estava esperando criança. Irmã Cecília, com aqueles belos olhos azuis que brilhavam muito, disse:

— *Esta é a Valdete. Como já percebeu, está precisando da nossa ajuda. Seus pais a expulsaram de casa.*

— Olhei para a menina e me vi, quando também fui expulsa de casa por meu pai. Meu coração se apertou, não perguntei nada. Apenas sorri, dizendo:

— Seja bem-vinda, minha filha. Aqui não vai lhe faltar nada, nem ao seu filho. Poderá ficar até a criança nascer, depois, se quiser, poderá ir embora ou continuar aqui.

— A menina não disse nada, apenas chorou, tentou se ajoelhar e beijar minhas mãos, mas não permiti:

— *Vou ficar sim, obrigada, senhora.*

— Ficou. Após seis meses, ao acordar pela manhã, percebi que ela não estava em casa. Deixou apenas um bilhete e a menina que havia nascido vinte dias antes. Deus me mandou mais uma criança que eu iria criar e amar. Depois dessa, veio outra e mais outra. Desde o início, por todos os anos passados, muitas mães e crianças passaram por aqui. Estão espalhados por este Brasil e alguns até no exterior. A Irmã Cecília se encarregou de me trazer as crianças e as mães abandonadas. Como também de comentar com as pessoas e, principalmente, com os fazendeiros aquilo que eu estava fazendo. Em pouco tempo, conseguiu material de construção e alguns empregados das fazendas, juntos, reformaram a minha casa, aumentaram a quantidade de quartos. Providenciaram móveis novos que nos deram muito mais conforto. Irmã Cecília me ensinou também a ler, escrever e a falar. Agora, eu quis aprender, sabia como era importante.

— A senhora é uma santa, por isso todos a respeitam e a conhecem na cidade.

— Não, meu filho. Não sou santa. Apenas dancei conforme a música foi cantada. Joguei conforme as pedras que me foram dadas. Por aqui passaram crianças de todas as idades. Através de cada uma, acompanhei o seu crescimento. Através dos olhos delas, eu via você crescendo, tornando-se homem. Cada olho era como se fosse uma janela. Costumo dizer que sou como uma casa grande, com muitas janelas.

Walther se levantou, disse, quase gritando:

— Que a senhora disse!?

— Sou uma casa grande, com muitas janelas.

— Não vai acreditar! Quando saí à sua procura, eu sonhava sempre que a senhora estava em uma casa com muitas janelas. Fiquei o tempo todo procurando por essa casa. Nunca a encontrei.

Eunice começou a rir, enquanto dizia:

— Como não? Está diante dela. Foi Deus quem guiou o seu caminho para chegar até aqui.

Walther foi até ela e a abraçou, dizendo:

— Só pode ter sido... só pode ter sido... Obrigado, meu Deus, por ter feito isso. Obrigado, minha mãe, por existir e ser tão maravilhosa. Mãe, ao lhe contar tudo o que havia acontecido, deixei de mencionar algumas coisas por não ter certeza ainda se era mesmo a minha mãe. A Marta por quem Paulo procurou a vida toda. A carta que ele me deixou está lá no jipe. Vou buscá-la. Garanto que vai ter muitas surpresas e felicidade ao lê-la.

— Gostaria muito de ler. Apesar de tudo o que passei tenha sido por causa dele, nunca o esqueci. Ele foi o único homem que amei na vida.

— Está bem. Vou buscar a carta. Volto logo.

Ele saiu correndo. Voltou em seguida, trazendo a caixa que continha todas as suas fotos pelas quais Paulo pôde acompanhar seu crescimento. Entregou à Marta:

— Nesta caixa, vai encontrar toda a minha vida, através de fotografias. Aqui está também a carta que Paulo me deixou. Nela vai saber como foi a vida dele depois que se separaram.

Marta pegou a caixa, foi para seu quarto. Laura sorriu para Walther:

— Ela está muito feliz.

— Sim, mas não mais que eu! Quando vim para este país, nunca pensei que teria tantas surpresas.

Escolhas e Resgates

Eles não perceberam, mas desde que Marta começou a contar sua história, duas pessoas invisíveis aos seus olhos acompanhavam tudo e, nesse momento, sorriam, felizes, concordando com a cabeça. Uma dela era a Irmã Cecília, a outra, Paulo, que, desde o início, muitas vezes, chorou e tentou abraçar Marta, principalmente assim que a viu:

— Marta!   Minha Marta querida! Como a procurei por você todos esses anos! Como você está bonita! Por onde andou? Que lhe aconteceu?

Tentou abraçá-la, mas foi impedido por Irmã Cecília, que disse:

— Não se aproxime dela. A sua presença pode lhe fazer mal. Vamos ficar aqui, ouvindo o que ela vai contar. Você saberá de tudo.

— Como minha presença pode lhe fazer mal? Eu a amo! Sempre amei.

— Sei do amor que sente por ela. Sei que não deseja lhe fazer mal algum, acontece que ela, hoje, ainda está usando um corpo físico, você, não. As energias são diferentes. Tenha calma, vamos ouvir.

Paulo não discutiu. Ele também queria saber o que havia acontecido com Marta, desde que ela o deixara. Agora, já sabia como tudo havia acontecido e por que ela não voltara para casa. Ao mesmo tempo em que se sentia feliz por rever, finalmente, juntos, o filho e a mulher que sempre amou, sofria por saber que ele havia sido a causa de tanto sofrimento. Quando acordou após a sua morte e tomou conhecimento de que havia morrido e de que precisava de repouso até que seu novo corpo pudesse se ambientar à nova vida, acreditou, finalmente, naquilo que havia aprendido sobre a vida eterna do espírito. Era verdade. Sentia seu corpo como se ainda vivesse na Terra, mas não estava mais doente, nem sentia mais falta de ar. Estava exatamente como quando morreu, cabelos brancos, envelhecido, só que com muita saúde. Quando Irmã Cecília veio convidá-lo para fazer uma viagem, nunca imaginou que fosse para finalmente encontrar sua amada Marta, nem que presenciaria o encontro dela com o filho que ele miseravelmente havia lhe roubado. Agora, ali, diante da felicidade dos dois, não se conteve, começou a chorar com muita dor e arrependimento. Irmã Cecília também estava feliz, pois, finalmente, sua amiga, quase irmã, havia encontrado a felicidade tão merecida. Estava junto de seu filho amado, por quem sofrera a vida toda, mas, mesmo com esse sofrimento, não se furtou de ajudar muitos que precisavam. Abraçou Paulo, dizendo:

— Agora, vamos embora. Já sabe como tudo se passou, já sabe que a vida pode dar muitas voltas, mas, no final o que resta é sempre paz, felicidade e amor profundo de Deus por todos nós.

— Sei, finalmente, mas não consigo me perdoar. Ela é uma santa! Não deveria ter passado por tudo isso. Eu, só eu, fui o culpado por todo o seu sofrimento.

— Por que diz isso?

— Apesar de tudo que a fiz sofrer, dedicou sua vida a crianças. Criou muitas como se fossem suas. Deu amor e carinho. Só uma santa faria isso.

— Realmente, ela cumpriu muito bem quase tudo o que havia prometido antes de renascer.

— Prometido? Antes de renascer? Que está dizendo?

— Que antes de renascermos escolhemos a vida que vamos ter e prometemos cumprir tudo.

— Li muito sobre isso. É verdade, mesmo, que escolhemos o modo como vivemos na Terra?

— Sim, sempre que voltamos ao mundo espiritual, e já foram muitas as vezes e serão muitas mais ainda, ao tomarmos conhecimento de tudo o que fizemos durante a nossa vida na Terra, escolhemos como e onde vamos renascer. Prometemos muito, pois lá nos sentimos seguros e protegidos, mas, ao voltarmos aqui para a Terra, na maioria das vezes não cumprimos nem cinco por cento do prometido.

— Cinco por cento? Só isso? Custa-me acreditar.

— Como demorou muito para acreditar na vida eterna...

— Tem razão, se eu soubesse antes tudo o que sei agora, talvez não tivesse feito tantas coisas erradas como fiz.

— Se assim fosse, não haveria mérito algum. Por isso, Deus nos dá o esquecimento de tudo. Sempre que renascemos, voltamos com o espírito puro, pronto para aprender e decidir sobre o que faremos com a vida que nos foi dada. Isso se chama livre-arbítrio.

— Livre-arbítrio? Que quer dizer na realidade? Li também sobre isso.

— Então, sabe que podemos escolher esse ou aquele caminho. Nada pode interferir em nossa escolha. Ele também nos torna responsáveis por essa mesma escolha.

— Embora tenha lido muito, sempre achei complicado. Poderia explicar melhor, Irmã?

— Poderia não, Paulo, posso e vou explicar tudo, só que não vai ser aqui. Agora, está tudo muito bem. Marta vai ler a sua carta. Entenderá o resto todo. Depois disso, algumas coisas ainda acontecerão. Enquanto ela lê, terei tempo de conversar com você e lhe mostrar como o livre-arbítrio funciona. Vamos embora?

— Queria ficar mais um pouco ao lado deles para poder participar da felicidade que estão sentindo.

— Terá muito tempo para isso. O importante, agora, é que entenda todo o resto. Venha.

Paulo percebeu que não adiantava insistir. Ela sabia o que queria. Sorriu e a acompanhou. Segurou em sua pequena mão e os dois seguiram, voando. Ele ainda não havia se acostumado com aquilo deliciava-se com aquela sensação. Chegaram a uma casa. Era uma casa branca, com janelas azuis. Entraram. Ela disse:

— Esta é a minha casa. Fico aqui pouco tempo, pois vivo andando por aí, mas, quando estou aqui, sinto-me muito bem. Pode se sentar, temos muito para conversar.

Paulo olhou para a ampla sala que era agradável, móveis claros e bem posicionados. Quadros pendurados de uma beleza nunca vista por ele antes. Disse:

— Esta casa faria inveja a qualquer pessoa na Terra.

Ela deu aquela gargalhada, à qual Marta havia se referido. Disse:

— Esta é uma das vantagens de estarmos mortos. Podemos ter a casa e tudo do modo como quisermos.

— Não posso acreditar no que está dizendo. É verdade? Podemos ter tudo? Todos podem?

— Uma pergunta de cada vez. Podemos ter tudo sim e da forma como quisermos, mas nem todos podem. Deus nos criou para que tivéssemos felicidade. O sofrimento por que passamos foi atraído por nós mesmos. Por isso, alguns podem, outros não, dependendo de como usaram seu livre-arbítrio.

— Precisa mesmo me falar de livre-arbítrio?

— Mas se foi para isso que o trouxe você até aqui. Para conversarmos sobre isso! O nome José Pedro Pereira de Alcântara lhe lembra alguma coisa?

Paulo ficou pensando, como se quisesse lembrar-se de algo, mas não conseguiu:

— Não, não me traz lembrança alguma.

— E o Sarita de Albuquerque?

— Também não! Quem são?

— Há muito tempo, Sarita de Albuquerque era uma linda menina. Nasceu filha de uma família pobre, mas digna. Foi criada com muito amor e dedicação. Quando cresceu, tornou-se uma moça muito bonita. Por onde passava, atraía a atenção de todos. Aos poucos, percebeu que, com sua beleza, poderia conseguir tudo o que quisesse. Percebeu que, em troca do seu corpo, os homens lhe dariam jóias e dinheiro. Usou seu corpo, fez dele um instrumento de trabalho. Ganhou muito dinheiro. Quando foi ficando mais velha, deixou de atrair tantos homens como antes, embora ainda fosse muito bonita. Resolveu que, para manter o seu padrão de vida, precisava continuar no mesmo ramo, mas sabia que sozinha não conseguiria. Com todo o dinheiro que havia ganhado durante a vida, montou uma casa, onde os homens viriam e teriam noites de amor com várias moças, que ela contratou. Tinha muito orgulho da casa e das suas "meninas." O dinheiro, que antes ganhava sozinha, agora vinha em muito maior quantidade. Nunca se casou, mas manteve durante uma boa parte de sua vida um romance com José Pedro Pereira de Alcântara, um médico filho de um rico fazendeiro de café, por isso, criado com muito mimo. Não queria ser médico, só o foi para agradar ao pai, que insistia em ter um filho doutor. Por isso se deixou envolver por jogo, bebidas e glamour das noites. Aos poucos, esqueceu-se de sua profissão, tornou-se um bêbado inveterado. Mas isso não o incomodava, pois o dinheiro de sua família, aliado ao de Sarita, era suficiente para os dois. Tudo caminhava. Eles viviam sem maiores problemas. Sarita tinha como sua fiel escudeira uma moça chamada

Orlanda, mas que todos chamavam de Landa. Ela era uma espécie de espiã. Quando estava junto com as moças e alguém falava mal de Sarita, dizia que não gostava dela. Por isso, era uma espécie de confidente. Todas confiavam muito nela. Mas sempre que via ou ouvia alguma coisa que julgasse ser errado, corria para contar para Sarita. Havia uma outra moça que se chamava Linda. Era uma recém-chegada. Uma das mais bonitas da casa. Um dia, Landa percebeu que ela estava chorando. Aproximou-se e, mansamente, perguntou:

— *Que está acontecendo, Linda? Por que está chorando?*

— *Estou desesperada! Não sei o que fazer.*

— *O que foi? Que pode ser tão grave?*

— *Descobri que estou grávida.*

— *Nossa! A Sarita vai ficar desesperada. Você é quem tem mais cliente aqui.*

— *Por isso mesmo é que estou desesperada, Landa. Sei que ela não vai aceitar.*

— *Por que está dizendo isso?*

— *Porque meu corpo vai mudar e os clientes não vão querer uma mulher grávida.*

— *Por que não fala com ela?*

— *Tenho medo de que, quando ela descobrir, me mande embora, não tenho para onde ir.*

— *Ela precisa saber, Linda. Quem sabe vai compreender.*

— *Não, você sabe como ela é. Quando vim para cá, falou muito a respeito disso. Não sei como foi acontecer.*

— *Quer que eu fale com ela?*

— *Não! Por favor, não! Tenho medo.*

— *Está bem, não vou falar nada. Mas acredito que seria melhor falar antes que ela descubra.*

— *Não sei...*

— *Pense bem, se ela descobrir de outra forma, poderá ser pior.*

— *Vou pensar.*

— Landa saiu dali e foi direto para o quarto de Sarita. Ela estava diante do espelho, maquiando-se:

— *Posso entrar, Sarita?*

— *Claro que pode, o que aconteceu?*

— Landa entrou. Ela adorava aquele quarto, lá tinha tudo com o que sempre sonhou, mas sabia que nunca conseguiria um igual. Não era muito bonita, por isso não tinha muitos clientes. Por esse mesmo motivo, vivia fazendo tudo o que Sarita queria. Sempre que trazia alguma novidade, Sarita lhe dava algum dinheiro. Naquele dia, ela entrou, colocou-se atrás de Sarita, dizendo, mansamente:

— *Tenho algo para lhe dizer que vai deixá-la muito nervosa...*

Sarita levantou-se:

— *Que aconteceu? Que descobriu?*

— *A Linda está grávida...*

— Sarita enfureceu-se:

— *Grávida!? Não pode ser. Ela não podia ter feito isso. Como descobriu?*

— *Ela me contou agora mesmo...*

— *Por que ela não me falou?*

— *Está com medo de sua reação.*

— *Que reação? Como ela pode saber qual vai ser a minha reação?*

— *Disse a ela para lhe contar. Por favor, não faça nada para ela desconfiar que lhe contei.*

— *Está bem, não vou fazer isso, elas não podem desconfiar que você me conta tudo o que acontece. Mas preciso fazer alguma coisa. Está bem, pode ir, vou pensar em algo. Obrigada, pegue este dinheiro, mas continue insistindo para que ela venha falar comigo.*

— Landa saiu feliz, guardando o dinheiro no seio. Sabia que, enquanto continuasse a ser fiel, seria sempre recompensada. Sarita voltou a se sentar em frente ao espelho, só que agora sua expressão era de preocupação. Pensou:

Não posso deixar que essa gravidez vá para frente. Ela é uma das melhores meninas que tenho. Se ficar com a barriga grande, por muito tempo não vai poder trabalhar. Como vou fazer para impedir isso?

— Levantou, saiu, foi para o grande salão, onde as moças ficavam. Ainda era cedo, por isso o salão estava vazio. As moças estavam se preparando para a noite. Olhou em volta para ver se estava tudo em ordem. Aquela noite seria muito boa, pois era o dia que haveria jogo, por isso os homens mais ricos da cidade viriam. Sabia que muito dinheiro iria rolar e que certamente sobraria muito para ela. Sorriu contente. Após pensar nisso, uma sombra de preocupação passou por seu rosto:

Preciso encontrar um meio de evitar o prejuízo que essa criança causará.

— Landa saiu do quarto de Sarita, dirigiu-se ao seu para também se preparar. Ela era assim, vivia como cão perdigueiro, procurando algo que pudesse contar e, assim, guardar mais dinheiro para sua velhice. A noite chegou. Como o previsto, logo os homens também começaram a chegar. As moças desfilavam pelo salão, demonstrando o quanto eram bonitas. Sarita desfilava entre elas, quando percebeu que Linda não estava ali. Perguntou a Landa:

— *Onde está a Linda?*

— *Não sei, não passei pelo quarto dela, mas deve estar lá.*

— *Pode deixar, eu mesma vou ver o que está acontecendo.*

— Ao entrar no quarto, percebeu que Linda estava muito pálida:

— *Que você tem, Linda? Parece um defunto.*

— *Não sei, Sarita. Senti um enjôo muito forte, estou um pouco tonta.*

— *Sabe o porquê disso? Comeu alguma coisa que lhe fez mal?*

— *Não sei, comi o mesmo que todas...*

— *Estou desconfiada de uma coisa. Não tem nada para me contar?*

— Linda estremeceu:

— *Por que está me perguntando isso?*

— *Menina, já vivi muito. Isso que tem está me parecendo gravidez...*

— *Grávida, eu? Não, não, deve estar enganada, só não estou me sentindo bem, mas logo vai passar...*

— *Não sei, não, mas, para tirar dúvidas, vou pedir ao doutor José Pedro que a examine amanhã.*

— *Não precisa! Sei que não estou grávida. Vai passar logo.*

— *Mesmo assim, será melhor que ele a examine...*

— Linda, não suportando mais, começou a chorar:

— *É verdade, Sarita! Estou grávida e não sei o que fazer...*

— Sarita a abraçou, dizendo, mansamente:

— *Por que está tão nervosa? Isso não é nenhum fim do mundo. Tudo vai dar certo. De quanto tempo está?*

— *Não tenho muita certeza, mas deve ser de dois meses.*

— *Então, não se preocupe, essa criança poderá ser tirada sem problema algum para você. Vou falar com o José Pedro, logo tudo ficará bem e você voltará a brilhar em meu salão novamente.*

— *Tirar o meu filho? Não! Não quero. Isso é um assassinato!*

— *Assassinato? Filho? Que filho? Não é ainda um filho, é apenas um feto, não está nem formado.*

— *Mas vai se transformar em uma criança. No meu filho. Não sei ainda o que vou fazer, desconfio de que vou ter que ir embora, mas o meu filho vai nascer.*

— Sarita, percebendo que não tinha usado a tática certa, mudou seu tom de voz:

— *Está bem... não pensei que queria tanto esse filho... não vai ter problema algum, vai continuar aqui até a criança nascer. Já ganhei muito dinheiro com você, posso muito bem cuidar de você durante esse tempo. Ainda não está aparecendo e tem muitos clientes esperando por você, por isso se arrume e brilhe como sempre.*

— Linda não acreditou naquilo que estava ouvindo. Nunca pensou que a reação de Sarita seria aquela:

— *É verdade mesmo o que está dizendo? Vai deixar que eu continue aqui?*

— *Claro que sim! Você é a melhor das minhas meninas. Além disso, quero muito bem a você, considero-a como se fosse minha filha.*

— *Obrigada, dona Sarita! Obrigada mesmo. Pode deixar, esta noite estarei mais bonita que nunca. Não vai se arrepender por me ajudar. Serei a melhor de todas.*

— Sarita sorriu, saiu. Do lado de fora, sua expressão mudou novamente:

Preciso encontrar um meio de interromper essa gravidez. Preciso e vou encontrar.

— Voltou para o salão. Tudo caminhava muito bem. Aquela noite seria mesmo muito rendosa. Mas não conseguia se esquecer de Linda e daquele enorme problema. Em dado momento, percebeu que todos os olhares se dirigiram para o mesmo lado. Era Linda que surgiu no alto da escada. Estava com um vestido verde que mostrava com nitidez as linhas de seu corpo e dava mais vida aos seus cabelos louros e olhos verdes. Ela era de uma beleza deslumbrante. Sarita sorriu, ao perceber os olhos dos homens que acompanhavam os passos de Linda, enquanto ela descia as escadas com altivez e graça.

Ela é realmente uma beleza! Não posso ficar sem ela! O prejuízo será imenso.

Continuou andando por ali, conversando com um e com outro. Mas a imagem de Linda não saía de seu pensamento. Percebeu quando José Pedro chegou. Sorriu:

Ele vai ser a minha solução. Só ele pode me ajudar.

— Aproximou-se, estendeu a mão que ele beijou suavemente. Embora mantivessem um romance há muito tempo, perante todos eram somente bons amigos, ele, só um cliente da casa. Ela, sorrindo, disse:

— *Preciso falar com você urgente, José Pedro. Vou para o meu quarto. Disfarce e vá ao meu encontro.*

— *Que aconteceu, Sarita? Por que todo esse mistério?*

— *Não posso falar aqui, vá até meu quarto.*

— *Está bem, irei, mas antes vou pegar uma bebida.*

— *Nada disso! Precisa estar sóbrio para entender o que quero e do que preciso.*

— *Está bem, vá que irei em seguida.*

— Sarita, disfarçando, saiu e foi para seu quarto. Cinco minutos depois, José Pedro entrou:

— *Que aconteceu, Sarita? Parece tão aflita.*

— *Estou com um problema imenso, preciso de sua ajuda.*

— *Que problema?*

— Contou a ele a conversa que teve com Linda. Quando terminou, ele disse:

— *Entendi tudo, só não sei como posso ajudá-la.*

— *Você é médico.*

— *Fui médico. Fui! Hoje, sou só um bêbado.*

— *É um bêbado, mas ainda tem o seu diploma. Pode muito bem fazer um aborto.*

— *Espere aí. Não exerço minha profissão, mas um dia fiz um juramento. Não vou assassinar ninguém!*

— *Assassinar o quê? Está louco? Ela está apenas de dois meses, nem tem certeza se é de tanto tempo. Não tem nada dentro da barriga, apenas um feto que nem forma tem.*

— *Não vou fazer isso, além do mais, disse que ela não quer. Não vai permitir, como eu faria?*

— *Ela não precisa saber.*

— *Como não vai saber? Está louca, Sarita?*

— Ela ficou muito nervosa e, segurando em seu braço com força, disse:

— *Não estou louca, mas vou ficar, se não fizer o que quero. Além de louca, nunca mais vou querer vê-lo na minha vida!*

— *Que está dizendo, Sarita? Sabe que não vivo sem você...*

— *Já pensou no prejuízo que vou ter se ela insistir em carregar essa barriga? Não posso permitir.*

— *Não sei... não sei se vou conseguir...*

— *Claro que vai, José Pedro!*

— *Como pensa em fazer isso?*

— *Podemos dar a ela alguma coisa que a faça dormir. Você faz o trabalho e pronto.*

— *Pronto, como? Quando ela acordar, vai perceber o que fizemos, não vai aceitar. Pode fazer um escândalo. Já pensou nisso?*

— *Já pensei em tudo. Faça o seu trabalho, deixe o resto por minha conta. Saberei como falar com ela.*

— *Não sei, vou pensar.*

— *Não tem muito tempo para pensar. Vai ser esta noite, quando todos forem embora. Por isso, trate de não beber. Precisa continuar sóbrio.*

— *Como, não beber!? Logo esta noite?*

— *Isso mesmo! Não podemos esperar! Quanto mais tempo passar, mais difícil será.*

— *Que faço agora?*

— *Volte para o salão. Vou providenciar tudo. Tenho um pó que fará com que ela durma a noite toda. Vamos fazer o que tem que ser feito, amanhã estará tudo bem.*

— *Estará tudo bem!? Não sei se isso vai dar certo.*

— *Claro que vai.*

Irmã Cecília, enquanto falava, parecia estar distante, murmurando para si mesma. Lembrou que Paulo estava ali. Disse:

— Está entendendo o que significa o livre-arbítrio, Paulo?

— Não, não sei se estou entendendo...

— Naquele momento, José Pedro e Sarita tiveram o direito de exercer o livre-arbítrio. Tinham dois caminhos para seguir. Ele, principalmente, poderia aceitar ou não. Se aceitasse, cometeria um crime; se não aceitasse, talvez, eu disse talvez, perderia a mulher que amava.

— Que caminho ele tomou?

— Que caminho você tomaria?

— Eu!? Não sei, mas nunca cometeria um crime. Ainda mais contra uma criança que só queria nascer. Só eu sei quanto a Marta e eu próprio sofremos quando cometi aquela loucura.

— Naquele momento você também exerceu o seu livre-arbítrio.

— Como assim?

— Você também tinha dois caminhos. Continuava com seu filho e sua mulher ou o trocava por dinheiro.

— Ali foi diferente. Se ele continuasse ao nosso lado, sofreria toda aquela miséria que nós mesmos havíamos sofrido.

— Você encontrou a sua pedra logo depois...

— Mas eu não sabia que ia encontrar! Se soubesse, não teria feito aquilo!

— Se soubesse, não estaria exercendo o seu livre-arbítrio. Precisava decidir que caminho tomar na situação em que estava.

— Tomei o caminho errado, não foi?

— Sim, porém, mesmo assim, tudo no final deu certo. Mas não é de você que estamos falando. Estamos falando de José Pedro e Sarita.

— Isso mesmo, eles conseguiram o que queriam?

— Durante a noite, Sarita ficou, como sempre, sem despertar suspeitas. Sabia que Linda não bebia, por isso não haveria problema algum em lhe dar o tal pó para que ela dormisse. Linda fez tudo o que sabia fazer. Recebeu em seu quarto um rico fazendeiro, que sempre vinha à cidade para vê-la. Já eram quase cinco horas da manhã, quando todos se retiraram. Finalmente, o salão ficou vazio, só restando as "meninas", que, cansadas, estavam sentadas pelas várias poltronas que havia por lá. Sarita se aproximou de Linda, dizendo:

— *Como sempre, você esteve maravilhosa.*

— *Obrigada, dona Sarita. É tudo que posso fazer para agradecer tanta bondade. Preciso trabalhar bastante enquanto a minha barriga não começa a aparecer, depois vou ter que me afastar por um bom tempo.*

— *Isso está muito longe ainda. Vai demorar muito. Não quer tomar um pouco de champanhe, antes de se deitar?*

— *Sabe que não bebo.*

— *Então, acompanhe-me com um suco. Não gosto de beber sozinha.*

— *Se for um suco, eu a acompanho.*

— *Fique aqui, sei que está cansada, vou buscar o champanhe e o suco.*

— Sarita se dirigiu até o bar, Linda a seguiu com os olhos, admirada com a beleza e o porte dela. Quando chegou ao bar, Sarita pegou uma taça, encheu de champanhe. Em um copo colocou o suco e o pó que faria Linda dormir por um bom tempo. Com os copos nas mãos, aproximou-se:

— *Pronto, aqui está, Linda. Vamos beber, depois iremos nos deitar.*

— Linda pegou o copo, bebeu quase de uma vez:

— *Este suco de abacaxi está ótimo! Também está tanto calor, não é?*

— *Está calor mesmo. Além disso, deve estar cansada, eu, ao menos, estou, e muito.*

— *A noite foi muito boa. Parece que os clientes ficaram satisfeitos.*

— *Ficaram sim. Tudo correu como devia.*

— Linda sentiu seu corpo amolecer. Tentou ficar com os olhos abertos, mas não conseguiu. As outras moças perceberam, correram para ajudar. Sarita as acalmou, dizendo que não era nada, que ela só tinha bebido um pouco a mais. Ajudada por Landa, levou Linda para o seu próprio quarto. José Pedro já as estava esperando. Embora tivesse prometido, não agüentou, bebeu, e muito. Ao vê-lo naquele estado, Sarita ficou nervosa, com medo de que ele não conseguisse fazer o trabalho. Mas ele falou com ironia:

— *Fique calma, minha querida. Vai ser fácil, estou acostumado a matar crianças todos os dias...*

— *Cale a boca! Está bêbado e falando asneiras. Será que conseguirá mesmo?*

— *Claro que conseguirei. Deite-a aí na cama, já está tudo preparado. A sua fiel escudeira já preparou tudo.*

— Realmente, enquanto a festa transcorria no salão, Landa forrou a cama com lençóis e preparou tudo, seguindo as instruções de José Pedro. Ele, cambaleando, fez tudo o que tinha que ser feito. Depois, disse:

— *Pronto, já está terminado. Agora, é só esperar. Amanhã, ela sentirá algumas dores, depois vai expelir o feto. Ficará bem dentro de alguns dias.*

— *Tem certeza de que ela vai ficar bem?*

— *Vai sim, ela é jovem e forte. Eu é que não estou bem, preciso de um trago.*

— José Pedro tomou quase uma garrafa inteira. Não estava se sentindo bem por aquilo que havia feito, mas de qualquer maneira o fato estava consumado. Naquele momento, era, juntamente com Sarita, o responsável por um espírito que havia sido impedido de nascer e cumprir sua missão aqui na Terra. Sombras negras o envolveram. Sarita continuava impassível. Para ela, havia feito o que julgava ser o certo. Linda permanecia adormecida, entorpecida pelo pó. No plano espiritual, aquela atitude fez com que muitos sofressem.

— Quem?

— Sempre que voltamos para a Terra, deixamos aqui, no plano espiritual, irmãos que nos amam e que fazem tudo para que possamos cumprir com êxito a nossa missão. Quando nos desviamos do caminho, eles sofrem muito, por mais um nosso fracasso. Mas não havia nada para ser feito. Ambos, José Pedro e Sarita fizeram uso do livre-arbítrio e nada nem ninguém poderia ter evitado. A não ser eles próprios. Agora, o destino deles estava nas mãos deles mesmos.

— Não estou entendendo. Como nas mãos deles?

— Como já lhe disse, somos responsáveis por nossos atos. Nós mesmos, um dia, teremos de dar a nossa sentença.

— Isso é terrível, Irmã!

— Não, Paulo, isso é divino! Essa é a justiça divina que não condena, não pune.

— Com o tempo, vou acabar aprendendo tudo isso, mas agora

estou curioso para saber o que aconteceu quando Linda acordou!

— Pela manhã, ela, realmente acordou. Percebeu logo que não estava em seu quarto. Conhecia bem aquele quarto em que estava. Pensou:

O quarto de Sarita! O que estou fazendo aqui?

— Foi levantar, mas sentiu uma dor muito forte na barriga, que fez com que se deitasse novamente. Não percebeu que em um sofá, ao lado, José Pedro dormia tranqüilamente. Ela colocou as mãos por debaixo do lençol, percebeu que alguma coisa havia acontecido. Deu um grito estridente. Logo o quarto se encheu de gente. As moças acordaram com o grito. Sarita havia acordado e ido até o banheiro que ficava no corredor, estava secando o rosto quando ouviu o grito. Largou a toalha, foi também para o quarto. Linda chorava, com as mãos sujas de sangue. Ao ver Sarita, perguntou:

— *Que aconteceu comigo? Por que estou aqui no seu quarto?*

— Sarita viu que as outras moças olhavam horrorizadas para Linda e para ela. Logo, retomou seu controle:

— *Fique calma... não aconteceu nada. Vocês todas podem voltar para seus quartos. Ela está bem, só um pouco assustada, nada mais.*

— As moças obedeceram. Uma a uma foram embora. Não entendiam o que havia acontecido. Além disso, estavam cansadas demais. A noite havia sido muito movimentada, estavam com sono. Foram dormir novamente. Linda chorava sem parar. Sarita se aproximou, dizendo:

— *Minha filha, não fique assim. Tudo ficará bem. Logo estará nova em folha.*

— *Que aconteceu, dona Sarita? Que sangue é este? Que aconteceu com meu filho?*

— *Ontem à noite teve um problema, teve que ser socorrida às pressas. Infelizmente, perdeu a criança que estava esperando.*

— *Perdi a criança!? Como? Não senti nada! Não pode ser...*

— *Essas coisas acontecem. Não é a primeira vez nem será a última. Ademais, até que foi bom ter acontecido. Imagine o que seria a sua vida daqui para frente se essa criança permanecesse dentro de você. Ficaria muito tempo sem trabalhar. E quando nascesse, então? Não poderia ficar aqui. Teria que ir embora.*

— *Isso não importa. Eu queria essa criança. Queria muito! Se não pudesse ficar aqui, eu iria embora, sim, arrumaria um outro emprego. Faria tudo para dar felicidade à minha criança. Isso não podia ter acontecido! Não podia...*

— *Mas aconteceu e você não poderá fazer nada. Agora, eu e a Landa vamos levá-la de volta para seu quarto. Lá ficará melhor. Vai ficar bem quietinha, recuperar-se o mais rápido possível. Em breve, tudo isso passará e você tornará a ser a menina mais linda e desejada da minha casa. Agora, tente dormir novamente. Lembre-se de que foi a vontade de Deus.*

— Linda não entendia. Pensava:

Como ela consegue ser tão fria e falar dessa maneira? Como ela pode dizer que foi bom meu filho ter morrido?

— Ela não entendia, mas estava muito fraca para discutir. Sentiu um enorme desejo de dormir, foi o que fez. Depois que levaram Linda para o quarto, Sarita voltou, acordou José Pedro. Ela estava feliz por ter convencido Linda de que tudo havia sido inevitável. Uma triste realidade. Abraçou-se a ele, dizendo:

— *Não lhe disse, José Antonio, que daria tudo certo? Ela aceitou muito bem o que lhe disse. Está certa e conformada que foi tudo como Deus queria.*

— *Como está se sentindo, Sarita?*

— *Quem? Eu? Estou ótima. Não lhe disse que conseguiria! Não posso perder essa menina. Ela vale ouro!*

— *Não está sentindo remorso?*

— *Não! Nem você deve sentir! Isso tudo faz parte da vida! Para que iríamos querer uma criança aqui?*

— *Não sei, não sei.*

— *Então, esqueça tudo e me dê um abraço. Vamos nos amar como nunca.*

Paulo estava estarrecido.

— Estou pensando o mesmo que a Linda. Como ela podia ser tão fria, Irmã?

— Eram onze horas da manhã quando Sarita voltou ao quarto. Linda continuava dormindo, só que ao olhar para seu rosto, Sarita não gostou do que viu. Ela estava muito pálida e queimava em febre. Levantou o lençol, viu que estava deitada em uma poça enorme de sangue. Percebeu que ela estava tendo uma hemorragia. Assustou-se, foi correndo chamar José Pedro, que já estava tomando mais um trago.

— *José Pedro! Venha correndo! Linda não está bem!*

— Ele largou o copo em que estava tomando seu trago:

— *Que ela tem? Você está muito assustada!*

— *Não sei o que ela tem! Vamos logo!*

— Ao entrar no quarto, ele percebeu que realmente Linda não estava bem. Examinou e constatou:

— *Ela está tendo uma hemorragia, muito intensa, Sarita, receio que já seja tarde demais. Precisamos levá-la a um hospital.*

— *Hospital!? Não! Não podemos!*

— *Por que não? Se não for atendida imediatamente, morrerá. Precisamos ir agora!*

— *Se formos a um hospital, saberão que ela sofreu um aborto, irão querer saber quem praticou. Que vamos dizer? Que fizemos isso sem o conhecimento dela? Isso é crime, José Pedro! Poderemos ser presos!*

— *Tem razão, não havia pensado nisso. Que vamos fazer, Sarita? Ela precisa de atendimento.*

— *Parece que ela não está sentindo nada. Será que está desmaiada?*

— *Perdeu muito sangue, sua pressão está muito baixa, se não tomarmos logo uma atitude, ela vai morrer!*

— *Vai sentir alguma dor?*

— *Não, acredito que não, apenas sentirá muita fraqueza.*

— *Então, deixe que se vá em paz...*

— *Que está dizendo, Sarita? Vai deixá-la morrer, assim dessa maneira?*

— *Ou isso, ou a cadeia, temos que escolher.*

Paulo não se conteve, disse, nervoso:

— Meu Deus, essa mulher era mesmo um monstro, Irmã!

— É verdade, Paulo, naquele momento, ela teve mais uma oportunidade para exercer o seu livre-arbítrio. Ela havia errado ao provocar um aborto sem o conhecimento de Linda, mas tinha nesse momento a oportunidade de se redimir, só que não fez isso. José Pedro, fraco, dominado por aquele amor insensato e pela bebida, abaixou a cabeça, concordando. Ficaram os dois ali, ao lado de Linda, até que ela deu o último suspiro.

— Deixaram-na morrer?

— Sim... Assim que ela morreu, Sarita, aliviada, chamou Landa. Quando ela entrou no quarto, olhou para a cama e percebeu que Linda estava morta, perguntou assustada:

— *Que aconteceu, dona Sarita? Ela parece...*

— *Morta! É isso mesmo, ela morreu...*

— *Como? Por quê?*

— *Não sabemos, teve uma hemorragia.*

— Landa quis começar a chorar, mas Sarita disse:

— *Não vai chorar agora. Temos muito que fazer. Primeiro, vá comunicar para as outras o que aconteceu. Ela morreu de pneumonia.*

— *Elas não acreditarão! Ontem à noite, todas viram como ela estava maravilhosa no salão...*

— *Isso não importa! Todas terão de jurar que ela morreu de pneumonia! É isso que o doutor José Pedro vai escrever no atestado de óbito. E isso será a realidade. Diga a elas que ninguém, mas ninguém mesmo, deve dizer outra coisa. Entendeu?*

— *Entendi, vou falar com elas.*

— Landa saiu. José Pedro estava novamente com o copo na mão. Escutou tudo o que Sarita disse. Não foi capaz de fazer nada. Apenas seguiu as ordens dela. Assinou o atestado de óbito. Não houve perguntas. Linda foi enterrada sem maiores problemas.

— Não aconteceu nada, Irmã? Eles não foram presos?

— Não, Paulo, ele, sendo médico, embora não exercesse a profissão, tinha registro e podia, assim, assinar um atestado.

— Não posso acreditar.

— Sei que é difícil, Paulo, mas foi isso mesmo que aconteceu. Aquela foi a primeira vez. Muitas outras vezes eles provocaram aborto em outras moças da casa. Com o consentimento delas ou não. A própria Sarita fez muitos em si mesma. Ela tinha horror só em pensar que poderia ter naquela casa uma criança. Ela não suportava essa idéia.

— Se outras moças morressem? Ela não ficou com medo de que isso acontecesse?

— Não, não houve mais mortes. Ela não teve medo, pois sabia

que, se algo acontecesse, José Pedro estaria ali para assinar outro atestado de óbito.

— Eles ficaram assim, impunes?

— Sim, viveram muitos anos sem problema algum. Continuaram suas vidas de orgia e bebidas. O tempo passou, ele foi o primeiro a morrer. Por causa da bebida, adquiriu uma cirrose hepática. Sarita, com quase sessenta anos, morreu de pneumonia. A única que ficou viva por mais dez anos foi Landa. Envelhecida e sem família, acabou em um asilo para velhos. Lá, conviveu com outros idosos. Alguns deles doentes. Quando ia dormir, não suportava os gemidos de dor de alguns que tinham doenças incuráveis e que estavam simplesmente esperando a morte chegar. Ela possuía verdadeiro horror a doenças e muito medo de sentir dor. Naqueles dez anos em que esteve lá, pôde repensar a sua vida. Percebeu que todo o dinheiro que havia conseguido através de sua maldade, naquele momento, não servia para nada. Além disso, não lhe sobrara nada. Gastou tudo o que ganhou, comprando roupas e jóias, na tentativa de ficar bonita. Quanto mais envelhecia, mais desesperada ficava. Agora, ali naquele lugar de tristeza e sofrimento, pôde entender como sua vida havia sido inútil. Finalmente, ela também morreu.

Irmã Cecília parou de falar por alguns segundos. Paulo perguntou:

— Os três se encontraram aqui no plano espiritual?

— Sim, ficaram vagando perdidos por muito tempo. Sabiam que só tinham uns aos outros, mas não conseguiam se encontrar. Foram perseguidos por todos aqueles espíritos que não deixaram nascer, que existiam mais em suas lembranças do que na realidade. Era o resultado da culpa que, aos poucos, foram sentindo. Suas próprias consciências os atraíam. Tentavam se esconder, mas não conseguiam. Sofreram muito, descobriram que a morte não era o fim, mas sim uma continuação. Enquanto viveram na Terra, através de meios escusos, conseguiram esconder seus crimes, mas aqui não. Aqui possuíam um inimigo do qual não podiam se esconder: suas consciências. Sofreram muito. Seus amigos espirituais sempre estiveram ao lado deles, intuindo bons pensamentos. Aos poucos, foram entendendo a extensão do que fizeram. Um após o outro foi se arrependendo, sendo recolhido e trazido para esta colônia. Aqui, finalmente, se reencontraram. Juntos, novamente se sentiram bem. Agora sabiam todo o mal que haviam feito. Queriam e pediam a todo instante a oportunidade de renascer novamente e assim poder resgatar os erros cometidos.

— Foi concedido?

— Sim, Deus, na sua infinita bondade, sempre nos dá a oportunidade de resgatarmos o mal praticado. Finalmente, obtiveram a permissão. Teriam que voltar juntos para a Terra. Precisavam escolher como seria essa nova encarnação.

— Eles escolheriam?

— Sim, foram chamados para isso. Haviam conversado muito entre eles. José Pedro entendeu que havia se entregado à bebida e à vida de prazeres por haver nascido em uma família rica, onde teve tudo sem ter que trabalhar para isso. Pediu para nascer em uma família pobre e só conseguir o que sonhava através do seu trabalho. Sarita entendeu que havia perdido sua encarnação por ter sido gananciosa e colocado o dinheiro acima de tudo. Pediu, também, para nascer em uma família pobre, ter muitos filhos, podendo, assim, dar oportunidade de nascer a todos aqueles que havia impedido. Landa entendeu que havia também perdido sua encarnação, por ter nascido feia, sem atrativo. Pediu para nascer bonita. Assim, evitaria o risco de praticar o mal, não teria mais motivo. O irmão, programador das reencarnações, ouviu os três. Assim que terminaram de dizer como queriam a sua vida na Terra, disse:

— *Vocês estão, neste momento, decidindo seu futuro. Será como pediram, mas terão também uma missão para cumprir.*

— Os três olharam para ele, sem entender. José Pedro, perguntou:

— *Que missão?*

— *Vocês impediram que muitos espíritos reencarnassem. Esse crime terá de ser resgatado, por isso, se encontrarão na Terra. Você e Sarita nascerão em uma casa pobre. Você vai trabalhar como garimpeiro e encontrará uma pedra que lhe dará fortuna. Vai se casar com Sarita, terão muitos filhos. Além de seus próprios. Com o dinheiro que conseguir, construirão um orfanato. Assim, poderão receber a todos que impediram de nascer. Você, Landa, será bonita. Encontrará com os dois e os ajudará no orfanato. Terão todas as condições para cumprirem o compromisso que estão fazendo agora. Sempre haverá ajuda de nossa parte. Só dependerá de vocês, para que tudo dê certo e possam voltar vitoriosos.*

— *Assim será fácil! Dessa vez não vamos fracassar.*

— *Não será tão fácil assim, José Pedro. Vocês cometeram crimes que deverão ser reparados. Se tudo caminhasse bem, não haveria mérito algum, não resgatariam nem cresceriam no aprendizado. Por isso, haverá momentos em que terão que decidir e terão que usar o livre-arbítrio. Dessas escolhas dependerá o futuro de cada um. A missão que estão levando, com certeza, chegará às suas mãos. Dependerá só de vocês se a aceitarão ou não. Dependerá de vocês, também, como ela será feita. Não se esqueçam de que nunca estarão sozinhos, independente das escolhas que fizerem. Encontrarão amigos e inimigos. Os inimigos servirão para fazer com que caminhem, os amigos os ajudarão na caminhada.*

Paulo estava com a boca aberta. Sua voz quase não saiu, quando perguntou:

— Garimpo? Pedra!?! Está me dizendo que eu sou o José Pedro? Sarita é a Marta?

— Isso mesmo, são vocês.

— Mas não deu nada certo. Não casamos, não tivemos muitos filhos! Ficamos separados a vida toda! Perdemos nosso filho!

— A sua vida foi exatamente aquela que pediu antes de partir daqui. Mas, lá na Terra, não se conformou com a pobreza. Revoltou-se e, na primeira oportunidade, quando chegou a hora de exercer o seu livre-arbítrio, trocou tudo por dinheiro, embora encontrar a pedra fizesse parte do planejado.

— Eu não tinha certeza que a encontraria! Mas, mesmo assim, sei que fui o culpado. Mas a Marta? Ela sofreu muito mais que eu. Perdeu o seu filho. Não conseguiu criá-lo.

— Sarita nunca quis crianças por perto. Muitas moças choraram por serem obrigadas a ficar sem os filhos. Entre elas, uma perdeu a vida.

— Linda!?

— Sim, ela mesma. Voltou para cá antes do tempo por ter sido assassinada. Aquele filho que estava esperando seria o começo de uma nova vida. Dessa vez, ela veio com dinheiro para tentar comprar o mesmo filho que vocês tiraram dela. Eu disse tentar. Se você tivesse resistido, ela seguiria o seu caminho, mas você não resistiu, viu naquela criança mais uma vez a oportunidade de obter lucro.

— Mais uma vez? Então o Walther era o filho da Linda? Geni era a própria?

— Isso mesmo. Ela veio em busca do seu filho.

— Mas ela não o teve. Ele foi adotado. Marta era a sua verdadeira mãe.

— Aqui no plano espiritual não existem documentos, filhos sem pais, ou pais sem filho. Aqui só existe a lei do amor. Os laços sangüíneos são importantes, mas tanto o sangue como o corpo permanecem na Terra, o que importa, realmente, são os laços espirituais, os compromissos assumidos.

— Está me dizendo que toda criança adotada pertence mesmo aos pais adotivos?

— Sim. Nenhuma criança chega aos braços dos pais, se não for pela lei do amor e do compromisso. Ninguém está fora do lugar em que realmente deveria estar.

— Nunca imaginei que fosse assim...

— A Lei de Deus é justa. Jesus se fez homem exatamente para nos ensinar isso. Ensinou que o amor ao próximo, a caridade e o perdão eram os caminhos que nos levariam até Deus. Ensinou que, para cada ação, existe sempre uma reação. Temos, em nossas mãos, a felicidade presente e futura.

— Se eu não tivesse feito aquela troca, tudo seria diferente?

— Sim, quando se encontraram aqui, no plano espiritual, a Geni e o Walther entenderam e perdoaram e, todos juntos, decidiram que você e Sarita, criariam o Walther, dando-lhe amor e carinho. Geni resgataria outros compromissos e só exigiria seu filho de volta, caso um de vocês ou os dois o desse a ela. Foi programado que esse dia chegaria. Era a oportunidade que vocês teriam de exercer novamente o livre-arbítrio.

— Estou entendendo... Eu fui o escolhido... Fracassei mais uma vez...

— Não existem fracassos, existem apenas aprendizados. Com a sua pretensa fraqueza, deu a oportunidade para que Marta cumprisse sua missão. Ela, sem você e o filho, dedicou a vida a todas aquelas crianças que, um dia, não permitiu que nascessem. E a muitas mais.

— Então, no final, deu tudo certo?

— Isso mesmo! Tudo está sempre certo.

— Por que não sabemos disso, quando estamos na Terra?

— Já lhe disse que não haveria mérito algum. As conquistas não teriam valor.

— Estou feliz, pois, apesar de tudo o que fiz, a Marta é hoje uma mulher amada e respeitada por muitos. Alguns a consideram uma santa.

— Como pode ver. Ela está muito longe da santidade, mas, nesta encarnação, está dando um passo longo para isso.

— Tem razão, Irmã...

— Você também aprendeu muito, Paulo. Viu que o dinheiro só é bom, quando pode trazer a felicidade. Sempre deu dinheiro para orfanatos, socorreu a Lorena e o pequeno Leo, quando a vida os colocou em seu caminho. Sofreu a solidão e o desespero por não conseguir encontrar seu amor.

— Sim, ficamos separados nessa vida. Mas sei que amo Marta e que sempre a amarei.

— Por esse mesmo motivo, ela também ficou sozinha. O único amor dela foi e será você, mas precisava que fosse assim. A separação não seria necessária, poderiam caminhar juntos; mas, separados, cada um teve seu aprendizado. Hoje, estão com a missão cumprida e com louvor. Aprenderam muito e em uma próxima vez se encontrarão novamente para uma felicidade plena. Serão, como dizem, almas gêmeas.

— Nós nos encontraremos novamente? Seremos felizes?

— Sim, fizeram por merecer. Não disse que Deus é um Pai amoroso?

— Quando será isso?

— O tempo aqui passa depressa. Marta está na Terra e permanecerá lá por um bom tempo. Ainda não terminou a sua missão.

— Ela está doente. Seu coração não está bom.

— Sim, porém não vai morrer ainda. Mas, não se preocupe, um dia ainda estarão juntos.

— Só posso mesmo esperar... A senhora me falou sobre Sarita e José Pedro, mas e com a Landa, o que se passou?

— Como ela pediu, nasceu muito bonita em Santa Catarina. Era loira e tinha olhos azuis.

— Landa é a senhora, Irmã?

Irma Cecília sorriu:

— Sim. Eu mesma.

— Como pode ser? Assim como a Marta, a senhora é considerada por todos, uma santa.

Ela soltou uma gargalhada e disse:

— Assim como Marta, estou longe da santidade. Vou lhe contar a minha história. Nasci em uma família que, embora não fosse rica, vivia muito bem. Todos eram imigrantes alemães e haviam chegado há pouco. Desde pequena, fui muito religiosa. Ia sempre à igreja. Perto, havia um convento. Elas possuíam um orfanato. Geralmente, ia até lá para brincar com as crianças. Minha mãe ficou muito doente e morreu. Meu pai, vendo-se sozinho, entregou-me às freiras para que cuidassem de mim, até ele retornar, pois estava indo trabalhar no norte do país. Levou com ele meus dois irmãos, já que poderiam trabalhar ao seu lado. Ele nunca mais voltou. Embora fosse uma criança linda, nunca fui adotada. As freiras não entendiam por que isso acontecia. Elas me tratavam muito bem, mas eu era mais uma criança das muitas que viviam ali. Muitas das crianças iam embora com seus pais adotivos, porém ninguém me queria. Cresci, sempre tentando entender por que minha mãe havia morrido. Por que meu pai havia me abandonado? Nunca obtive essas respostas. Por esse motivo, fui uma criança muito infeliz. Quando cheguei aqui, compreendi que assim deveria ser para que eu aprendesse o valor de uma família. Criada no meio de cânticos e orações, apaixonei-me pela Virgem Maria. Sabia que ela havia perdido o filho na cruz. Muitas vezes, tentei imaginar o seu sofrimento. Quando fiquei mocinha, as freiras nos levaram até um lugar muito pobre que havia na cidade. Diante de tanta pobreza e miséria, decidi, naquele dia, que seria uma irmã de caridade. Na minha congregação, as freiras se dedicam aos pobres e aos doentes. Eu jurei que cumpriria todas as determinações, mas não suportava ficar ao lado de pessoas doentes. No princípio, isso foi um problema, mas a madre superiora percebeu que eu tinha outra qualidade. Através de minhas palavras, sabia como conseguir o dinheiro necessário para que as obras fossem feitas. Quando fui mandada para o Nordeste, ao ver tanta pobreza, senti que ali conseguiria cumprir a minha missão, que era tentar ajudar a todos que precisassem. Só quando conheci Marta, foi que comecei realmente. Fiquei ao lado dela durante dezesseis anos.

— Pediu a beleza e não fez uso dela?

— Nunca me achei bonita, mas isso também nunca me preocupou. Sentia que tinha que fazer algo pelos pobres, principalmente pelas crianças. Hoje, sei que, com o nome de Landa, cometi muitos erros, mas aprendi através de todo sofrimento que senti naquele asilo, onde fui internada e, depois da morte, no tempo todo em que fiquei vagando, sozinha, sofrendo todo tipo de horror que eu mesma havia plantado em muitos irmãos cujo nascimento eu havia ajudado a impedir. Entendi que eles tinham o direito de estar me perseguindo. Prometi que dedicaria minha próxima vida na Terra a ajudá-los. Foi o que fiz.

— Conseguiu, por isso está aqui, ajudando-me? Hoje é um espírito iluminado!

— Consegui muitos pontos, mas ainda tenho muito a fazer para, finalmente, ser um espírito iluminado. Ainda tenho muitos irmãos precisando de ajuda, irmãos que, de uma maneira ou outra, prejudiquei.

— Eu, ao contrário, não consegui ponto algum. Por minha culpa, Marta sofreu tanto. Por minha culpa, não fomos felizes nem tivemos muitos filhos...

— Os caminhos podem ser mudados. Muitas voltas podem ser dadas. Podemos até nos afastar, mas o final é sempre um só: a luz divina. Não conseguiram ficar juntos, mas conseguiram resgatar muitos dos erros que praticaram. Em cada encarnação, sempre ganhamos algum ponto. Sempre aprendemos alguma coisa. Vou repetir. Deus é um Pai amoroso.

— Estou entendendo, mas tenho ainda algumas dúvidas.

— Quais?

— Isaías, Ismênia, Leo, Lorena, Gaúcho, Gilmar, Eunice e Zé Antônio, todos eles fazem parte da mesma história? Todos deveriam nos ajudar?

— Sim, todas as pessoas que encontramos sempre fazem parte da nossa história. Os encontros são determinados para que as missões possam ser cumpridas.

— Mesmo os inimigos? Aqueles que nos ofendem e machucam?

O Gilmar, por exemplo. Ele tentou estuprar a Marta! De que maneira pode ter servido?

— Foi um dos mais importantes. Ele era um homem bom, depois que Marta saiu correndo, não entendeu como tinha feito aquilo com ela. Era casado, tinha dois filhos e gostava muito da esposa. Martirizou-se muito com aquela atitude.

— Não estou entendendo...

— Ele serviu como um instrumento para que Marta saltasse do caminhão exatamente naquele lugar. Assim, encontraria Eunice e Zé Antônio, dois espíritos amigos que se prontificaram a renascer e ajudá-la na missão. Eles estavam ali naquele lugar com aquelas três crianças somente esperando a chegada dela para poderem voltar para cá.

— Foi tudo planejado? Eles morreriam assim que ela chegasse?

— Sim. As crianças eram resgate de Marta. Naquele momento, com a morte dos dois, ela teve a oportunidade de exercer o seu livre-arbítrio.

— Como assim?

— Poderia não ter aceitado, poderia ter entregado as crianças paras qualquer um e ter ido embora para casa, como era o seu plano inicial. Mas escolheu cumprir a promessa e criar as crianças. Só assim poderia começar a sua missão.

— Meu Deus! Como tudo que está me dizendo tem lógica. Quantas vezes me revoltei com a vida que levava? Quantas vezes julguei que Deus não existia?

— Ele existe, sim, Paulo, está em toda parte, principalmente ao lado de cada um. Ele nos dá de acordo com o que fazemos e desejamos. Dá-nos o direito de escolher as nossas provas.

Paulo não suportou. Seus olhos se encheram de lágrimas. Sentia-se o mais ingrato dos homens. Sentiu o quanto havia perdido, mas também o quanto havia ganhado. Ajoelhou-se, elevou os braços, deixou que seu rosto se banhasse com lágrimas de agradecimento e humildade. Irmã Cecília acompanhava, em silêncio, aquela demonstração de fervor.

— Chore, meu amigo. As lágrimas só nos fazem bem. Ontem, juntos, praticamos muitas maldades; hoje, juntos, louvamos a Deus, nosso pai e criador.

Abraçaram-se. Eram dois espíritos unidos pelo amor de Deus.

O Destino da Pedra

Enquanto isso, Marta permanecia em seu quarto, lendo a carta que Walther havia lhe entregado. Muitas vezes teve que parar e secar as lágrimas, ao reviver todos aqueles momentos que passou ao lado de Paulo, principalmente, quando seu filho foi roubado. Ao ver que Paulo havia encontrado a pedra de seus sonhos, jogou a carta de lado. Falou em voz alta:

— Ele encontrou a pedra? Ele encontrou a pedra? Por que, meu, Deus, isso só aconteceu depois que ele vendeu nosso filho? Por que o Senhor foi tão injusto com a gente?

No momento em que ela dizia isso, Irmã Cecília e Paulo chegavam e ouviram. Os dois se olharam e sorriram. Paulo disse:

— É uma pena que ela não saiba como isso foi bom. Que isso foi a melhor coisa que poderia ter-nos acontecido.

— Hoje, ela não sabe, mas, um dia, saberá.

Paulo se aproximou de Marta e, com a ponta dos dedos, lhe enviou um beijo. Ela sentiu um bem-estar incrível. Disse:

— Talvez um dia eu tenha essas respostas. Por enquanto, vou dizer o que digo todos os dias antes de dormir: seja feita a vossa vontade. Continuou lendo.

Walther e Laura estavam na sala, conversando sobre tudo o que a mãe lhes contara. Estavam felizes, principalmente por descobrirem que não eram irmãos. Poderiam, assim, casar-se. Walther não cabia em si de tanta felicidade.

Marta terminou de ler a carta, ficou por alguns minutos com ela na mão, relembrando tudo. Percebeu que Paulo também havia sofrido muito com a separação, mas agora nada mais poderia ser feito para que se reencontrassem. Pensou:

Ele se foi para sempre. Por que tudo teve que ser dessa maneira? Por que não conseguimos ficar juntos e criar nosso filho? Por que tivemos que sofrer separados? Não sei... talvez nunca consiga essas respostas... ainda bem que consegui rever meu filho... obrigada, meu Deus...

Levantou e, com a caixa e a carta nas mãos, foi para a sala. Sem que fosse notada por Walther e Laura, ficou olhando. Sorriu ao notar a felicidade em que se encontravam. Pensou:

Obrigada, meu Deus, por este momento de felicidade. Obrigada por ter trazido de volta meu filho. Obrigada por ele ser como é.

Entrou na sala, dizendo:

— Walther, meu filho, terminei de ler a carta.

— Que achou?

— Antes de ler, tinha muito ressentimento do Paulo, mas agora, tendo você aqui ao meu lado, vendo o quanto ele se arrependeu e sofreu também, só me resta desejar que esteja muito feliz no céu.

— Deve estar... deve estar. Viu que ele encontrou a pedra?

— Vi, mas, infelizmente, encontrou-a tarde demais. Essa pedra e o dinheiro que lhe deixou, vão fazer com que tenha uma vida muito boa. Você merece, meu filho. Ela é e sempre foi sua. Desejo que seja muito feliz.

— Tem razão, essa pedra me daria muita felicidade, se fosse minha, mas ela é sua. O Paulo a guardou durante todos esses anos, só não lhe deu por não a ter encontrado. A senhora é quem a merece. Não preciso dela, o dinheiro que ele me deixou é mais do que o suficiente para que eu viva o resto da minha vida com todo o conforto. A senhora, agora, poderá ir embora conosco. Eu e a Laura vamos nos casar, queremos que venha morar em nossa casa.

— Sabe o quanto estou feliz por ter reencontrado você, mas não posso ir embora daqui. Tenho minhas crianças, não posso deixar que fiquem abandonadas.

— Poderemos contratar alguém para que tome conta de tudo por aqui.

— Nem pensar nisso, Walther! São todos meus filhos. Nunca os abandonarei. Graças a eles, um dia, refiz a minha vida.

— Já fez o bastante, mãe. Criou e deu amor para muitas crianças. Pode, agora, simplesmente se dedicar aos netos que lhe daremos.

— Obrigada, meu filho, mas não posso aceitar. Meus netos vão ter tudo, mas ainda existem por aqui crianças que nunca vão ter nada. Por isso, vou continuar neste lugar.

— Se é assim que quer, assim será, mas poderá, ao menos, aumentar esta casa, ou mandar construir uma maior na cidade. Lá tem luz elétrica, terá mais conforto.

— Vivi quase toda a minha vida aqui. Mas se diz que a pedra é minha mesmo, quero que me faça um favor. Venda e todo o dinheiro que conseguir será usado para a construção de uma casa, onde as crianças vão viver melhor. Podemos até construir uma escola para as crianças da cidade, mesmo as que têm pais. Acha que o dinheiro vai dar para isso, meu filho?

Walther começou a rir:

— Claro, para isso e muito mais. Vai se sentir feliz se isso acontecer?

— Muito!

— Que seja. Amanhã bem cedo, vou para São Paulo. Isaías deve saber como trocar a pedra. Voltarei o mais breve possível.

Foi o que ele fez. No dia seguinte, bem cedo, foi para São Paulo. A viagem de volta foi mais rápida do que a de vinda. Ele, agora, estava feliz, havia encontrado a mãe e a mulher que amava. Chegou, contou tudo a Isaías e Ismênia, que vibraram. Como ele previra, Isaías que sempre trabalhou ao lado de Paulo, sabia como conseguir um bom dinheiro pela pedra. Contratou uma firma que construiria a casa para Marta. Tudo certo, voltou para junto delas. A construção durou quase seis meses. Durante todo esse tempo, ele retornou a São Paulo com frequência. Combinou com Laura que se casariam no mesmo dia da inauguração da casa-escola. Marta não cabia em si de tanta felicidade. Paulo e Irmã Cecília também vieram várias vezes para ver como eles estavam. Finalmente, o grande dia chegou. A casa ficou pronta, cada detalhe foi examinado por Marta. Havia dez quartos, todos muito bem mobiliados e uma sala imensa. Na parte de baixo, um salão dividido em várias salas que serviriam como salas de aulas. Professores foram contratados. Na parte de fora da casa, foram construídas outras salas. Os meninos aprenderiam marcenaria, sapataria e outras profissões; as meninas aprenderiam a bordar e costurar, além de aspectos ligados à higiene doméstica. Marta percorria todos os aposentos. Sentia uma felicidade muito grande. Em dado momento, lembrou-se de Irmã Cecília. Sorriu, feliz.

Toda a cidade estava em alvoroço para ver o casamento e a inauguração da casa. Uma grande festa foi programada. Dois dias antes do casamento, Marta se mudou com as crianças. Estava preocupada, pois Walther não lhe dissera quem seriam seus padrinhos. Quando ela perguntou, disse que era uma surpresa.

O casamento seria às dez horas da manhã. Marta estava ajudando Laura a colocar o vestido de noiva:

— Você está linda, minha filha! Que Deus a proteja! Sei que vai ser muito feliz!

— Assim espero, mamãe.

Alguém bateu à porta. Marta foi abrir. Seu coração quase parou.

— Mãe! Minha mãe...

A velha senhora não conseguia falar de tanta emoção. Apenas abriu os braços. Marta se abraçou a ela e, chorando, disse:

— Quanta saudade senti da senhora, mãe! Mas tive medo de voltar.

— Perdão, minha filha. Perdão por não ter evitado que seu pai fizesse aquilo!

— Ora, mãe, isso agora não importa. Estou bem, no final, tudo deu certo. Sou, hoje, a mulher mais feliz deste mundo. Reencontrei meu filho e, agora, a senhora. Nada mais desejo nessa vida...Mãe.

Companheiros de Jornada

Ficaram assim por um longo tempo. Quando se soltaram, Marta pôde ver seus tios, que também estavam lá. Abraçaram-se e choraram muito. O reencontro, depois de tanto tempo, só poderia ser de muita emoção mesmo. Marta perguntou:

— Como chegaram até aqui?

— Seu filho foi nos buscar, ele é um bom rapaz.

— É, sim! Apesar de tudo, recebeu uma boa educação. Desde que o reencontrei, só me trouxe alegria. Esta é a minha filha, Laura. Vai se casar hoje com o Walther.

Laura se aproximou dos velhos e os abraçou carinhosamente. Marta saiu do quarto, acompanhado-os. Queria agradecer a Walther por tudo que estava fazendo por ela. Ao chegar à sala, parou mais uma vez. Ficou sem fala:

— Que é isso, guria? Não conheces mais os amigos?

— Gaúcho? Gaúcho! É você mesmo?

— Seu filho foi pessoalmente ao Rio Grande me procurar e encontrou. Durante muito tempo, procurei-te por essas estradas. Não podes imaginar como fiquei contente, quando soube que estavas viva e bem. Estou quase com setenta anos, mas mesmo assim não podia deixar de vir. Venceste mesmo! Encontraste teu filho e conseguiste esta casa, que é uma beleza!

Marta correu, abraçou-se àquele homem que havia conhecido por pouco tempo, mas que fora muito importante em sua vida.

Ele estava acompanhado dos filhos. Sua mulher havia falecido há cinco anos.

Marta se sentiu mal, pediu uma cadeira. Todos ficaram preocupados, principalmente Walther, pois sabia do problema que tinha no coração. Correu para o lado dela. Abraçou-a e colocou-a sentada:

— Por favor, mamãe, fique calma.

— Não se preocupe, meu filho, ninguém morre de felicidade e ainda vou viver muito.

Walther pediu a Isaías que, quando estivesse vindo para a festa, passasse pela casa de vó Zu e a trouxesse junto. Para ele, era muito importante que todas as pessoas que encontrou durante o tempo em que procurava pela mãe estivessem ali naquele dia que, para ele, era o mais feliz de todos que já havia vivido. Lula veio com seus pais, primos e irmãos. Abraçou o primo, dizendo:

— Não lhe disse que Deus cuida de todos nós?

Walther concordou com a cabeça. Correspondeu ao abraço.

— Obrigado por tudo que me ensinou e falou.

Olhou por trás dos ombros de Lula. Seu tio Luiz estava ali, acompanhado de Cinira e os filhos. Sorriu para o tio:

— Como pode ver, estou muito feliz por esta imensa família que tenho. Sei que o magoei, mas, naquele dia estava um pouco perdido. Hoje, após tudo o que aconteceu, posso pedir que me abrace? Quero, durante esse abraço, chamá-lo de meu tio. Posso?

Luiz, emocionado demais, não conseguiu dizer nada. Apenas abriu os braços. Walther também, em silêncio, abraçou-se a ele. Naquele momento, não eram necessárias palavras. Lula apenas sorriu e agradeceu em pensamento, por poder assistir àquele momento de reconciliação.

Walther estava abraçado ao tio, quando ouviu uma voz, que disse em um português ruim:

— Poder participar desse festa?

Walther se voltou e viu o amigo. Correu para junto dele, perguntando em inglês:

— Você também veio, Steven?

— Claro que sim! Achou que eu ia deixar de estar presente em um momento como este? O Isaías escreveu me contando do casamento. Arrumei tudo para poder estar aqui, hoje, nesse dia tão importante para o meu melhor amigo.

— Eu é que estou feliz. Mas, venha, quero que conheça, Laura!

Laura se aproximou. Steven sorriu e disse:

— Ela é muito bonita, Walther! Moça, cuide muito bem do meu amigo. Ele atravessou o oceano para encontrar você.

Walther traduziu o que ele disse. Laura respondeu:

— Vou cuidar, pode ter certeza.

Steven sorriu, estava realmente feliz por ver a alegria do amigo.

Epílogo

O casamento se realizou. A festa foi grande e muito concorrida. Já era noite quando todos começaram a ir embora. Gaúcho, a família, Isaías, Ismênia, Leo, vó Zu e o Steven pernoitaram na casa de Marta, que agora podia abrigar a todos. Walther e Laura foram de jipe ate Teresina, ficariam em um hotel por aquela noite.

No dia seguinte, bem cedo, Marta acordou cedo, mandou preparar um café reforçado, pois todos iriam embora. Walther e Laura chegaram quase na hora do almoço. Walther conversou com todos. Em dado momento disse:

— Mamãe, viemos nos despedir. Eu e Laura estamos seguindo para o Rio de Janeiro. De lá, tomaremos um avião que nos levará para os Estados Unidos.

— Vão para lá? Pensei que ficariam aqui para sempre!

— Vamos por um ou dois meses. Preciso pedir demissão de meu emprego e colocar a casa de meus pais à venda, mas voltaremos. Decidi que vou, juntamente com o Isaías, retomar os negócios do Paulo. Ficaremos morando em São Paulo, mas estaremos sempre por aqui. Nunca mais quero me separar da senhora. Além do mais, este é o meu país! A minha terra! Todos que amo estão aqui.

— Ainda bem, meu filho. Temi que novamente iríamos nos separar!

— Nunca mais, mamãe!

— Por que se refere ao Paulo pelo nome, nunca como pai?

— Não sei, mas ainda não o sinto como pai. Talvez um dia, talvez um dia...

— Não esqueça que ele fez o que fez, pensando muito no seu bem-estar...

— Pode ser, mas, por enquanto, vou continuar chamando-o de Paulo.

Marta não quis insistir. Sabia que, no fundo, ele tinha as suas razões. Todos se despediram. Isaías levou consigo vó Zu que, durante toda a viagem, foi contando histórias para Leo, que estava encantado com ela. Marta passou o dia cheio de afazeres. Contratou algumas mulheres da cidade para ajudá-la com as crianças. Por recomendação do doutor Moraes, deveria fazer o mínimo de esforço. À noite, após as crianças irem dormir, foi de quarto em quarto olhar como estavam. Sorriu ao ver que elas dormiam tranqüilas naquelas camas limpas e quentes. Saiu. A noite estava quente, o céu estrelado. Respirou fundo, lembrou-se de Irmã Cecília. Falou em voz alta:

— É uma pena, minha amiga, que não esteja aqui para ver o que conseguimos. Sinto muita sua falta...

Irmã Cecília, juntamente com Paulo, estava ao seu lado. Sorriu e mandando um beijo, disse:

— Estou aqui, sim, minha amiga, e sempre estarei a seu lado. Sei o quanto conseguimos. Você é que não imagina, na realidade, o quanto foi.

Marta sorriu. Podia jurar que estava sentindo o perfume dela, pensou:

Devo estar louca!

— Dona! É nesta casa que ajudam as pessoas?

Marta olhou para baixo. Na calçada, uma mocinha apresentando uma barriga era quem perguntava. Ela olhou para cima, sentiu novamente o perfume. Disse:

— É sim, minha filha, pode entrar.

Cecília e Paulo se olharam e sorriram. Cecília, com os olhos marejados, disse:

— Vamos embora, meu amigo. Ela tem ainda muito para fazer.

Foram embora. Marta olhou para uma estrela. Sorriu, enquanto dizia:

— Entre, minha filha, entre! Vejo que vai ter uma linda criança...

Fim

Leia, agora, o primeiro capítulo de

Tudo a seu tempo

Desigualdade

O carro chegou pela alameda que levava à entrada principal da casa. O motorista estacionou, saiu do carro, abriu a porta traseira e ficou segurando-a, esperando que Carolina descesse. Ela saiu logo do carro e, sem olhar para o lado, foi entrando em casa. O motorista, então, foi até o bagageiro, tirou alguns pacotes e entregou-os para uma das empregadas da casa, Nilda, que, avisada pela portaria da casa que a patroa já estava chegando, tinha saído para esperá-la. Enquanto entregava os pacotes, José, o motorista, disse:

- Aqui estão as compras que ela fez, Nilda. Tome cuidado! Não sei por que, mas ela está muito nervosa hoje!

- Não se preocupe, José, já aprendi como me comportar! E me acostumei com as grosserias dela. Muitas vezes tive vontade de largar o emprego, mas você sabe que não posso, preciso do trabalho. Minhas três crianças dependem quase que só de mim, que meu marido ganha pouco. Ela pode ser muito grosseira, mas até que me paga um bom salário.

- Está certa, Nilda. A vida é mesmo assim.

Nilda forçou um sorriso e entrou carregando os pacotes. Atravessou duas salas enormes, subiu a escadaria que levava ao piso superior e bateu à porta. Assim que ouviu a autorização, pediu licença e, com os olhos baixos, entrou no quarto de Carolina. Cortinas fechadas, ainda vestida com as roupas com que tinha vindo da rua, ela estava deitada quase na beira de sua cama e, com a mão, fez um sinal para que ela colocasse os pacotes sobre uma poltrona que havia no quarto.

Nilda fez isso e, sem levantar os olhos, pediu licença e saiu, fechando a porta bem devagar.

Carolina olhou para onde estavam os pacotes, mas continuou deitada, com os olhos voltados para o teto, pensando... *Outro dia está terminando. Outro dia em que passei fazendo compras, comprando coisas de que, por sinal, nem tinha necessidade. O que está acontecendo comigo? Por que estou tão triste? Não há motivo para isso. É, tenho tudo o que alguém possa desejar para ser feliz, mas não sou... Aliás, nunca fui. Desde que me casei nunca me senti uma pessoa realizada. Sei, sempre tive praticamente certeza que o Mário me traía e me trai até hoje, mas eu poderia fazer o quê? Ele sempre nos deu uma vida boa, além de muito carinho e atenção. Não tenho do que me queixar, mas por que então estou tão triste? Se pensar bem, não tenho motivo algum, tudo está bem, já me acostumei com a falta de interesse dele por mim, com as traições. Mas hoje, aquela moça com quem ele estava almoçando... É muito bonita, muito jovem, poderia ser filha dele! Ainda bem que ele não me viu... Também, parecia tão encantado com ela. Por que eu fiquei com tanta raiva? Por que senti tanto ciúmes? Será que foi por ele nunca ter me olhado daquela maneira? Será que foi isso?*

Continuava pensando, quando ouviu uma batida leve na porta do quarto.

- Entra – respondeu gritando.

A porta foi aberta devagar e, por ela, entrou Nilda, com os olhos baixos de sempre, que falou:

- Desculpe, dona Carolina, uma senhora chamada dona Tereza telefonou várias vezes e agora está de novo no telefone. Diz que é urgente. Eu disse para ela que não podia incomodar a senhora, mas ela insistiu.

Com um pulo, Carolina sentou-se irritada na cama e esbravejou:

- Tereza? Não conheço nenhuma Tereza! Você é mesmo uma incompetente! Por que não disse que eu não estava em casa?

- Tentei, mas ela parecia desesperada.

- Esquece, não vou atender! Diga que não estou em casa.

Nilda não respondeu. Pediu licença e saiu do quarto. Desceu e pegou o telefone:

- Dona Tereza, desculpe. Eu não sabia, mas dona Carolina não está em casa. Ela saiu logo depois do almoço, pensei que já tinha voltado, mas ainda não chegou.

Do outro lado a voz respondeu:

- Está bem, mas, por favor, assim que ela chegar, diz que preciso falar urgente com ela. Diz também que a dona Mercedes está muito mal e quer ver ela.

- Pode deixar que eu digo, a senhora quer deixar o número do telefone?

- Eu não tenho telefone, mas ela sabe onde me encontrar. Por favor, diga que é urgente.

- Está bem, dona Tereza, fique sossegada que eu faço isso.

Nilda desligou o telefone. Não sabia, mas Carolina estava na extensão e ouviu a conversa. Assim que Nilda desligou o telefone, Carolina também desligou. *Como que a Tereza teve coragem de me telefonar! Ela sabe que eu não quero saber dela nem de ninguém daquela casa!*

Voltou a recostar-se na cama ainda por algum tempo, depois se levantou, sem saber o que ia fazer. Estava saindo pela porta do quarto quando encontrou Nilda, carregando algumas roupas que acabavam de ser passadas. Ela estava entrando no quarto de Waldir, filho de Carolina. Essa, ainda com a irritação de que estava tomada, ao ver Nilda, disse com voz áspera:

- Para onde está indo, Nilda?

- Estou indo guardar as roupas no quarto do Waldir.

- Está fazendo isso mesmo?

- Sim, senhora. Estou indo guardar as roupas. Está quase na hora de eu ir embora...

- Espero que esteja dizendo a verdade. Está bem, pode ir, mas não mexa em nada, a não ser no lugar em que for guardar as roupas.

Entrando no quarto de Waldir, sempre de olhos baixos, Nilda não respondeu.

Carolina desceu a escada e foi para uma das salas da casa. Agora, não só por ter visto o marido acompanhado de uma linda moça, estava irritada com ele e também com Tereza, que teve a coragem de telefonar para ela! Sentou-se em um sofá e continuou envolvida em seus pensamentos... *Não entendo o que está acontecendo. Nunca me preocupei que Mário tivesse aventuras. Sempre soube que ele poderia ter quantas mulheres quisesse, mas que nunca nos abandonaria. Ele é muito responsável e sabe que precisa da imagem de uma família bem estruturada para continuar com suas pretensões políticas. Para chegar aonde quer, terá que continuar ao nosso lado, apresentando para todos sua família feliz. Eu nunca me preocupei, talvez por nunca ter ficado frente a frente com a traição, sempre sobra alguma dúvida. Eu sabia, mas nunca vi...*

Enquanto Carolina se isolava em seus pensamentos, Nilda tinha terminado de guardar as roupas, aprontara-se e tinha ido embora. Agora, estava quase chegando em casa, acompanhada por seus três filhos. O menor, Rodrigo, com um ano, ela carregava no colo. O do meio, Sergio, com três anos, e a maior, Dalva, com seis, estavam agarrados à saia da mãe, um de cada lado.

Depois de um dia inteiro de trabalho, Nilda estava cansada, pois, além disso, para ir da creche onde as pegou até a sua casa, precisava andar por quase uma hora. A creche ficava longe dali, mas era a única que existia. Ainda assim, mesmo sendo cansativo, estava feliz por ter conseguido vagas para as crianças. Pelo menos podia ir trabalhar sem se preocupar com elas. Estava agora com vinte e quatro anos. Tinha casado muito cedo com Ari, um rapaz que conhecia desde criança. Moravam no interior, mas Ari, atraído pela propaganda de alguns amigos que tinham vindo antes para a Capital, resolveu vir também, imaginando que ganharia muito dinheiro. Mas as coisas não estavam sendo bem assim. Ele não tinha uma profissão. Agricultor durante toda a sua vida, seu ofício não tinha nenhum valor na Capital. Já estavam ali há quatro anos e ainda não tinha conseguido nem mesmo a casa própria, tão sonhada. Moravam em um quarto e cozinha, nos fundos de uma casa. O aluguel era barato, mas mesmo assim, até ele, estava sendo difícil de pagar. Nilda estava preocupada com o futuro da família, principalmente com o dos filhos. O trabalho na casa de Carolina tinha sido um achado. Trabalhava para ela há um ano e o salário era bom; e, além dos outros empregados, eram só quatro pessoas na casa: Carolina, muito rica e freqüentadora da alta sociedade; seu marido, Mário, empresário que agora estava pretendendo entrar para a política; e os dois filhos. Waldir, com vinte e três anos, ao contrário da mãe, era gentil com todos, principalmente com os empregados da casa. Estava sempre sorrindo e parecia ser feliz. E também Paula, com vinte anos. Essa era igual à mãe.

Prepotente, mimada, considerava os criados como se fossem animais e só quando dava ordens trocava algumas palavras com eles.

Enquanto caminhava, Nilda pensava... *Nunca comentei com dona Carolina sobre minha falta de dinheiro. A única coisa que ela sabe é que sou casada, tenho três filhos e que deixo minhas crianças na creche. Também, do que adiantaria ela saber mais, é uma mulher de sangue ruim. Malvada, trata quem trabalha para ela como se fosse lixo. Ela é muito ruim mesmo. Os empregados não comem da mesma comida que a família dela, não podem nem tomar café...*

Finalmente chegou em casa, entrou e ficou surpresa ao encontrar Ari. Ele costumava chegar bem depois dela, pois sempre trabalhava até mais tarde. Estava em pé, junto ao fogão, terminando de colocar água em uma panela com arroz. Sem camisa e com um colete de gesso.

- Ari! Que aconteceu? Por que está usando esse colete? – perguntou assustada.

- Estava trabalhando e, quando me abaixei para pegar um saco de cimento, dei um mau jeito nas costas e caí. O dono da casa que a gente está reformando estava lá e me levou para o pronto socorro. O médico examinou e me mandou colocar este colete. Vou precisar ficar com ele por pelo menos uma semana. Depois, vou ter que voltar, mas ele disse que estou proibido de fazer esforço, porque a minha coluna está com um desvio muito grande. Estou desesperado! Como vai ser a nossa vida daqui pra frente, Nilda?

- Meu Deus do céu! E você, como é que está? Está doendo?

- Não, na hora doeu muito, mas o médico mandou aplicar uma injeção e agora não está mais. Receitou um remédio que eu preciso tomar de seis em seis horas. Disse que é para tirar a inflamação e passar a dor. Fui até a farmácia, mas o remédio está caro demais, e eu não comprei.

- Mas precisa comprar, Ari!

- Sei disso, mas o dinheiro que temos agora só vai dar para comprar comida para as crianças, Nilda! Sabe que não temos muito. Além do mais precisamos guardar! Não sei quanto tempo vou ter que ficar sem trabalhar! Você que eu estava esperando terminar a obra para poder pagar o aluguel, mas agora eu não vou receber, que o dono da casa vai ter que contratar outro pedreiro para terminar o serviço. Não posso ir para a caixa, porque o trabalho é sem registro e nunca paguei. Não sei o que vai ser da gente! Não posso ficar sem trabalhar! Tenho só trinta anos! E com três filhos para criar!

Nilda começou a chorar e a dizer, desesperada:

- Não pode ser! Isso não está acontecendo! Não é justo! Por que Deus está fazendo isso com a gente, Ari? Como a gente vai fazer para cuidar das crianças?

- Não sei, mas agora não adianta se desesperar! Lá na casa espírita eles dizem que a gente nunca está sozinho e que basta só ter fé que tudo se resolve.

- Do que adianta tudo isso? Do que adianta a gente ir lá e ler todos aqueles livros? Acreditar em uma vida melhor depois da morte, se a gente tem que viver aqui e agora? Nós temos três crianças para criar! Não me importo com o que fiz em outra encarnação! E se é que eu fiz alguma coisa de ruim, também não me lembro! Quer saber de uma coisa? Não acredito nem em Deus! Ele não existe, é tudo pura invenção! Estou cansada de viver dessa maneira! Desde que nasci foi assim! Fui sempre pobre e nunca consegui qualquer coisa que eu tenha querido nesta vida! Por que essa diferença entre as pessoas? A gente sem ter dinheiro pra pagar o aluguel dessa casinha, sem conforto algum, com três crianças e sem saber se vamos ter comida para elas, e a importante dona Carolina vivendo naquela enorme mansão, com tudo que você nem imagina que possa existir, e, olhe, ela que é uma pessoa muito ruim! Você acha que Deus existe mesmo! Que somos todos seus filhos? Tudo isso é mentira! A gente sempre foi honesta, nós nunca prejudicamos ninguém! E o que ganhamos com isso, Ari?

Ela chorava sem parar. Todo seu corpo tremia. Estava transtornada. Ari a abraçou dizendo:

- Fique calma, Nilda, a gente pode voltar para o interior... Lá tem os nossos pais e ficamos morando com a tua família ou minha, até encontrar um lugar só nosso...

- Como voltar?! Eles também não têm muito! O pouco que têm, mal dá para eles! E aqui ou lá, do jeito que você está, também não vai poder trabalhar! Como é que vai pra roça? Pegar na enxada? A gente não pode voltar! Não sei o que a gente vai fazer! Não sei o que vai ser da gente e das nossas crianças...

Enquanto Nilda chorava e se queixava da vida, duas entidades entraram na casa e colocaram-se ao lado dela. Uma delas jogou sobre Dalva, a pequena filha do casal, uma luz branca intensa. Imediatamente a menina disse:

- Mãe, para de brigar... Estou com fome...

Ao ouvir aquilo, Nilda se voltou em direção à menina, viu suas três crianças abraçadas, assustadas e agachadas em um canto da cozinha. Parou de chorar.

- Está bem, vamos comer. Não precisam ficar assustados, não estamos brigando, apenas conversando. – disse, ainda com os olhos molhados.

Foi até o fogão. O arroz que Ari tinha posto no fogo estava quase pronto. Em seguida, abriu a geladeira praticamente vazia, tendo lá dentro apenas uma garrafa meio cheia de água uma panela com um pouco de feijão quase sem caldo e dois ovos. Esquentou o feijão, pondo mais água do que de costume para aumentar a quantidade, pegou os ovos, bateu e fritou. Os pratos que tinha, desparceirados, já estavam sobre a mesa. Colocou um pouco de arroz e feijão em cada um deles e, dando um jeito, dividiu o que até parecia uma omelete em cinco pedaços quase iguais. Começaram a comer em silêncio. Quando terminaram, acomodou todas as crianças numa única cama de solteiro, que era o que tinha para elas não dormirem num colchão no chão. Em seguida, deitou-se na cama de casal e ficou de costas para Ari, que se deitou também.

Preocupado, seus pensamentos não paravam e, neles, ele orava... *Meu Deus, Pai de bondade, por favor ajude a gente neste momento. O senhor colocou em meus braços três crianças que são minha riqueza! Estou com medo de não poder cuidar delas. Senhor, nem sei por que estou com medo, pois sei que, a qualquer momento, a Sua ajuda vai chegar para nós. Tenho tentado cuidar bem da minha família, de todas as formas, mas sinto que está sendo inútil. Não peço muito, Senhor, só o necessário para que as minhas crianças cresçam em uma boa casa e com muita comida...*

Em seguida ele tentou conversar com Nilda, mas foi em vão. Ela estava muito nervosa e revoltada com tudo o que acontecia na sua vida. Tentava dormir, mas não conseguia e pensava, chorando baixinho: *Que vida é essa que tenho? E que eu sempre tive? Por que nada dá certo na minha vida? Ari fica dizendo que tudo está certo, que tudo é vontade de Deus, mas eu não acredito! Que Deus é esse que faz diferença entre aqueles que diz serem seus filhos? Por que eu vivo com meus filhos aqui, nesta miséria, enquanto dona Carolina, apesar de toda a sua maldade, tem tanto que nem sabe o que fazer com o que tem? Não, Deus não existe! Nunca fiz mal a ninguém! Sempre procurei ser uma mulher digna, boa esposa, boa mãe! Por que tudo isso está acontecendo? Sorte teve a Soninha, que se casou com aquele homem rico. Sei que ele é bem mais velho que ela... Mas e daí? Ela vive desfilando de carro novo pela cidade e nem se lembra mais do tempo em que foi pobre, muito menos de mim. Ela sempre foi egoísta e mentirosa, nunca se preocupou com ninguém e, se precisasse fazer alguma maldade para conseguir o que queria, fazia sem pena. Inventava a mentira que fosse para se sair bem e nem se preocupava! Todos na cidade comentam que ela tem um porção de amantes, e até assim é respeitada, por causa do dinheiro que tem agora, e ninguém se atreve a comentar nada na sua presença. Olha aí no que deu! Está rica e feliz, enquanto eu, com todo o meu bom caráter, estou nesta miséria! Isso não está certo! Ari pode dizer o que quiser, mas eu não consigo me conformar! Deus não existe mesmo! Além da Soninha, conheço tantas pessoas que são más, egoístas e têm tudo na vida. Parece até que tudo o que tocam vira ouro! Estou cansada desta vida! Estou mesmo, muito muito cansada...*

Naquele começo de noite, enquanto em seu quartinho Nilda inconformada chorava deitada de costas para o marido engessado, Carolina, sozinha, tinha tomado um drinque e, depois de andar de um lado para outro, saiu para o jardim, deu uma caminhada indo em direção ao salão que havia ao fundo e, antes de chegar lá, parou diante da piscina iluminada. Olhou para aquela maravilha azul transparente e para tudo o que havia em sua volta. Com um gramado muito verde, bem tratado, as árvores escolhidas, as plantas em canteiros bem desenhados, com flores de várias cores, aquele jardim, quase um parque, havia sido projetado por um paisagista. Era de muito bom gosto e também o orgulho de Carolina. Ela sempre promovia festas ali, para exibir sua casa e tudo o que nela fosse sinal de riqueza, para que as pessoas pudessem ver como vivia. Gostava de mostrar para todos que era muito rica. Olhando para a piscina, pensou... *Por que não estou bem? Também, hoje o dia não foi bom... Além de ver o Mário ao lado daquela moça, Tereza me telefonou, não gosto de lembrar do passado. Sempre fico deprimida. Não quero e não vou mesmo falar com Tereza. Isso faz parte de um passado que não tenho nenhuma intenção de relembrar.*

Estava assim, pensando, quando ouviu uma voz:

- Mamãe, o que está fazendo aqui fora?

- Olá, meu filho! Estou aqui pensando na vida.

Ele começou a rir:

Pensando na vida? Que tem nela para pensar? Não tem preocupação alguma, a não ser o próximo desfile de moda que a senhora vai, as roupas que vai comprar ou os jogos de carta das quartas-feiras, com aquelas suas amigas faladeiras insuportáveis.

- Que é isso, Waldir?

- Isso o quê? O, mamãe! Vai me dizer que não sabe que suas amigas são insuportáveis?

- Nunca achei. Elas, como eu, precisam encontrar uma maneira de se distrair.

- Estou de acordo, mas podiam fazer outra coisa! Dar um jeito, sei lá, de usar o tempo ajudando algumas pessoas carentes.

- Você não sabe o que está dizendo! É jovem demais, não conhece coisa alguma da vida! E agora, chega dessa conversa, daqui a uma hora vamos jantar.

- Está bem, mamãe, sou muito jovem mesmo. Mas agora preciso sair.

- Outra vez? Aonde vai? Você não costuma sair à noite. Sabe que precisa acordar cedo.

- Não se preocupe, não vou chegar tarde, além do mais, amanhã é sexta-feira e posso ficar dormindo mais um pouco que não tem a primeira aula. Hoje eu vou com o Marcelo ao cinema e amanhã vou sair de novo. Conheci uma moça linda, muito simpática, e prometi me encontrar com ela.

- Que bom, meu filho! Quem é ela e a que família pertence?

- A senhora não a conhece, ela não é de nenhuma família importante.

Hoje é o aniversário da mãe do Marcelo e eu fui com ele comprar o presente. Ela é uma balconista da loja eu que a gente foi e, além de muito bonita, nos atendeu muito bem. Fiquei encantado com ela.

- Balconista! Onde já se viu! Você não pode se envolver com uma balconista! A não ser que seja somente para se aproveitar...

- E por que não, mamãe!

- Porque você pertence a uma família com nome e tradição! Veja só, como vou chegar e ter que apresentar à sociedade uma balconista?! E ainda como nora!

Waldir começou a rir e disse abraçando Carolina:

- Mamãe, eu não vou me casar, recém conheci a moça! Também não vou só usá-la. Sabe que não sou assim. Jamais enganaria uma moça!

- O que tem isso?! Qualquer moça ficaria encantada com você, ainda mais depois de saber a que família pertence e a fortuna que tem. Por isso mesmo, pode ter as aventuras que quiser. É homem! Mas, para casar, nunca que eu aceitaria uma balconista ou mesmo qualquer uma que não tivesse nome e tradição, assim como nós.

- Mamãe, a senhora sabe que eu não dou muito valor para essas coisas. Para mim, o que importa é o caráter das pessoas. Sei que existem pessoas boas e más em qualquer lugar e em qualquer nível.

- Isso você é que pensa. Os pobres, por natureza, são invejosos e não perdem a oportunidade de nos importunar. Só nos aceitam, porque sabem que dependem do nosso dinheiro para sobreviver.

- Ora, mamãe, não é bem assim. Tenho alguns amigos na Faculdade que não são de família tradicional ou de família rica, mas são boas pessoas e que me ajudaram muito.

- Ajudaram, como? Você lá necessita de ajuda? Tem tudo o que precisa!

- Tem razão, em termos financeiros não preciso de nada mesmo, mas a ajuda pode vir em uma palavra amiga ou mesmo nos estudos, quando tenho algum problema com alguma matéria.

- Essa conversa está tomando um rumo que não me agrada, vamos entrar.

Entraram. Waldir foi para seu quarto; precisava se preparar para sair logo depois do jantar. Carolina, agora, estava mais irritada ainda.

Chamou por Eliete, a governanta da casa que, com a cabeça baixa, prontamente a atendeu.

- Pois não, senhora.

- O jantar está pronto?

- Sim, senhora. A mesa está sendo posta.

- Onde está Paula?

- Está em seu quarto, senhora.

- Chame-a, não sei por que essa menina fica tanto tempo em seu quarto.

- Está bem, senhora, estou indo chamá-la.

Eliete se afastou em direção à escadaria. Carolina e Waldir, que já voltara confortavelmente vestido para sair, caminharam para a sala de jantar.

Paula estava em seu quarto, diante de um grande espelho, dividido em três partes, com as laterais móveis, e se olhava, virava de costas, de frente, mexia nos cabelos, olhava mais uma vez, e dizia baixinho:

- Por que sou tão feia, tão gorda e esses cabelos são tão feios? Magali é tão bonita, por isso está sempre feliz. Eu não consigo nem me olhar.

Ouvindo uma batida na porta, perguntou gritando:

- Quem é?

- Sou eu, Eliete. Sua mãe pediu para avisar que o jantar já vai ser servido.

- Vê se me esquece, Eliete! Não quero jantar e não vou comer por muito tempo! Estou gorda e feia!

Ainda do lado de fora do quarto, Eliete disse:

- O que é isso, menina! Você não está gorda e é muito bonita...

- Vai parando! Você não me engana! Está dizendo isso só para me agradar, tem medo de perder o emprego. Vá embora, quero ficar sozinha!

Eliete ficou calada; sabia que, quando Paula ficava daquela maneira, não adiantava insistir. Estava há muito tempo naquela casa. Conhecia Paula e Waldir desde que eram crianças, era como se fossem seus filhos. Sempre condenou o tipo de educação que Carolina lhes deu, mas não podia interferir. Sabia que tanto Paula como Waldir foram muito mimados, e todos os seus desejos, mínimos que fossem, eram sempre atendidos. Sabia que Carolina fazia isso para não ter trabalho. Era mais fácil atender a um pedido do que dizer um não, e, se não fosse assim, teria que dar explicações, responder aos "porquês" naturais de uma criança. E, provavelmente por isso, Paula se transformou naquela moça irritante e infeliz. Nunca satisfeita com o que tinha, querendo sempre mais e mais. Além de não dar valor para as coisas, dava muito menos para as pessoas, em especial para quem a servia.

Eliete se afastou, indo avisar Carolina, que já estava na sala de estar.

- Senhora, a menina Paula disse que não vai jantar, porque está se achando muito gorda. Vai recomeçar a fazer dieta.

- Não sei o que essa menina tem. Ela te tudo, nunca lhe faltou nada! E essa mania de gordura, ela parece um esqueleto! Não sei o que fazer com ela! – disse Carolina, irritada.

- Tentei argumentar, mas não adiantou. A senhora a conhece e sabe como fica quando está assim. Como das outras vezes fará regime por alguns dias, depois esquecerá, e tudo logo volta ao normal.

- Sei disso, mas já estou me cansando. Vamos esperar. A propósito, o doutor Mário telefonou dizendo se vem jantar?

- Não, senhora, ele não telefonou.

- Está bem, pode mandar servir o jantar para mim e para o Waldir. Vou subir e voltarei em seguida.

- Sim, senhora.

Carolina foi para seu quarto e Eliete para a cozinha.

A caminho do quarto, Carolina lembrava-se da moça que estava com Mário...*ela é jovem e linda, por isso ele não veio para o jantar, deve estar com ela. Não me incomodo que tenha os casos que quiser, mas como pode fazer isso comigo? Freqüentar lugares onde as pessoas podem vê-lo com outra? O que aconteceria se uma de minhas amigas visse? E viesse me contar! Eu ia ser obrigada a fazer alguma coisa! Não, não posso admitir! Ele perdeu a compostura! E o Waldir agora, com essa história de balconista? Onde já se viu? Imagine se vou permitir que ele se envolva com alguém assim! Nem pensar! E a Paula que não larga essa mania de dizer que está gorda? De onde tirou essa idéia? Diazinho horrível o de hoje... E ainda por cima a Tereza telefonou! Que está acontecendo com minha vida? Bem, não adianta ficar pensando, vou jantar e, depois, vou...sair.*